KB045517

W캠프의 비밀

W캠프의 비밀

서울시장 3선, 박원순을 만든 사람들의 이야기

초판 1쇄 발행 2018년 7월 27일

지은이 이인수 외 지음
펴낸이 김영곤 **펴낸곳** (주)북이십일 21세기북스

기획위원 권무혁 **편집** 홍성광 김항열 **교정교열** 함성주
출판영업팀 최성호 한충희 최명열
출판마케팅팀 김홍선 최성환 배상현 이정인 신혜진 나은경
홍보팀 이혜연 최수아 김미임 박혜림 문소라 전효은 염진아 김선아
디자인 송경진 박선향 박지영 한성미 조수현 정지연
제작팀 이영민
출판등록 2000년 5월 6일 제406-2003-061호
주소 (10881) 경기도 파주시 회동길 201(문발동)
대표전화 031-955-2100 **팩스** 031-955-2151 **이메일** book21@book21.co.kr

(주)북이십일 경계를 허무는 콘텐츠 리더

21세기북스 채널에서 도서 정보와 다양한 영상자료, 이벤트를 만나세요!
페이스북 facebook.com/21cbooks 블로그 b.book21.com
인스타그램 instagram.com/book_twentyone 홈페이지 www.book21.com
서울대 가지 않아도 들을 수 있는 명강의! 〈서가명강〉
네이버 오디오클립, 팟빵, 팟캐스트에서 '서가명강'을 검색해보세요!

yesal@naver.com

ISBN 978-89-509-7633-0 03810

W캠프의 비밀

서울시장 3선, 박원순을 만든 사람들의 이야기

이인수 외 지음

21세기북스

차 례

1장. 가장 낮은 곳, 가장 많은 일 - 총무본부

2장. 2018 박원순 캠프의 최고 영웅들 - 세대공감본부

3장. 치열한 선거판의 '천라지망' – 상황본부 · 성평등인권위원회 · 여성총괄본부 · 홍보 SNS 본부 · 조직총괄본부

4장. 263.86km의 기록들 – 유세본부 · 특별위원회

5장. 캠프를 떠받치는 기둥 – 정책총괄본부 · 클린선거운동본부 · 후원회 · 대변인실 · 비서실

책을 펴내며

3선 서울시장,
박원순을 만든 사람들의 이야기

이 책은 뜨거웠던 2018년 6월, 민선 7기 서울시장 3선에 도전한 박원순의 선거 활동 기록이다. 13일간의 공식 선거운동 기간을 중심으로 서울 곳곳을 누볐던 박원순의 정치철학과 그를 도운 수많은 자원봉사자 그리고 그들의 활동이 가감 없이 담겨 있다. 딱딱한 백서의 틀을 벗고 자원봉사자들이 경험한 생생한 이야기를 중심으로 엮어, 독자들이 부담없이 읽을 수 있도록 했다.

이번 박원순 선거 캠프를 두고 매머드급이라 했다. 그러나 처음부터 매머드급으로 출발한 것은 아니다. 박원순의 뜻을 따르는 한 사람 한 사람이 모여 이뤄진 것이다. 혼자로는 미약한 개인들이 모여 군단을 이루다 보니 큰 규모가 되었다는 말이다.

캠프에는 자발적 참여자들이 차고 넘쳤다. 바로 우리가 자원봉사자라 부르는 사람들이다. 이들 자원봉사자 가운데는 우리 사회에서 이름만 들어도 내로라하는 인물들이 그 어느 때보다 많았고, 아무런 대가나 조건 없이 제 발로 찾아온 사람들도 셀 수 없을 정도였다.

아시다시피 자원봉사자는 아무런 보수가 없고 교통비와 식비 등 일체의 경비를 자기가 부담한다. 이번 박원순 캠프에는 이런 무보수 자원봉사자가 대다수였다. 캠프 참여자 대부분이 바로 자원봉사자 개미군단이었다는 점은 이번 선거 과정에서 두드러진 새로운 특징이다.

단 2주간의 짧은 기간이었다. 그 안에서 새로운 기적이 일어났다. 개인으로 모여 하나의 팀이 된 사람들이 기적을 만들었다. 박원순과 함께 박원순의 정치와 박원순의 꿈을 지지하는 사람들이 일궈낸 것이다.

이들의 이야기는 평범하지만 그래서 더 특별하다. 어쩌면 박원순의 정치와 꿈을 위해 자기를 희생하며 선거에 앞장선 이들이야말로 이미 박원순의 꿈을 실현하기 시작했다고 말할 수 있다. 그 꿈을 향해 그들이 흘린 땀방울이 여기 이 책에 부분적이나마 오롯이 담겨 있다.

박원순의 꿈은 무엇인가. 그 꿈이 무엇이기에 수많은 사람들이 그를 위해 팔을 걷어부치고 뛰었는가. 박원순 서울시장 앞에는 이번 선거에 내세운 '시대와 나란히, 시민과 나란히'라는 슬로건을 어떻게 실천해가야 할 것인가에 대한 과제가 남아 있다. 그리고 그 꿈을 이루었을 때, 그 꿈을 뛰어넘는 또 다른 큰 꿈이 그를 기다리고 있을 것이라 믿는다.

이제 각자의 역할을 마치고 대부분 생업의 현장으로 돌아가 있지만, 이 책에 등장하는 수많은 주역이 시대와 나란히, 박원순과 나란히 가면서 박원순과 박원순이 가는 길 그리고 그 꿈의 실현을 엄중하게 지켜볼 것이다.

이 책은 선거백서라는 형식을 띠고 있지만, 전혀 다른 틀로 꾸며져 있다. 이 책을 접하게 될 독자들은 자원봉사자 개개인이 겪은 각각의 이야기가 모이고 어우러져 어떻게 박원순과 우리가 꿈꾸는 미래로 이어지는지 보게 될 것이다.

이 책이 나오기까지 많은 분들의 도움이 있었다. 이 책의 출간을 위해 도와준 분들에게 고마움을 표하고 싶다.

먼저 선거기간임에도 자기들의 이야기를 백서에 기록해 달라며 인터뷰 원고를 제출해 주신 분들이다. 백여 명에 이른다. 기꺼이 대면 인터뷰에 응해주신 분들의 열정을 잊을 수 없다. 캠프 핵심관계자들과 자원봉사자들이 없었다면 이 책은 세상에 나올 수 없었다.

다음으로 백서팀이 꾸려졌을 때 흔쾌히 함께 하겠다고 찾아와주신 분들이다. 특히 정태언 씨의 수고를 잊을 수 없다. 교수, 기자, 연구소장, 언론인, 퇴직공무원 등 비록 그들의 원고를 완성된 형태로는 단 한 편도 싣지 못했지만, 백서팀 운영의 디테일한 부분까지 챙겨주셨다. 마지막까지 일조해주신 분이기에 고마움을 기록하지 않을 수 없다. 집필 중에 걸림돌이 된 파트타임 작가들과의 불편한 동거를 해결해 주신 터라 원고마감에 집중할 수 있게 되었다.

마지막으로 마무리까지 함께 한 백서팀 팀원들이다. 임재영 씨, 이준형 씨. 두 분은 이 책의 숨은 저자들이다. 이들은 각종 자료를 수집하고, 현장을 스케치하고, 인터뷰를 정리하고, 원고를 각색하고, 사진을 꼭지별로 골라주는 등 전 과정에서 나와 함께 했다. 본인이 가진 능력을 십분발휘해 팀프로젝트를 완성할 수 있게 해주었다.

바쁜 일정으로 대학졸업반인 딸아이와 시간을 나누지 못한 것은 마음이 아프다. 당시 딸아이는 기말고사 기간에 계단을 헛디뎌 골절상을 입었다. 큰 수술을 하는데도 원고마감시간을 지키느라 가보지 못해 미안할 뿐이다. 또 아내와 조카, 딸의 이모들이 나를 대신해 병수발 하느라 힘들었을 텐데도 싫은 기색 한번 하지 않았다. 그들에게 그저 고맙고 미안할 뿐이다.

이 책의 출간에 도움 주신 분들께 머리 숙여 다시 한번 인사올린다.

"정말 고맙습니다."

그리고 이 책을 고(故) 노무현 대통령님 영전에 바칩니다.

프롤로그

박원순 캠프, 어떻게 이루어졌나?

선거 캠프는 후보를 중심으로 단기간에 선거를 위해 모여서 집중적으로 미션(선거업무)을 수행하고 선거가 끝나면 흩어지는 조직이다. 선거에서 후보가 승리하면 정치적 운명을 같이하기도 하지만 대다수 캠프관계자는 일상으로 돌아간다.

선거 캠프가 하는 일

시·군·구의원의 비교적 작은 캠프부터 대통령선거의 거대한 캠프까지 후보들은 다양하게 캠프를 구성한다. 운명의 그 날을 위해 조직과 선거비용이 움직이고, 그 효율성에 따라 승패가 갈리고 후보와 캠프 참가자의 운명이 달라진다.

글쓴이처럼 평생을 선거와 관련된 일을 해온 사람도 있고, 약관의 나이로 캠프란 생소한 곳에 참여한 사람도 있다. 또 나이를 불문하고 어쩌다가 캠프에 참여하는 경우도 있다.

선거와 관련해서 유세현장 또는 유세차량을 따라다니며 선거운동을 하는 사람도 있고, 캠프에서 선거전략을 짜거나 정책을 개발하고 홍보물을 제작 · 배포하고 후보의 메시지를 관리하는 사람도 있다. 또 TV토론을 위해 정책과 공약을 준비해주는 사람도 있고, 후보의 몸동작, 손동작, 시선처리 하나까지 세세하게 전문적으로 도와주는 사람이 있는 경우도 있다.

2018년 박원순 캠프는 매머드급이라 불렸다. 그런데 작은 캠프인지 거대한 캠프인지 정해진 기준이 있는 것은 아니다. 보통 캠프 참가자나 기자 등 선거 캠프에 관심을 가진 사람의 눈높이에 따라 임의적이고 편의적으로 규모를 정의한 것에 불과하다. 과거의 선례에 비추어 구분하기도 한다.

전통적으로 선거를 치르는 방법은 후보가 공직선거법에 정해진 한도 내에서 선거비용을 마련하고 선거 캠프에 필수적인 사람을 모아 캠프를 구성하는 것이 보통이다. 이때 선거사무원과 선거운동원, 회계책임자 등이 필요하다. 이들은 대부분 유급이다. 소셜네트워크가 선거의 핵심으로 자리 잡은 시대이긴 하지만 선거는 사람이 먼저인 조직체계다. 그런데 선거 문화가 급속히 바뀌면서 이러한 전통적인 캠프의 구성이 바뀌고 있다. 특히 이번 박원순 후보의 캠프를 보면 그 변화가 극명하게 드러난다.

자원 봉사자 중심 캠프

이번 박원순 후보 캠프는 2011년, 2014년 캠프 때보다 진일보한 형태를 띠었다.

먼저, 자원봉사자 중심의 캠프다. 이들은 자기 본업마저 잠시 접어두고 지지하는 후보의 당선을 위해 봉사하러 온 사람들이 대부분이다. 말이 쉽지 자원봉사라는 것이 그리 만만하지 않다. 더구나 캠프의 핵심에는 후보를 중심으로 전문성을 지닌 사람들이 진용을 갖추고 있어 무턱대고 캠프에 들어간 사람들은 그들의 장벽에 소외감을 느끼거나 마음의 상처를 받는 경우도 허다하다. 이는 어느 선거 캠프에서나 흔히 접하는 일이다.

막대한 선거비용도 선거펀드라는 게 생겨 돈 없는 후보도 선거를 치를 수 있게 되었다. 후보자가 선거비용을 마련하기 위해 온라인상의 펀드 플랫폼에 가입하거나 직접 펀드 홈페이지를 개설한 후 일정 금액을 모금하고, 선거가 끝나면 이자를 붙여 돌려주는 방식이다. 10% 이상 득표한 후보자는 선관위로부터 선거비용을 보전받게 되는데, 이때까지 약 2~3개월이 소요된다. 따라서 선거펀드는 후보자가 불특정다수로부터 3개월 정도 돈을 빌리고 선거가 끝나면 갚는다는 점에서 크라우드 펀딩에서 파생된 제도로 이해할 수 있다.

선거펀드는 2010년 당시 경기도지사 후보로 출마한 유시민 후보가 세계 최초로 시도했다. 2002년 대통령 선거 당시 새천년민주당 노무현 후보의 '희망돼지 저금통'이 모태였다 할 수 있다. '희망돼지 저금통'의 최초 창안자는 서울 강북에 살고 있는 이경섭(노사모 아이디 '무착') 씨였다. 선거펀드는 선거비용을 마련한다는 측면과 지지자들을 통한 선거운동의 일환이라는 점에서 선거문화의 새로운 흐름으로 자리잡아 가고 있다.

2018 캠프의 시동을 걸다

2018년 지방선거를 앞두고 2017년 연말 기동민, 오성규, 민병덕 등이 모여 서울시장 선거를 위한 준비모임을 가졌다. 이 자리에서 대략적인 캠프 구성이 논의되었다. 서울정무부시장을 지내고 국회의원이 된 기동민 의원은 이미 박원순 시장의 2011년, 2014년 선거를 치른 경험이 있어 일사천리로 적재적소에 필요한 인물을 배치했다. 당내경선을 준비하는 실무진이 대략적인 모습을 갖췄다.

3월 중순, 기동민 의원을 단장체제로 실무진이 보강되어 작은 캠프가 꾸려졌다. 더불어민주당 당내경선 준비 캠프였던 셈이다. 사무실은 2011년 희망캠프로 사용했던 느티나무 카페 근처 안국빌딩에 마련했다.

사무총괄팀장에 민병덕, 상황팀장에 추경민, 조직팀장에 문치웅, 비서실장에 오성규, 공보팀장에 기동민 의원 보좌관인 김동현, 대변인에 서울시의회 보건복지위원장인 박양숙, 회계팀장에 이태규, 후원회 팀장에 이선희 등이 포진했다. 거기에 전략팀장도 합류했다. 이들이 주축이 되어 실무자들을 하나 둘 불러모아 50여 명을 채우는 데는 단 일주일이면 족했다. 그러고도 계속해서 실무자들이 불어났다. 선거 막바지에는 실무자만 500여 명이 되었다. 위너메이커들은 이렇게 뭉쳐 새로운 도전을 시작했다. 4월 중순에는 정무직으로 근무했던 서울시청에 소속된 박원순의 사람들이 사직 후 속속 캠프에 합류했다.

문재인 대통령 취임 이후 민주당의 높은 지지율과 서울 시민으로부터 압도적 지지를 받아 온 박원순이라는 정치적 자산은 서울시장 3선

도전을 언급한 이후 투표일까지 각종 여론조사에서 당내뿐만 아니라 야당 후보에게 단 한 번도 1위 자리를 내주지 않았다. 애초부터 당선 가능성이 높았다. 민주당이 야당일 때도 당선된 사람이니 민주당과 문재인 대통령의 압도적인 국민적 지지 속에 당선은 이미 결정된 것이나 마찬가지였다.

투트랙 조직으로 가동

그래서인지 날이면 날마다 자원봉사자들이 몰려왔고 기하급수적으로 불어났다. 총무본부 인사팀은 매일같이 캠프관계자 리스트를 업데이트해야 했다. 외부에 공개된 선대본부 조직도에 이름을 올린 메이저급 인사만 120여 명이 넘었고, 팀장급 180여 명, 팀원을 포함한 실무자만 대략 500여 명이었다. 박원순 후보 지지선언 동참자는 48만 6천여 명이었다.

편의상 조직도를 기준으로 살펴보면, 후보 아래 선거대책위원회가 있다. 선거대책위원회(선대위) 위에는 왼쪽으로 7개의 후보직속의 특별위원회가, 오른쪽에는 고문단, 두 개의 자문단, 특보단, 비서실, 대변인실 등이 있다. 선대위 아래 선거를 실무적으로 지원하는 선거대책본부(선대본)가 있고, 그 아래에 다시 정책, 총무, 상황, 전략, 홍보, 조직 등으로 나뉜 20개의 본부가 있어 각각의 회의체계를 통해 주요 의사결정 과정을 이룬다. 각각의 본부는 다시 업무 중심의 팀으로 세분화했다.

투트랙 전략을 갖춘 조직이다. 여기서 투트랙 조직이란 후보를 중심으로 한 축에는 시민단체가, 또 다른 한 축에는 민주당 공조직이 있다는 것을 말한다. 굳이 2014년과 비교하자면 더불어민주당 중심으로 캠프가 완전 재편되었다는 것을 의미한다. 후보를 지원하는 실무그룹과 유권자를 유기적으로 연결할 조직체계를 갖추었다는 의미이기도 하다. 또 조직 측면에서는 각종위원회와 공조직이 투트랙으로 어우러졌고, 시민과 시민단체, 캠프가 더불어민주당을 중심으로 가장 이상적으로 작동했다는 것을 보여준다.

아인슈타인의 상대성이론을 연상케 하는 기하급수적 산술 개념이 적용되는 조직구조를 갖춘 셈이다. 평면적으로는 투트랙이지만 태양계와 같이 빅뱅 이후 무수한 별들이 태양을 중심으로 일정한 질서를 가지고 점점 불어나면서 돌아가는 입체적 구조였다.

상황점검회의 중심으로 주요 의사 결정

선대위는 후보를 중심으로 모든 팀이 유기적으로 작동했다. 그 속에는 캠프관계자들 사이의 미묘한 갈등과 봉합, 기싸움도 있었지만 승리를 향한 열정만은 한마음이었다. 누구 한 사람이 빠진다 해도 그 구멍이 크게 보이지 않을 듯한 캠프였지만 누구라도 중요하지 않은 사람이 없었다. 이 책의 주된 내용은 캠프에 참가한 개개인들을 중심으로 전체가 유기적으로 어떻게 돌아가는지 그 이야기를 다루었다.

조직총괄본부는 특성별로 7개의 본부가 나뉘어 있고, 더불어민주당의 공조직을 움직이는 더불어본부가 국회의원 선거구별 49개의 연락사무소와 연결되었다. 직능제1, 제2본부와 혁신, 노동, 시민참여, 복지건강 본부도 조직총괄본부 소속이었다. 특이한 점은 노동특보단은 시장 직속의 특보단과 별도로 조직총괄본부 내 노동본부 소속이었고, 시민공감대변인단은 대변인실과 별도로 조직총괄본부 내 시민참여본부 소속이었다는 것이다.

주요 회의체계를 아래쪽에서 위쪽으로 살펴보면 팀별회의, 개별본부별회의, 조간·야간 상황점검회의, 본부장단 상황점검회의, 선거대책위원회 회의로 구분되어 캠프 내 의사소통 체계를 갖추었다. 2018 선거에서는 상황점검회의 중심으로 주요 의사결정이 이뤄지고 위아래로 보고되거나 전달되는 구조를 취한 특징이 있었다.

선대위는 3~4선급 국회의원을, 선대본은 초·재선의원을 중심으로 모양새를 갖췄다. 더불어민주당 중앙당에서 총무본부에 김창덕 부본부장을 파견했고, 서울시당에서는 안규백 위원장이 상임선대위원장 자격으로 참석하여 긴밀한 소통체계를 갖추었다.

최고기구인 선거대책위원회는 상임선대위원장에 박영선, 진영, 우상호, 우원식, 안규백 국회의원이 함께 했고, 공동선대위원장에 강창일, 심재권, 유승희, 민병두, 이인영, 노웅래, 이용득 국회의원과 김수진 이화여대 교수가 이름을 올렸다.

김수진 이화여대 정치외교학과 교수는 박원순 시장과는 오랫동안 친분을 쌓아온 사이로 2011년 보궐선거 때도 정책자문을 맡아주었던 인물이다.

박 후보, 구청장 선거 야전사령관 역할 자임

박영선 의원과 우상호 의원은 더불어민주당 경선 서울시장 후보로서 박원순 후보와 경쟁관계였지만, 경선 후 기꺼이 상임선대위원장직을 수락해 원팀임을 과시했고, 승리의 원동력이 되어 주었다. 특히 4선의 박영선 의원은 서울과 경남을 오가는 강행군을 마다하지 않았다. 2018 전국동시지방선거 최대 격전지인 경남에서 김경수 경남도지사 후보의 당선을 위해 맹활약을 펼쳤다. 3선의 원내대표였던 우상호 의원은 방송을 통해 경기도지사 이재명 후보를 위해 공중전(방송패널로 출연)을 전개했고, 서울뿐 아니라 전국을 돌며 국회의원 재보선 지역 중심의 지원유세를 이어갔다.

당 대표와 중진급 국회의원들은 전국의 격전지를 중심으로 선거운동을 펼쳤고, 서울시장 선거에는 되도록 모시지 않는 것이 당을 돕는 길이라 판단했다. 반면 서울 지역구 국회의원과 비례대표 의원들이 대거 참여해 각 본부에 포진하면서 캠프의 안정과 중심을 잡아주었고, 서울시의원 출신들이 거의 모두 캠프 일을 도운 것도 빠질 수 없는 기록이다. 이는 박원순 캠프가 매머드급 캠프라 불린 이유이기도 하다.

19대 대통령 선거에 이어 당 중심으로 치른 선거였고, 결과는 예상대로 압승 그 자체였다. 박원순 당선자는 더불어민주당이 전국 광역단체장 17개 중 14개를 차지하는 데 견인차 역할을 했다. 또 서울 25개 구청장 중 24개 구청장이 당선되도록 야전사령관 역할을 자임했다.

2018 박원순 캠프를 이해하기 위해서 2014년 선거와 비교해 보는 것도 의미가 있다. 2014 희망캠프의 키워드는 배낭, 운동화, 포스트잇, SNS, 팬클럽 그리고 '꿀벌캠프' 였다. 그에 비해 2018년 선거는 철저히 당 중심의 매머드급 선거대책위원회와 선대본, 실장, 팀장이 주축이었다. 또 배낭과 운동화 대신 후보차량과 유세차가 그 자리를 채웠다.

선거환경에 비해 낮아진 득표율

두 캠프의 전략을 비교해 보자.

첫째, 2014년 선거는 '선거 캠프는 작게'인 반면 2018년에는 기존 선거운동 방식의 매머드급 '선거대책위원회'로 회귀하여 실무단위 중심으로 캠프를 가동했다. 소수의 국회의원 대신 30여 명의 국회의원이 본부장에 배치되어 안정감을 주었다.

둘째, 사무실의 주요 공간이 '카페형 오픈 공간'에서 철저히 통제되고 '칸막이'를 설치하는 방식으로 '보안중심 공간'으로 전환되었다. 출입문은 지문인식 시스템을 도입하여 방문객과 캠프가 분리되도록 했다.

셋째, '일반인이 만든 홍보 콘텐츠'를 큐레이션하는 방법에서 '캠프 홍보 전문가가 생산해 내는 온라인 콘텐츠'로 회귀했다. 이에 따라 선거비용 결제 등 사전협의의 문제가 나타났다.

넷째, 선거 사무실 상근자의 역할 개념이 '자원활동가' 중심에서 기존의 관행처럼 상근 스태프 중심으로 전환했다. '의원실 파견자와 시청 정무직 출신자'가 중심이 되고, 자원봉사자와 유급이 혼재했다.

다섯째, '캠프 밖의 다양한 그룹이 스스로 하는 캠페인'에서 '캠프에서 기획한 캠페인' 방식으로 회귀했다. 자발성이 강한 팬클럽 중심의 세대공감본부의 역동성이 돋보였다.

여섯째, 유세차를 없애고 후보가 배낭 메고 유권자를 직접 만나는 방식에서 각 지역을 순회하면서 후보가 유세차에 올라 마이크를 들고 '유세와 토크 콘서트'를 병행하는 전통적 선거운동 방식으로 전환했다.

일곱째, '자발적으로 납득하고 창의적으로 기획한 캠페인 방식'에서 선거 캠프의 이름부터 활동 부서의 명칭, 캠페인의 이름까지 '캠프 내 전문가'에 의해 정해졌다.

이처럼 당 중심의 선거를 치르면서 박원순이라는 정치적 자산에 대한 평가 가치가 저하된 것은 아닐까. 캠페인 전략의 변화는 고도의 정무적 판단이 필요한 부분이기에 선거 결과와 효과만으로 변화의 실익을 판단할 수만은 없을 것이다.

그러나 남·북·미 평화무드와 문재인 대통령의 높은 인기, 더불어민주당의 압도적인 지지율로 훨씬 유리한 상황에서 치른 선거임에도 불구하고 2011년 53.4%와 2014년 56%보다 낮은 52.7% 득표율을 기록한 이유에 대해서는(3자대결이라는 점을 감안하더라도) 냉혹하게 따져볼 필요가 있어 보인다.

눈엣가시같은 존재도 선거판엔 필요해

선거에서 이기면 논공행상이 뒤따른다. 이때 선거 이전부터 후보를 둘러싼 사람들이 요직을 차지하거나 말단 관직이라도 차지하는 경우가 많다. 그러다 보니 세우지 말아야 할 장벽을 세우고 캠프 내 사람을 자신의 경쟁상대로 여기는 일도 발생한다. 이길 가능성이 높은 선거일수록 더욱 더 그렇다.

박원순 캠프 내에서도 눈살을 찌푸리는 그런 일이 벌어지는 광경이 목도되곤 했다. 선거가 끝나기도 전에 자리다툼하는 사람들을 보노라면 어이가 없지만 그래도 어쩌랴. 때가 되면 또 그런 사람들이 요직을 차지하곤 버젓이 권력을 자기 것으로 착각하며 호가호위하니 말이다.

그런 소수의 사람들도 득실거려야 선거에서 이길 수 있다는 것, 눈엣가시같은 존재지만 온갖 잡새가 날아들어야 선거에서 이길 수 있다는 것은 선거판의 또 다른 일면이다. 모든 국민에게 동등한 한 표가 주어진다는 사실, 그래서 선거판은 늘 흥미롭다.

1장

가장 낮은 곳,
가장 많은 일

총무본부

"

캠프에 입성한 이래 가장 많이 말하고 들은 속담을 꼽으라면 단연 '번갯불에 콩 볶아먹는다'는 말이다. 이곳의 가장 주요한 특징은 신속함이었다. 대부분의 일은 생각지 못한 타이밍에 갑자기 발생하는데, 그 말미가 하루쯤 주어진다면 매우 여유 있는 편이라고 느낄 정도다.

'캠프 살림 만만치 않네'

민병덕 편
총무본부

정치인 박원순 서울시장을 이야기할 때 민병덕 변호사를 빼고 이야기할 순 없다. 누군가의 말처럼 그것은 앙꼬 없는 찐빵이요, 오아시스 없는 사막이다. 그는 이번 선거에서 총무본부의 장이 되어 캠프의 살림살이와 마지막 궂은일을 도맡아 했다.

연수원 시절 인연으로 합류

박원순 시장이 맨 처음 출마 선언을 했던 2011년, 안철수(현 바른미래당)로부터 양보를 받았지만, 아직 민주당이라는 거대 야당과의 일전이 남아 있었다. 그때 민주당과 경선 룰 미팅에 참여했던 사람 중 한 명이 바로 민병덕 변호사였다. 그때부터 세 번의 선거에 빠지지 않고 박원순 시장을 위해 뛰었다.

박원순 시장과 민병덕 변호사(법조계에서는 민변으로 통한다)의 인연은 민변의 사법연수원 시절 박원순 변호사(역시 법조계에서는 박변으로 통한다)가 시민운동을 주제로 강의했던 시절로 거슬러 올라간다. 민병덕은 당시 박변의 강의에서 깊은 감명을 받았다. 사법연수원을 수료한 민병덕은 변호사가 되자마자 곧바로 민변(민주사회를 위한 변호사 모임)에 가입했다. '민변'이 '민변'에 참여하게 된 셈이다. 따라서 박원순 시장이 민병덕 변호사의 민변 선배가 된다. 민변이 서울대학교 정치학과를 나온 터라 대학 선배가 되기도 한다. 민주화운동으로 서울대학교 최단기(3개월) 제적생이 박원순이라면, 최단기(2개월) 구속된 학생이 민병덕이다.

민변과 진성준 국장 단둘이서 담판 짓기도

2011년 어느 날, 박변이 출마하자 박변의 선거를 도와줄 사람으로 민변에서 민변을 추천했다. 박변이 민변에게 상근을 몇 달 해줄 수 있냐고 요청했고, 민변은 더 이상 묻지도 따지지도 않고 변호사 사무실을 내팽개치고 곧바로 캠프에 합류했다. 당시 상근은 민변의 선배인 송호창 변호사와 민변뿐이었다. 민변은 법률 대리인, 행정업무, 룰 협상 등의 선거 업무를 담당했다.

2011년 야권단일후보 룰 미팅에 박원순 측에서는 1장 하승창(현 청와대 시민사회수석), 2장 오성규(현 박원순 캠프 비서실장), 3장 민병덕이, 상대

민주당 측에서는 1장 이인영(국회의원), 2장 김헌태(한국사회여론연구소 소장) 3장 진성준(당전략기획국장, 현 청와대 정무수석)이 참여했다. 여기서 1장, 2장, 3장의 장은 장수라는 뜻의 협상채널이다.

당시 그는 '내가 잘못하면 역사에 죄를 짓겠구나' 하고 생각했다. 협상하는 사람도 심판도 모두 나가고 민변과 진성준 국장 단둘이서 담판을 짓기도 했다.

그때까지만 해도 민주당을 보수야당으로 생각했던 민변은 크게 한 번 깨우치는 계기가 된다. 생전 처음으로 진성준 국장과 같은 민주당 당직자들의 진심을 보게 된다. 보수 야당의 자기 밥그릇 챙기는 사람들이 당에 있다고 생각했으나 민주당이라는 우리나라 대표적인 거대야당이 그리 호락호락한 정당이 아니었으며, 진짜 당에 헌신하는 사람들이 있다는 것을 처음으로 깨달았다. 당시 민변의 파트너는 진성준이었다. 우여곡절 끝에 협상이 끝났고, 10월 3일 장충체육관에서 현장 투표를 할 때 이긴 사람이 심판진을 다 데리고 가서 술을 사기로 했다. 그날 술은 민변이 샀다!

협상 당시 진성준은 "정치인은 오십 플러스 1을 가지고 정치하는 것"이라고 했다. 그 말은 지금까지도 민변에게 정치란 무엇인가에 대해 끊임없이 화두를 던지고 있다. 정치에서 상대를 이기기 위해서는 50%의 득표 또는 지지율에 단 한 명만 더하면 된다는 의미이다. (2011년 서울시장 보궐선거는 민병덕의 저서 『박원순과 민병덕의 무한도전』 또는 유창주의 저서 『시민혁명』을 참조 바람)

'무소속 시민후보'로 2011년 민주당 경선 승리

당시 박원순 후보가 이긴 비결이 궁금해졌다. 민변의 대답은 '우선 협상이란, 내가 목표로 삼는 것들을 위해 여러 가지 쟁점을 만들고, 내가 줄 수 있는 것을 내준다. 대신에 여러 개의 협상안을 만들어서 이걸 줄 게, 라고 말하고 전부를 주되 결정적인 것을 얻는 것'이라고 했다. 사자성어로 사소취대, 육참골단이다.

첫 번째 승리의 비결은 2011년 야권단일화 선거에서 시민만을 믿은 결과였다. 이미 여론조사와 배심원단 투표에서는 이기고 있었다. 경선의 마지막 관문은 현장투표였다. 현장투표에서 10% 이내로 지더라도 결과는 승리할 수 있는 상황이었다. 그러나 현장투표 신청자는 민주당 당원들이 훨씬 많았기 때문에 시민의 참여만을 믿고 기다리는 수밖에 없었다.

그런데 현장투표 당일 기적이 일어났다. 오전에 나이가 지긋한 민주당 당원들이 주를 이루었지만, 오후가 되자 박원순을 지지하는 젊은 시민들이 몰려와 길게 줄을 섰다. 민변은 박원순 후보의 승리를 확신했다.

두 번째 승리비결은 시민후보라는 단어를 확보했던 덕분이다. 민주당은 무소속 박원순을 고집했고, 박원순 측은 야권을 단일화해서 이명박을 돌파해야 한다고 주장했다. 당 측에서 법적으로 맞지 않는다고 주장했지만, 결국 민변의 주장대로 결정되었다. 통합민주당 박영선, 민주노동당 최규엽, 무소속 시민후보 박원순이었다. '무소속 시민후보'라는 단어는 2011년 선거의 핵심 키워드였다.

민병덕 변호사는 지금까지 박원순 시장과 함께하면서 박시장을 도왔다기보다는 자기 인생을 살면서 배울 것을 배웠다는 기분으로 임해 왔다. 2011년 시민통합캠프에서는 법률지원단장으로 활동했다. 선거 후 박원순 시장이 "앞으로 뭐 할 거니?" 라고 물었을 때, 송호창 변호사는 "책을 쓰겠다"고 했고, 그는 "시민운동하는 사람들이 박시장과 함께 정치에 나서서 일해야 한다. 그들이 일할 수 있게 돕고 싶다"고 말했다.

2018년 안양시장 출마포기도

민변은 2012년 민주당에 입당했고, 총선에 안양에서 출마해 당시 4선의 현역의원과 현장투표까지 가는 결전을 치르고 패배했다. 이번 2018년 지방선거에 안양시장으로 나가야 할지 고민이 컸다. 안양시장은 민주당의 최대호와 자유한국당 이필운이 벌써 네 번째 선거를 겨루고 있다. 또 안양에는 자유한국당의 5선 의원이 버티고 있다. 지역민들은 새로운 인물에 대한 갈망이 크다. 그가 시장을 하면 재미있겠다고 생각하는 이유다. 그런데 박 시장이 대선을 포기한 후 노무현 대통령의 안희정, 이광재처럼 그에게 인생을 걸고 함께 하는 사람들이 필요하다고 해서 안양시장 출마를 포기했다.

2018 박원순 캠프를 위해 작년 11월쯤 오성규, 기동민 의원 등과 함께 7~8명의 사람들이 모였다. 이후에 팀장급을 모았다. 그리고 경선을 치렀다. 쉬운 경선이었다. 박시장이 민주당 사람이 아니라는 프레임 때문에 억울했지만 그래도 결과는 압도적 승리였다.

그가 지난 6년을 돌아보면 이번 당내 선거 과정에는 억울함이 컸다. 2011년 박원순 시장이 당선될 때는 무소속이었기 때문에 많은 사람들이 민주당으로 들어가지 말라고 조언했다. 2011년과 2014년 당선 이후 박시장은 무수한 민주당 사람들을 인큐베이팅했고, 할 수 있는 한 함께 정책을 만들고 민주당 사람을 세우기 위해 노력했다.

2014년엔 당 지지율이 낮고, 박시장의 지지율이 높아서 민주당과 거리두기를 한 것은 사실이다. 후보와 당을 위해서 가장 중요한 것은 승리라고 생각했다. 당시는 세월호 사건이 터져서 대규모 캠프를 꾸릴 수도 없었다. 경기·인천에서는 패했지만, 서울에서는 대선후보였던 정몽준을 13% 차이로 이겼다.

그런 상황이었음에도 불구하고, 이번에 그렇게 프레임을 씌우는 게 억울했다. 서울시 정무부시장과 비서실장 등 빅 쓰리를 기존의 민주당 사람들이 모두 차지했는데 그런 프레임은 사실에 맞지 않았다. 2018 경선에서 이 함정의 프레임을 넘어설 수 있을까 하는 걱정들이 크게 있었지만 무난히 넘어섰다.

또 서울시장 3선과 대선 중에서 하나만 선택하라며 양자택일을 강요하는 것도 굉장히 부담스러운 프레임이었다. 내부에도 균열이 있었다. 그때 민변은 '한길로만 가자'고 다짐했다. 지금은 절대 속마음을 비추면 안 된다고 마음을 잡았다. 당에서 결정할 성질이 아니었다. 시민들이 결정할 몫인데 왜 굳이 변명을 해야 하나, 정면돌파하기로 했다.

경선 투표일을 앞두고 과반을 넘지 못할 것이라며 결선투표를 간다는 소문이 돌았다. 박시장이 "캠프가 안이하다"라고 해서 궐기대회도 했다. 당내 경선기간 내내 마음고생을 했었는데, 66.26%의 놀라운 득표율로 당선됐다.

정치공학보다 민심으로 돌파하는 정치가 옳아

그리고 지난 겨울 어느 날, 박시장이 모 국회의원이 건네준 문건을 보고, 고민이 많은 것을 옆에서 지켜보았다. 순리에 따르지 않고, 지나치게 정치공학적이라는 기분이 들었다. 경남에서 학교를 다녔다는 이유로 현직 서울시장을 경남도지사에 나가라고 하는 것은 정치공학적인 계산 속에 선택을 강요한다고 느껴졌다. 모두들 고민이 많았다.

결과적으로 경남 출마는 민심이 어색하게 생각하는 일이라고 판단했다. 박시장은 3선 도전을 포기하고, 전국 투어나 하면서 좋은 사람들을 만나고, 조직화하는 일을 하고 싶어하는 눈치였다. 그러나 이번에도 정면돌파를 선택하도록 조언했다.

민병덕 변호사는 현재까지는 박원순 시장이 실무적으로 시장을 한 것이라고 여기고 있다. 정무적으로는 담을 쌓았다고 본다. 3선 서울시장이라면 국가가 나아가야 할 방향에 대해서 과감하게 이야기해야 하고 그것이 대선으로 가는 준비과정이 될 것이라고 여긴다. 서울만의 서울시가 아니고, 국제적인 도시 서울이며, 해외동포들이 믿고 응원하는 도시, 메가시티 서울이다. 문재인 대통령 이후에 어떤 세상이 필요할지에 대한 진지한 고민이 선행되어야 한다.

문재인 대통령이 적폐청산을 하고, 나라의 기본 틀을 다지다 보면 '더 좋은 나라', '품격 높은 대한민국', '나라다운 나라'로 나아가게 될 것이다. 그때가 되면 자연스레 박원순을 필요로 하는 세상이 다가오지 않을까 싶다고 했다.

그에게, 스스로가 잘 아는 일반화된 또 하나의 프레임이 있다고 말해줬다. "박원순 시장은 시민운동가, 행정가로서 뛰어나다. 하지만 '정치가 박원순에 의문을 가지는 사람들에게 정치가로서의 이미지를 어떻게 심어줄 것인가'"라고.

그가 동의했다.

정무와 실무의 균형 찾아야

민병덕 변호사는 말한다. "팀내 논쟁이 부족하다. 미래에 대한 전략과 전술에 대한 논쟁을 통해 원팀의 통합력을 늘려가는 것이 필요하다. 시장님께서 '공부하자'라고 자주 말씀하신다. 교수들을 불러놓고 하는 공부가 아니라 어떤 쟁점에 대해서 동지가 되려면 눈빛만 봐도 알아야 한다. 이 시기에 성장이냐 분배냐를 놓고, 무엇이 옳은가에 대한 분명한 결론을 내려보자."

"현시기에는 분배를 통한 사회양극화 해소가 핵심이다. 압축 성장했던 기세로 성장만 외치면 내부 통합력이 낮아지고, 세계와 북한이 우리를 존경하지 않게 된다. 그 방향에 대해서 우리가 왜, 무엇을 취해야 하는지에 대한 명확한 논의가 필요하다."

"과거의 시민운동이 정권과 싸우는 것이었고 자유와 인간의 기본적 권리를 주장한 것이 핵심이었다면, 현재의 인권운동은 복지를 외치는 사회적 권리가 중요하다. 박시장은 시민운동의 지평을 확고하게 넓힌 사람이고, 이런 정치를 실행하는 사람이다. 공무원으로서 박원순은 젊었을 때 6개월 검사였던 것을 빼고는 행정을 해본 적이 없는데, 6년간의 서울시장 업무를 충실히 잘 해 왔다. 우리나라에 행정을 마스터한 정치인이 있는가 묻고 싶다. 박원순은 6년이라는 짧은 시간에 행정을 완벽하게 마스터한 사람이다."

"시장님이 '긴 정무는 교수랑 논의해서 잘 알겠는데, 며칠 뒤에 있는 정무는 어떤 메시지, 어떤 스텐스로 가야할지 모르겠다. 도와 달라'라고 말씀하신다. 내 생각에 이런 것은 정치 기술이다. 몇 번 해보면 쉽게 익혀질 문제들이다. 정치의 근본적인 역할을 생각해보자. 정치는 가치 배분 기능을 가지고 있다. 나아갈 방향과 각 세대를 아우를 수 있는 힘을 가지고 나아갈 방향성을 찾는 것이 정치다. 이러한 정치의 본질은 시민운동과 행정을 통해서 다 쌓여 있다. 박시장님은 구체적인 칼싸움, 이 전투에서 어떻게 이겨야 하는지에 대한 고민이 있을 뿐이다. 정치인들은 일반적으로 칼싸움만 잘 하면 정치를 잘 할 수 있다고 착각한다. 정치 공학을 아는 것이 정치를 아는 것이라고 착각하고 있다고 본다."

친절한 안방팀, 공은 많아도 빛은 안 나

정책팀을 비롯하여 캠프의 대부분 팀들이 2014 지방선거 당시의 사람들로 구성되어 있다. 그러나 총무본부는 팀원을 대부분 소개받아서 꾸려진 모자이크 팀이다. 단 한 명도 같이 일해본 적이 없는 사람들이 모인 곳이다. 많은 식구를 챙기느라 그가 구안와사에 걸렸다. 공동본부장인 문미란 변호사가 빨리 한의원에 데려갔기에 망정이지, 그렇지 않았으면 큰일 날 뻔했다. 선거 막바지엔 또 대상포진이 눈으로 왔다. 그런데도 쉴 수가 없었다.

또 만삭의 임산부인 예송씨는 얼마 전까지 시민단체에서 일하다가 캠프에 합류한 사람이다. 투표일 기준 출산일이 보름 정도 남았는데도 그녀는 끝까지 열심히 일했다. 국내 굴지의 로펌에서 15년차 변호사 일

을 하는 김한규 변호사도 있다. 쓰레기통과 사무실 정리정돈은 그의 차지다. 누가 시켜서가 아니라 동료들을 위해서 그 일을 자진해서 했다.

총무본부는 안방팀, 그것도 친절한 안방팀이다. 경선 때는 사무총괄팀으로 불렸다가 본선에서 총무본부로 이름을 바꾸었다. 빈틈이 있으면 그것은 총무본부의 몫이다.

캠프에서 기타 업무를 모두 도맡아 했지만, 아무도 총무본부가 일을 잘했다고 알아주지 않는다. 총무본부는 그런 일을 했다. 화려하고 멋진 일을 하는 다른 본부들을 뒷받침함으로써 총무본부는 보이지 않는 곳에서 후보의 당선에 기여했다. 백업해주는 총무본부 없이 다른 팀이 화려할 순 없기 때문이다.

팀원이 처음 총무본부에 와서 느끼는 것은 선거를 하는 것인지, 사무업무를 하는 것인지 헷갈릴 때가 있다. 정책팀은 보여지는 것이 많은 멋진 팀이고, 현장팀은 현장 열기를 고스란히 느낄 수 있어 생기가 넘치는 팀이다. 반면에 총무본부는 각종 민원에 시달리고, 사무업무만 본다. 자동차의 작은 부속품처럼 잘 보이진 않지만 없으면 안 돌아가는 역할과 비슷하다. 보이지 않는 곳에서 최선을 다하는 팀이다. 비록 자동차의 부속품일지라도 유기체 속에서 하나의 역할을 한다면 그를 통하여 자아실현이 된다.

총무본부 회의 때 가장 많이 언급하는 단어는 '전략'이다. 총무본부는 선거캠프 내 유기체 속에서 자아실현을 하는 사람들이다. 사무적 공간과 업무 속에서 정치가 나아가게 하는 조직, 그래서 가장 정치적인 의식으로 똘똘 뭉친 조직이어야 한다. 모두가 정치적 동지가 되어서 나아가야 한다.

총무본부 본부장 민병덕, 그에게는 꿈이 있다. 초등학교 시절 국사 선생님이 심어주었던 통일에 대한 꿈! 어릴 때부터 친구들이 싸우면 표면적인 이유보다 상대방의 마음을 먼저 헤아리려 노력한 민변은 통일을 서명하는 역사적인 남북회담이 열리는 바로 그 순간, 그 자리에 함께하고 싶다. 그가 가진 지혜와 열정을 바탕으로 통일에 일조하고 싶은 그의 꿈이 실현되길 우리는 응원할 것이다.

민병덕, 박원순 시장의 흉을 보다

"상구보리 하화중생을 생각하시는 분들이다. 시장님과 사모님은 굉장히 성찰적인 분들이다. 내가 깨달음을 얻어 괴로움이 없는 사람, 자유로운 사람이 되어 세상에 잘 쓰이는 것. 이런 사람이 되려면 세상이 어떤 이치로 흘러가고, 그 속에서의 나는 누구라는 것을 깨닫고, 그것을 받아들이는 사람이 되어야 한다. 인간성과 진정성, 애정이 있는 분들이다. 하지만 시장 원순씨는 싫다. 일을 많이 시켜서 힘들다. 디테일 끝판왕 시장님!

가장 낮은 곳에서 발로 뛰는 사람들

손병권 편
총무본부

손병권씨는 더불어민주당 당직자 출신으로 현재 정치컨설팅 업체 대표지만 박시장의 선거를 위해 본업을 접어두고 2월부터 캠프에 합류했다. 20살 전후부터 당과 관련된 일을 하다 보니 정치권 생활이 벌써 20년이 되어간다.

90년대 말, 당시 학생이었던 그는 소아백혈병 후원회 봉사자였다. 당시 병원을 찾은 박시장을 먼발치에서 바라보았다. 주변에 사람들이 몰려있어 "저 사람이 누군데, 저렇게 인사를 하냐"고 물었던 기억이 난다.

2011년, 그에게는 박시장이 굉장히 특이한 후보였다. 시민후보 박원순을 믿고 가는 게임이었는데, 당시 캠프에는 소위 선수라고 불리는 선거전문가가 거의 없었다. 실무단위에서 일해 본 사람이 없어서 당에서 3-4명이 불려왔는데, 그중 하나가 그였다. 청년자원봉사단 부단장을 맡았다.

2018 박원순 캠프 시동걸기

2014년은 합류가 늦었다. 당시 회사 일이 바빠서 주도적으로 캠프에 참여할 수 없었다. 필요한 업무꼭지를 달라고 캠프에 말했고, 콜센터

(전화홍보) 업무를 맡게 됐다.

2018년 연초에는 건강이 안 좋아서 병원 생활을 하던 참이었다. 민병덕 총무본부장이 같이 가야 한다고 말했다. 본인이 실무를 많이 안 해봐서 그에게 실무를 맡겼다고 생각했다.

안국빌딩 사무실 계약서도 그가 썼다. 당시 3.1절 앞뒤로 황금연휴였다. 다른 사람들이 연휴를 만끽하는 동안 캠프에 들어와서 물건을 옮겨야 했다. 아버지 칠순 잔치에도 갈 수 없었다. 연휴인지라 KT에서 와이파이를 설치할 수 없다고 했다. 여러 모로 쉽지 않았다. 총무 팀원인 그와 장오영 씨, 이예송 씨, 천지용 씨 등이 건물 내부 공사를 다 했고, 집기도 들여놨다.

원래 캠프는 3월 초·중순부터 오픈 예정이었다. '미투로 민주당에 위기가 왔는데, 박원순만 인기 많다고 튀는 행동 하냐'라는 반응이 있어서 잠시 늦추었다가 3월 말~4월 초부터 본격적으로 캠프가 가동됐다. 우선 3·4층은 먼저 오픈했고, 7·8층은 경선이 끝나고 실내공사를 시작했다. 7층은 원래 회의장소가 부족하다는 말이 있어서 임시로 빌려 썼던 곳이었다.

기존 선거 조직과 판이하게 다른 총무팀

총무팀은 특이하게 구성되었다. 국회 현직 파견이 딱 한 명밖에 없는 유일한 부서다. 당에서 파견나온 김창덕 부본부장을 제외하고는 이해관계가 전혀 없는 사람들이 순수하게 박시장을 향한 사랑과 열정으로 모인 것이다. 처음엔 민병덕 본부장의 지인, 손병권 팀장과 그의 지인, 그의 회사 직원들로 구성되었다. 나중에 본선거가 임박해서야 팀원이 불어났다.

선거캠프라는 조직은 디데이가 정해져 있는 단기 프로젝트 조직이다. 이권을 원하는 사람, 순수하게 후보를 사랑하는 사람, 정치적인 뜻이 있는 사람 등등 각자의 가치와 신념, 소신이 모두 다르다.

그런데 손실장이 보는 박원순 캠프는 좀 특이했다. 일반적인 여의도 캠프와는 많이 달랐다. 이곳은 박 시장의 당선이 가장 큰 목적인 곳이 아니라고 했다. 그의 표현대로 이재명 캠프를 예로 들면, 그곳은 전투력이 매우 높다. 정치판에 관심이 있는 사람들이 스타를 찾는 곳이다. 이재명의 당선이 캠프의 목적인 곳이다.

반면 박원순 캠프는 박원순의 뜻을 좋아해서 온 사람들이다. 어떤 이는 인권·환경 운동을 하는데 그가 가진 가치를 박원순이 좋아해 줘서 순수한 의도로 들어온 사람들이 많았다. 근데 막상 들어오니 그가 가진 가치가 제대로 실현되는지에 대한 의문이랄까…….

시어머니가 많은 곳이라 하나로 묶이지 않는다. 이곳은 정치공학으로만 돌아갈 수 없는 캠프다. 총무본부는 그 많은 요구 사항을 온몸으로 받아들이면서 캠프에 큰 잡음이 나지 않게 돕는 곳이다. 그래서 총무본부는 캠프의 내부 조율자다. 특히 박 시장이 강조하는 리스크 관리(선거법 등)를 맡고 있다.

그에게 박시장의 어떤 점이 좋은지를 물었더니 '안 좋다'고 잘라 말했다. 제도권에 들어왔으면 제도권의 뜻을 따라야 하는데, 아직도 시민후보고, 행정가란다. 민주당 후보 박원순, 민주당 대표 후보 박원순이 되어야 한다고 수차례 강조했다. (이 글을 정리하는 동안 글쓴이의 지인으로부터 전화가 걸려왔다. 박원순 시장에 대한 그의 평가가 매우 특별했다. "박원순은 시대의 흐름이고 시대의 부름이다. 이제는 우리 사회도 시민사회가 권력의 중심이 될 때가 되었다"고 했다. 이처럼 박원순 시장을 바라보는 시각은 다양하다.)

박시장도, 팬클럽도 변화 필요

손병권 실장은 말한다. "NGO의 물, 빼야 된다. 눈치 그만 봐야 하고, 시장님과 지금까지 함께해 온 사람들도 그만 챙겨야 한다. 새로운 사람들 왔을 때 받아들여 줘야 된다. 이건 시장님의 특징이 아니라, 시민운동의 특징이다. 일정시간을 공유하지 못한 사람들을 빨리 받아들이지 못한다. 시장님 최측근 사람들, 폐쇄적이다. 외연 확장이 쉬워야 민주당 사람이 된다."

손실장은 쉽게 쉽게 말을 이어갔다. "누구보다도 큰 정치에 어울리는 사람인데, 정치 흐름상 아직 드러나지 않았을 뿐이다. 일을 하실 때 본인만의 근성이 있다. 다만, 작은 것에 많이 흔들린다. 그럴 필요 없다. 그냥 확신을 가지고 나아가면 된다. 그리고 주변 사람들에 대한 책임감이 필요하다. 우리가 캠프 일을 할 때 선거법상 약간의 문제되는 일이 있어도, '그래, 그럼 너희 그거 해, 책임은 내가 질께' 하는 두목의 모습이 필요하다"고 말한다.

팬클럽 회원들에게도 덧붙였다. "한 걸음 물러나주셨으면 좋겠습니다. 노사모, 안철수 팬카페, 문팬, 손가혁이 욕먹는 이유는 하나입니다. 후보와 너무 가까워지길 원해서 배타성이 강해 권력화가 된 것이 문제입니다. 팬클럽이 적절한 거리감을 유지하는 것, 그것이 정말 시장님을 위한 길입니다."

또 '그것이 알고 싶다'에서 했던 말을 인용해 대중들에게도 거침없이 쏟아냈다. "사람들은 선거 때마다 찍을 놈이 없다고 합니다. '최선이 아닌 차악을 위해 찍는다'라는 이야기를 하는데 이 말은 비겁하다고 봅니다. 개미(개인)는 절대 세상을 바꾸지 못하지만, 개미가 움직이지 않으면 세상을 바꿀 사람들도 움직이지 않습니다. 세상을 바꿀 사람들을 움직이게 만드는 것이 개미의 응집력입니다."

팀원들 칭찬에 침 마를 정도

그가 칭찬하고 싶은 팀원이 있었다. 이예송 씨는 구청 공무원 출신인데 대단한 친구라고 했다. "임신했는데 선거 끝까지 갈 수 있겠니, 힘들지 않을까?"라고 물으니 그때 그 친구가 그랬습니다. "선배, 선거 생활 18년 동안 나같이 배 많이 나온 임신부 본 적 있어요? 임신했다고 일할 수 있는 기회조차 주어지지 않는 건 억울해요."

손실장은 어릴 때의 생각이 났다. 그는 다리가 불편하다. 어린 시절 그가 장애가 있다고 해서 기회가 주어지지 않는 것이 억울했다. 특히 여의도는 한 걸음 한 걸음이 표를 만드는 곳이라, 몸이 아프면 기회를 얻기가 더 힘들다.

꼭 하고 싶은 일이 있는데, 몸이 불편하다고 포기할 수는 없었다. 개개인이 변화를 이루어내기에는 너무 많은 시간이 소요된다고 생각했다. 강제성을 띠고, 제도가 바뀌어야 장애가 있는 사람들도 일을 할 수 있을 거라고 느꼈다. 그래서 예송씨한테 재택근무를 하라고 권유했는데, 다른 사람들과 꼭 같이 발로 뛰었다. 저녁에는 매일 산부인과엘 갔다. 예송씨의 출산 예정일은 7월 4일~5일쯤이다.

손실장이 칭찬하고 싶은 사람 중에는 장오영 팀장도 있다. 오랫동안 사법시험을 준비하다가 현재는 쇼핑몰을 운영 중이란다. 법률지원단

간사 제의도 들어왔는데 운영지원팀에서 궂은일을 도맡아 했다. 나이도 많고, 학벌도 스펙도 정말 좋은 사람이었다. 본인이 "난 여기서 몸으로 구르면서 일을 배워보고 싶다"고 해서 총무팀에서 일했다. 항상 제일 먼저 나와서 제일 늦게까지 일을 했다.

또 김한규 실장(45세)은 현재 로펌 김앤장에 14년차 파트너 변호사로 일하고 있다. 먼저 움직이고, 작고 소소한 일도 항상 같이 했고, 권위 따윈 없는 사람이다. 김변호사 덕분에 총무팀에 활력이 있다고 사람들은 이구동성으로 칭찬했다. 어떻게 보면 가장 '낮게' 보일 수 있는 곳이 총무팀이다. 그곳에 김한규 실장이 발로 뛰어주고 있었다.

박원순 캠프엔 어느 것 하나 버려지는 재능이 없었다

이유경 체험수기
총무본부

2018년 5월. 평생을 자신의 본질로 여기고 살았던 '학생' 두 글자와 공식적으로 이별을 통보한 지도 어느덧 세 달째에 접어들던 무렵이었다. 머릿속에 욱여넣은 책 속의 글자는 시간의 흐름과 더불어 차츰 휘발되어갔지만, 글자 없는 행간을 통해 다듬어진 생명과학도의 영혼은 모든 생명을 사랑하라는 말이 등대처럼 마음속에 형형한 빛을 발하고 있었다.

'세상에 가치 없는 일은 없다. 생명을 이루는 것들 중에 불필요한 것이 하나도 없듯이. 그러니 어디에서 무엇을 하든 최선을 다 하자!'고 생각하며 학생도 직장인도 아닌 신분으로 느긋한 시간을 보내던 어느 날, 바람결을 타고 한 소문이 스쳤다. 박원순 후보 선거캠프에서 인원을 모집한다는 소식이었다. 찰나의 순간, 머릿속 무수한 신경세포들이 맹렬히 움직이며 빛의 속도로 생각을 전개하기 시작했다.

'서울시장 선거 → 정치는 싫은데 → 하지만 박원순 시장 → 존경할 수 있는 사람 → 그리고 마침 (본의 아니게) 한가한 지금의 나. 어쩌면 이것은 내게 있어 첫 사회생활이면서 동시에 사회에 기여할 기회가 되지 않을까?'

맡게 될 일은 가장 드러나지 않는 일

그렇게 생각하고 정신을 차려보니 이미 안국역이었다.

주위를 둘러보니 한복을 곱게 차려입은 관광객들이 시야 가득히 걸어다니며 저마다 인사동의 풍경을 한껏 즐기고 있었다. '얼마 전까지 나도 저 풍경 중 일부였는데.' 그런 생각을 하면서, 아름다운 풍경과 들뜬 관광객 사이로 미처 존재하는지조차 인지하지 못했던 낯선 건물을 찾아 무작정 걷기 시작했다. 처음으로 관광을 위해서가 아니라 일을 하러.

지도 어플이 없으면 일상생활이 불가능한 나조차도 건물은 정말 금방 찾을 수 있었다. 어떻게 인쇄한 건지 신기할 만큼 커다란 사진이 건물 앞뒤로 존재감을 마구 뿜어내고 있었기 때문이다.

막상 건물 입구에 들어서니 순간 겁이 나기 시작했다. 일해본 적도 없고 전공도 아무 관계없는 내가 과연 이곳에서 제대로 할 수 있는 게 있을까. 급격히 밀려드는 불안감에 묵주팔찌만 만지작거리며 '폐만 끼치지 않게 도와주세요.' 하고 간절히 기도하면서 떨리는 발걸음을 천천히 옮겼다. 내가 앞으로 이곳에서 무엇을 하게 될지, 그때까지는 정말로 상상조차도 하지 못했던 것이다.

걱정을 뒤로 한 채 힘차게 입성하여 선배님들을 처음 만난 자리에서 들었던 질문들 중 가장 기억에 남는 말은 '전체 캠프에서도 눈에 띄고 드러나는 일이 있고 반대로 드러나지 않는 일이 있는데, 앞으로 맡게 될 일은 가장 드러나지 않는 일에 속한다. 괜찮은가' 하는 것이었다. 사실 나는 속으로 '야호!' 하고 환호성을 질렀다. 아무 것도 할 줄 몰라서 민폐만 끼치지 않으면 감사하게 여길 얕은 밑천에, 눈에 잘 띄고 잘 드러나는 일이 웬 말인가. 눈에 전혀 띄지 않는 일이 나한테는 딱이지. 정말 감사합니다. 그림자보다도 더 눈에 띄지 않게 사소한 일들을 조용히 도우며 소소하게 힘이 되어 드리리라. 나름대로 그런 의지와 야망(?)을 가지고 업무에 임한 첫 날, 나의 상상은 정반대의 형태로 구현되어 눈 앞에 현실로 펼쳐졌다. 분명 '나'는 거의 드러나지 않는 것이 맞다. 하지만 '내가 한 일'의 결과물은 언제나 모든 이들이 함께 지켜보는 가운데 큼지막하게 그 위용을 드러냈다.

내가 맡은 일은 바로 '회의용 PPT' 만들기였기 때문이다. 화면 바로 옆에 앉아서 PPT 슬라이드 넘기기는 덤이고.

별 것 아니지만 없으면 절대 안 되는 것

캠프 내에서 사용하기 위해 만들어진 모든 자료는 외부에는 전혀 공개되지 않는다. 그렇기에 모든 것이 철저하게 비밀스러우며 또 일회성을 띠는 수명 짧은 창작물이 된다. 아무도 기억해주지 않고 지금 이 자리에 있는 구성원 이외의 누구에게도 보여지지 않으며, 한 회의가 끝날 때마다 곧바로 존재의 가치를 소진하는 것이다. 그러한 덧없는 성질에도 불구하고 매번 의욕을 갖고 만들 수 있는 원동력은 어쩌면 '누군가의 중요한 이야기를 많은 사람들이 좀 더 잘 이해할 수 있도록 돕고 있다'는 작은 성취감이다. '별 것 아니지만, 없으면 절대 안 되는 것'을 하고 있다는 느낌. 세상에 존재하는, 모든 사회에서 가장 많은 비율을 차지하는, 눈에 띄지 않는 위치에서 매일 매일 최선을 다해 살아가는 평범하고 소중한 구성원들처럼 말이다.

그래도 이 일은 제법 뚜렷하게 보람을 느낄 수 있는 편이라고 생각한다. 별 것 아닌 것처럼 보여도 막상 없으면 제대로 된 회의나 행사를 진

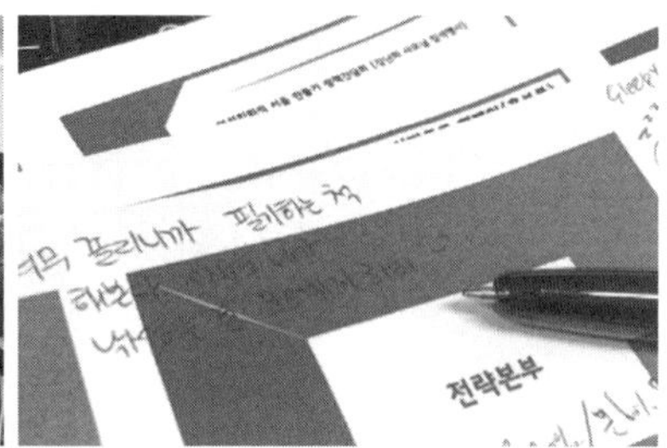

행할 수 없으니까. 그런 의미에서 나는 캠프 내의 중요한 화면을 제공하는 사람, 시각자료의 숨은 주관자라 할 수 있지 않겠는가!

선거는 마치 생물과 같다

'번갯불에 콩을 볶아 먹으라는 것인가!'

캠프에 입성한 이래 가장 많이 말하고 들은 속담을 꼽으라면 단연 이 말일 것이다. 학교와는 달라도 너무나 다른 이곳의 가장 주요한 특징은 신속함이었다. 대부분의 일은 생각지 못한 타이밍에 갑자기 발생하는데, 그 말미가 하루 정도만 되어도 매우 여유 있는 편이라고 느낄 정도이다.

출근 첫날 만들었던 첫 회의 자료는 무려 제한 시간이 30분이었으니. 모든 것이 처음부터 계획되어 있고, 거기서 벗어나는 일이 거의 없는 학교와는 달리, 이곳은 당장 몇 시간 뒤에 무슨 일이 일어날지, 그래서 무엇을 구체적으로 어떻게 준비하면 좋을지 실제 상황이 닥치기 전까지는 짐작조차 할 수 없는 곳이었던 것이다. 자연히 이곳에서 요구되는 소양은 빠른 업무처리 속도와 임기응변이다. 그런 와중에도 잔잔한 냇물 같은 마음을 유지한 채 커피 한 잔을 마시며 작업할 수 있는 말랑한

멘탈은 옵션.

다년간의 숱한 경험을 쌓아오신 선배님들의 말씀으로는 '선거는 마치 생물과 같다'고 한다. 아직 학부생 수준의 일천한 경험에 불과하지만 생명과학도로서 여태까지 직·간접적으로 만나 본 수많은 생물들 중 이렇게까지 예상할 수 없고 변화무쌍하며 초조하고 다급한 생물이 과연 있었는지 잘 기억나지 않는다. 딱 한 종, 인간을 제외하고는. 인간이 모여서 하는 선거는 인간 그 자체였던 것일까.

가장 놀라웠던 일은 '열흘 뒤'로 예정되었던 행사가 '내일 모레'로 갑자기 앞당겨져 내일 아침까지 자료의 완성본을 제출해주길 부탁받았던 순간이었다. 그때가 오후 네 시였다. 당장 발등에 불이 떨어져 누가 봐도 무리한 요구를 할 수밖에 없는 쪽은 얼마나 미안하고 난처한 기분을 감내해야 했을 것이며, 그 제안을 중간에서 전달해주는 선배는 또 얼마나 난감한 기분이었을까.

이번에는 내가 피리침으로 변신할 차례

어떻게든 나를 포함한 모두가 가장 행복한 결말을 만들어내기 위해 내가 선택해야 할 몫은 자신의 역량을 정확히 판단해서 할 수 있는 만큼의 일을 받아 완수해내는 것이었다. '가능하기만 하다면 가장 좋은 것'이 무엇인지 먼저 이상적 케이스를 정하고, 거기에서 너무 적지도 많지도 않게 덜어내는 것이다. 뭐든 최선의 것, 만점만이 좋은 것이었던 학교에서는 흔치 않은 사고방식이었다.

어떤 기관에서의 공식적인 행사라는 것이 모두 오랜 기간 철저한 준비를 거쳐 이루어질 거라고 생각했던 나는 이렇게 모든 것이 갑자기 정해지고 잘 진행되는 것이 아직까지도 놀랍기만 하다. 잘 진행하기 위해 콩을 구울 번갯불을 기다리기보다 온 몸이 피뢰침이 되어 번개를 소환해내는 수많은 인원들에 대한 존경심 역시 매일 새롭게 샘솟고 있다.

이 문장을 작성하는 도중에도 새로운 자료를 부탁받았다. 이번에도 역시 '내일 점심까지' 완성하면 된다. 이번에는 내가 피뢰침으로 변신할 차례인가보다. 마음을 다잡을 때는 커피만한 것이 없으니 커피를 타 본다. 너무 자주 마셔서 카페인에 오버도즈(Overdose) 될까봐 걱정되지만 아직은 괜찮다. 무엇보다도 맛있으니까. 원래도 참 좋아하는 커피지만 이럴 때 마시는 커피는 또 색다른 풍미가 있다. 번갯불에 로스팅된 특별한 원두이기 때문임이 틀림없다.

어느덧 제법 긴 시간을 이곳에서 보내며 몸이 환경에 적응했기 때문일까. 본 투표일에 거의 다다른 이 시점에서 지난 시간들을 반추해보면 이곳은 나처럼(방학 중에 생활비를 벌기 위해 했던 몇몇 단기 아르바이트 경험을 제외하고는) 사회경험이 전무한 사회초년생이 업무의 개요를 배우기에 나쁘지 않은 곳이다. 높은 강도로 연속되는 업무의 한가운데서 정말로 많은 경험을 쌓을 수 있기 때문이다. 두루뭉술하게 말하자면 대략 그렇다는 것이고, 실상 무슨 일이든 시간이 촉박한 가운데 이루어지기에 각자의 일을 하다가도 다른 일에 투입되기가 다반사라 당장 할 줄 아는 일이든 할 줄 모르는 일이든 마음의 준비 없이 실전에 들어가기 마련이기에 원치 않아도 다방면으로 경험치가 저절로 쌓이게 된다.

버려지는 재능은 없다

하지만 그런 와중에도 부담이 비교적 덜한 까닭은 이곳 모든 사람들의 존재 그 자체 덕분이다. 서로 같은 처지인 만큼 각자의 어려움을 이해하고 격려해주는 사람들, 도울 수 있는 것을 최대한 도울 준비가 된 열린 마음을 취하고 계신 모든 분들의 존재 덕분에, 비록 미숙하지만 용기를 가지고 낯설기만 한 여러 공간에 뛰어들 수 있었다.

이곳에서 여러 업무를 자잘하게 도우며 가장 크게 느낀 점이 있다면 여기서는 어느 것 하나 버려지는 재능이 없다는 것이다. 조금이라도 할 줄 아는 것이 있다면 모두 쓰임새가 있다. 이곳은 시간이 생명인 곳이기에, 외부에 맡기는 절차를 거치지 않고 내가 할 수 있는 것은 직접 해결하면 훨씬 수월해진다. 작게는 단순한 포토샵 작업에서부터 직접 그림을 그리거나 영상을 편집하는 것까지 모두. 그저 혼자서 취미생활을 즐기면서 익힌 아주 초보적인 툴 사용 경험조차도 이곳에선 복잡한 과정 하나를 줄일 수 있는 매우 큰 자산이 된다.

언뜻 일을 괜히 많이 떠맡는다는 인상을 줄 수도 있겠지만, 나와 같이 아무 경험이나 경력이 없는, 과연 내가 무슨 업무를 할 수나 있을까 걱정하느라 스스로 자신감을 가지기 어려운 젊은이들에게는 이런 작은 성취를 쌓아가는 일이 무엇보다 중요하다고 생각한다.

분명히 내가 무엇을 하게 될지 알지도 못한 채 백지 같은 상태로 시작한 일이었다. 하지만 조금씩 여러 일을 돕는 과정에서 내가 잘할 수 있는 것을 찾아 최선을 다하는 경험을 다양하게 많이 쌓을 수 있었던 것은, 이제 막 삶의 새로운 장을 시작하는 내게 무엇과도 바꿀 수 없는 큰 행운이다.

영상 출
저기… 물
나중에
동물병원
총무본부
주인님은 내가 아프지 않게 예방접종도 맞혀 주었고
SAMSUNG

저기.. 물 마시는 중인데 좀
나중에 해주시겠어요?
앗 죄송합니다
고가공원
제 일은 여러분의 행복을
지키는 것입니다.
필요한 곳에는 언제든 달려가지

동료들이 베풀어준 성대한 생일 잔치

양재준 편
총무본부

양재준 팀장은 평소에는 아이들에게 역사를 가르치는 일을 하고 있다. 학교 선생님은 아니고, 방과 후 학교 같은 곳에서 아이들하고 답사를 다니면서 역사를 가르치는 일이다. 역사도, 아이들도, 여행도 좋아하는 사람한테는 딱 맞는 일이었다.

일을 시작한 지도 벌써 9년 째에 접어들었다. 총무본부 사람들에게 경복궁이나 창덕궁 등 궁궐 해설 투어를 해주겠다고 약속했는데, 헤어지기 전에 약속을 지킬 수 있을지에 대해선 불안감이 든다.

'박원순'을 조금씩 알아가는 과정

역사 강사라는 것이 바쁠 때는 엄청 바쁘지만 한가할 때는 너무 한가해서 재준씨는 몇 번의 선거를 경험해 볼 수 있었다. 하는 일과는 아무런 연관이 없지만 좋은 경험이었다.

3월 초 즈음인가 몇 번의 선거를 같이 치렀던 지인으로부터 박원순 캠프에 합류해 보라는 연락이 왔는데 처음에는 못한다고 했단다. 이런 저런 일들이 많아서 무척 바쁘기도 했고, 이렇게 큰 선거를 치러본 경험도 없어서였다. 또 사실 2014년도에도 희망캠프에 합류할 기회가 있

었는데, 이미 다른 후보를 돕고 있어서 갈 수가 없었다. 그래서 박원순 시장과는 인연이 없구나 하고 생각하기도 했다.

그렇게 끝이라고 생각을 하고 있었는데, 두 번째, 세 번째 연락이 계속 오는 것이었다. 결국 끈질긴 설득에 재준씨는 항복을 하고 말았다. 7월 달에 유학 가는 후배에게 하던 일을 부랴부랴 맡기고 3월 중순 즈음부터 캠프에 합류하게 되었다. 지금도 그 후배에게 미안한 마음뿐이다. 가끔가다 후배가 전화를 한다. "형, 일이 너무 힘들어요."

재준씨는 아직 자신이 박원순 지지자라고 말할 자신이 없다. 박원순이라는 정치인에 대해서 잘 모른다고 생각하기 때문이다. 물론 지금 정치를 하는 정치인 중에 박원순이 가장 낫다는 생각을 하고 있긴 하다. 그래서 재준씨가 하고 있는 이 일이 박원순 후보의 당선에 도움이 되길 바라면서 일하고 있긴 하다.

그렇게 사무실에 처음 왔을 때는 도저히 캠프라고 부를 수 있을 만한 상태가 아니었다. 캠프를 준비하는 소모임이라 하는 것이 더 적당할 것 같았다. 사무실 인원도 겨우 6명밖에 없었다.

그렇게 사무실에 합류해서 처음에는 다 같이 일을 나눠서 했다. 7명이 무슨 업무 분담을 할 수 있었을까. 재준씨가 총무본부 대외협력팀에 소속된 것은 점차 사람들이 합류하고 체계가 갖춰지고도 한참 지난 후의 일이었다.

대외협력팀은 선거관리위원회, 국회 그리고 더불어민주당과 관련된 업무를 주로 하는 곳이다. 주로 서류를 작성하고, 공문을 보내거나 받아서 처리하고, 협조를 요청하는 그런 일을 하는 곳이다. 그 밖에 업무분장이 확실치 않은 애매한 업무들도 대외협력팀에서 맡아서 처리하고 있었다.

처음에는 혼자서 했는데 꽤 할 만했단다. 일이 그렇게 많지는 않았다.

"저 혼자밖에 없는데 왜 팀이라 불렀을까요? 어떤 날은 일이 하나도 없어서 '일 좀 줘!'라고 외칠 때도 있었거든요. 지금 돌이켜보면 정말 망언도 그런 망언이 없지요. 대외협력팀은 49개 지역 선거연락소를 관리하는 업무도 맡고 있거든요. 각 지역에서 하루에도 수십 통의 각종 문의와 민원, 사건 · 사고가 접수되고 이것을 처리해야만 해요. 저 혼자라면 결코 해낼 수 없었을 것이에요. 다행인 것은 제 옆에는 유능하고 일 잘하는 동료가 있다는 것이지요. 정말 다행스러운 일이라고 생각해요."

묵묵히 일하는 풍토의 총무팀

총무본부에서 하는 모든 업무가 그렇듯이 대외협력팀의 업무도 다른 곳에서 추진 중인 일들이 원활하게 처리될 수 있도록 돕는 것이다. 시간에 맞춰 선거관리위원회에 서류를 제출하고, 국회와 당에 협조를 요청하고, 선거연락소의 각종 문의를 처리하고 행정업무를 도와주는 일들은 누군가는 해야만 하는 일들이다. 대외협력팀은 이렇게 뒤에서 묵묵히 박원순 시장의 당선을 돕고 있었다.

앞에서도 이야기했지만 박원순이라는 사람에 대해서 이제야 알아가는 사람은 잘 모르는 장점들이 많이 있겠지만 재준씨가 생각하는 박원순의 가장 큰 장점은 사람들이라고 생각한다. 여기에 와서 만나게 된 수많은 사람들을 말하는 것이다.

총무본부 대외협력팀에서 일하다 보니 다른 본부와 협력해서 업무를 진행해야 할 때가 많다. 재준씨가 만난 사람들 중에 어떤 사람은 병원에서 포도당 주사를 맞고 출근하고, 다른 누군가는 생업도 팽개치고, 또 다른 누군가는 집에 좋지 않은 일이 생겨도 박원순 후보를 당선시키기 위해 수많은 사람들이 누가 알아주지 않아도 새벽부터 밤늦게까지 자신의 일을 묵묵히 하고 있다는 것이 박원순의 가장 큰 장점인 것 같다.

재준씨에겐 아주 기쁜 추억이 있었다. 생일과 관련된 이야기다. 재준씨는 전날부터 동료들이 무언가 자신 모르게 일을 꾸미고 있다는 것을 알고 있었다. 좁은 사무실이라 속삭이고 있다는 것은 알 수 있으니까. 다만 그렇게 엄청난 일을 꾸미리라고는 짐작도 못했을 뿐이었다. 정작 생일날은 아침부터 외부 업무로 바빴었다. 아침 일찍 은평에 넘어가 서류를 제출하고 그 다음에는 용산에서 업무를 처리해야 했다. 그날따라 아침부터 덥고 땀을 많이 흘려서 점심 때쯤 사무실로 들어왔을 때는 꽤 지쳐 있었다.

요란하고 진했던 생일 파티의 추억

사무실은 난리도 그런 난리가 없었다. 생일 축하 현수막이 2개나 걸려 있었고, 사무실 입구에는 'HAPPY BIRTHDAY'라고 적힌 플래카드까지 매달려 있었다. 곧이어 케이크에 선물까지 정신없는 축하가 이어졌고, 촛불은 어떻게 껐는지 기억도 나지 않는다.

나중에야 듣게 된 이야기지만 누군가는 새벽까지 현수막 시안을 만들어서 업체에 넘겼고, 다른 누군가는 아이들을 위해 사놓았던 플래카드를 집에서 가져왔다는 것이다.

모두 감사할 따름이다. 이 고마움을 어찌 다 갚아야 할까!. 정말 좋은 총무본부 사람들, 오래오래 봤으면 좋겠다고, 재준씨는 생각한다. 선물은 머그컵과 소주 2병 그리고 홍삼액이었다.

경청하는 귀가 있다면 덕을 쌓는 기본이 된다

윤명흠 편
총무본부

윤명흠(이사업체 대표)씨는 그가 직업상 해오던 일을 어찌하면 정책으로 만들어 새로운 이사 문화를 만들 수 있을까 고민해왔다. 그러던 중 시장후보 캠프에서 일을 하다 보면 길을 찾겠다 싶어 지인의 소개로 캠프에 참여했다. 사실 이런 경우엔 관계부처인 국토부나 국회 해당 상임위 소속의 국회의원을 찾는 길이 빠르다. 그런데도 굳이 박원순 캠프를 찾은 것은 박시장이 나서주면 더 빨리 해결될지도 모른다고 생각했기 때문이다.

그가 정책으로 만들고 싶은 것은 이사업체와 그 종사자들에게 책임감을 부여할 수 있도록 자격증을 부여하고 이사 시 발생하는 각종 문제를 끝까지 책임지게 하는 일이다. 또 종사자들도 의젓한 직장인으로서 그들의 노동이 존중받을 수 있는 문화를 제도적으로 만들고 싶다는 꿈이 있었다.

캠프에 참여한 후, 윤대표는 시민들의 의견을 듣고 해당 부서에 전달하며 간단한 문제는 현장에서 처리하는 민원국장을 맡았다. 대성회계법인 강수곤 회계사(민원팀장)와 업무를 함께 했다. 대체적으로 캠프에 오는 민원들은 고질적 악성 민원이거나 고독한 사람들의 넋두리성 하소연인 경우도 종종 있다. 민주노총 서울지부와 같이 선거 기간 중에 캠

프 실내로 쳐들어와 10여 명이 복도를 차지하고선 아예 한 명은 드러누워 '나를 밟고 가라'고 쓰인 현수막을 이불처럼 덮고 시위를 하는 경우도 있었다.

민원으로 찾아오는 사람들은 평균적으로 나이가 많다. 행색도 초라하고, 언변도 어눌하고, 사연도 제각각이다. 나름대로 그들의 입장에서는 각자 자기 생각이 소중하기에 시장후보자를 만나고 싶어 열심히 캠프 문을 두드린다.

그러다 보니 어느 날 저녁 9시경에 2번씩이나 전화를 해오는 경우도 있었다. 천기누설이라 절대로 민원국장 외에 다른 사람이 알면 안된다면서 꼭 후보자에게 전달해야 한다고 했다. 더군다나 나이가 많다 보니 발음이 정확하지도 않아 무슨 말인지 이해조차 하기 어려웠지만 끝까지 들어주어야 했다. 그분만의 생각일지는 모르나 들어줄 누군가가 필요한 외로운 분들이라 생각했기 때문이다.

캠프 참가 소감을 묻자, 윤씨가 이렇게 말한다.

"며칠 사이에 얼마나 대단한 일을 한다고 당선에 기여할 수 있겠습니까? 다만 이런 생각은 들더군요. 경청하는 귀가 있다면 덕을 쌓는 기본이 되는 것이고, 현시점에서 많은 민초들이 그리워하는 덕장의 디딤돌이 되지 않을까 하여 열심히 들어주고 전달하고 있습니다. 분명한 사실은 그분들도 대한민국 서울에 살고 있는 유권자이기에, 결단과 덕으로 그들을 치유하는 시장이 되면 좋겠습니다. 박원순 후보자님이 훌륭한 덕장이 되도록 제가 도움이 되는 귀가 되었기를 바랍니다."

2장

2018 박원순 캠프의 최고 영웅들

세대공감본부

“

선거가 막 시작될 무렵의 어느 일요일 낮, 안국빌딩 1층에서 회의 중인 세대공감 팀에 충격적인 소식이 들려왔다. 청년에게 더 많은 기회가 부여되고 청년들이 중심에서 선거를 주도하라는 뜻으로 별도의 본부로 승격시키라는 후보의 지시였다. 그렇게 '세대공감본부'가 시작되었다.

청년본부 확대개편,
세대공감본부 탄생

캠프의 하루는 차분하면서도 늘 활력이 넘쳤다. 그중에서도 1층에 자리한 세대공감본부는 김영경 실장을 중심으로 매일매일 환상적인 모습을 연출했다. 2018 박원순 캠프의 가장 큰 영웅은 바로 세대공감본부다. 세대공감본부의 모든 이들이 영웅이었다.

세대공감본부는 전체 캠프 내 하나의 본부에 불과했지만 실제로는 또 다른 작은 캠프였다. 매머드급 캠프 내 또 다른 캠프, 그들을 지켜보는 과정은 늘 흥미진진했다.

팀에서 본부 차원으로 승격

선거가 막 시작 될 무렵의 어느 일요일 낮, 안국빌딩 1층에서 회의 중이던 세대공감팀에 충격적인 소식이 들려왔다. 청년에게 더 많은 기회가 부여되고 청년들이 중심에서 선거를 주도하라는 뜻으로, 별도의 본부로 승격시키라는 후보의 지시가 있었다는 것이다.

그렇게 '세대공감본부'가 시작되었다. 본부로서의 위상을 갖게 된 것은 후보의 의지에서 비롯된 것이다. 이는 다양한 청년들이 캠프 내에서 여러 기획을 준비하고 활동을 하고 있었기 때문에 가능했다.

세대공감본부는 개별적으로 활동하던 청년 그룹들을 주제별, 분야별, 영역별로 재편하여 1실, 2단, 14개 기획단의 횡적인 네트워크체로 재탄생했다. 그리고 전체 선대위 조직도상 선거대책본부와 나란히 우측에 배치됐다.

"청년이 살기 좋은 서울은 곧 모두가 살기 좋은 서울이 됩니다."

흔히들 청년들을 중심으로 하는 본부가 생겼다고 하면, 대개의 사람들은 본부의 이름을 '청년본부' 또는 '미래본부'라고 생각한다. 하지만 오히려 이런 부분들은 청년들이 지향하는 도시 서울에 대한 관점을 축소한다고 생각했다. 주체가 청년이라고 해서, 반드시 청년만의 이야기를 하지는 않는다. 청년 활동은 다른 세대의 문제를 배타적으로 놓고 활동하는 것이 아니듯이, 청년정책 역시 청년정책만으로 전문화되기보다는 시민권의 관점에서 민주적 가치와 만나야 하기 때문이다.

청년은 그저 '젊은 사람'만을 의미하지 않는다. 서울에서 살아가는 '청년'은 바로 이 도시에, 사회에 처음으로 진입한 사람을 일컫는다. 그래서 청년이 서울에서 안정적으로 자리를 잡을 수 있다면 서울에 처음으로 올라오는 사람 누구나 살기 좋게 된다. 서울에서 청년기를 시작한 사람이 지방으로 이사를 가더라도 그의 경제적 가치는 사라지는 것이 아니다.

그래서 세대공감본부는 '출발선'에 주목했다. 모두가 고르게 사회 구성원으로 존중받을 수 있도록 그 길목에서 걸림돌이 없는 사회를 만들자는 것이 목표였다. 그러기 위해서는 청년의 문제를 드러내는 것에 그치지 않고 다른 사회 구성원의 공감과 협력이 수반된다는 점을 간과하지 않았다.

최근 우리 사회는 청년 임대주택을 둘러싼 세대갈등이 촉발되고 있다. 청년들은 정책의 대상에서 '불쌍하거나 불온한 존재'가 되고 말았다. 청년의 사회경제적 열악함을 드러내야 겨우 정책의 대상이 되고, 막상 정책의 대상이 되더라도 '청년들은 무절제하고 미성숙하다'는 이상한 논리와 싸워야 했다.

이런 상황을 앞에 둔 청년들과 청년문제 해결을 바라는 시민들이 무력감 또는 열패감에 빠지지 않기 위해서는 반드시 오해와 편견을 이해와 상식으로 전환시켜야 한다는 문제인식과 문제해결 의지에서 '세대공감본부'는 출발했다.

'잡무' 아닌 실질적 활동 주도

세대공감본부는 박원순 캠프 전체의 미래지향적 관점을 탑재하기 위해 노력했다. 어떤 캠프건 2030 청년세대가 적지 않은 인원으로, 적지 않은 역할을 담당하게 된다. 그러나 일반적인 선거캠프에 비해 2018 박원순 캠프에서는 청년들이 '잡무'만을 도맡는 것이 아니라 캠프 내에서도 성장하면서 그 활력으로 더 나은 서울을 만들기 위해 직접적인 활동 기회와 기반을 만들기 위해 노력했다.

대표적으로 박원순 캠프 구성원 모두에게 '어서와 키트'를 제작·배포하면서 연령, 성별, 경험의 격차가 지나친 위계화로 연결되지 않도록 캠프의 운영원칙과 운영정보를 제공했다. 또한 캠프 내 주요 팀장급 인선에서 2030 청년세대가 20% 이상을 담당할 수 있도록 여러 TF팀에도 적극적으로 참여했다. 사전투표 캠페인, 중앙유세단, 캠프의 오픈하우스와 같이 캠프 조직 구성과 각종 행사에서 청년의 존재감이 나타날 수 있도록 노력했다.

뿐만 아니라 캠프의 1층 공간 기획을 공동으로 맡기도 했다. 아이, 부모, 어르신도 편하게 드나들 수 있도록 구성하면서 시민에게 한 발짝 더 다가선 선거를 구현하고자 했다.

청년이 중심이 되는 세대공감본부이기에 청년들의 목소리에 가장 먼저 반응하는 것은 당연한 일이었다. 1,613명의 청년 지지선언과 후보의 경청유세 기획을 통해 청년들이 선거에서 한 목소리로 모일 수 있는 장을 열었다. 선거 기간에 청년들이 개별적으로 흩어지지 않고 박원순 후보의 가치를 전하며 투표의 기준을 세우려고 노력했다.

대학생팀 '무명'과 '까치'는 온라인 활동을, 2030 여성기획단 '버리으니'는 여성들의 지지선언과 정책 제안을, '순풍지대'와 '보건의료계열 대학생위원회'는 후보와의 만남을, '더불어민주당 청년위원회'와 '대학생위원회', '커밍순', '동물권위원회'는 지지선언을, '청년문화예술위원회'와 '시민채널 청년위원회'는 캠프 내 행사에서 시민참여를 지원하는 일을 했다. '글로벌위원회'는 다양한 언어로 선거에 참여하는 방법과 주요 공약을 번역해 배포했고, '다양성위원회'는 세대공감본부의 사업은 물론 캠프의 주요 행사에 수어통역사로 지원하고 공약 해설집을 제작하는 등 모두를 위한 선거를 만드는 데 선도적인 역할을 했다.

한편, 청년들을 직접 찾아가 유권자가 주인이 되는 선거를 만들기 위해 노력하는 프로젝트도 있었다. 서울라이트의 '서울라이트 현장 간담회', 87위원회의 '시민프로듀스'는 청년들의 시선으로 바라본 서울에 대한 이야기를 담았다. 정책간담회라는 형식으로 진행된 이 두 프로젝트는 청년들이 이 도시에서 누구와 관계를 맺고, 서울시 정책에 어떤 영향을 받는지를 생생하게 기록에 남겼다.

변화의 바람과 한계를 동시에 느끼기도

세대공감보부의 가장 큰 성과는 '공감은 이해에서 비롯된다'는 진리를 다시금 확인했다는 것이다. 세대공감본부의 첫 회의, 처음 입을 뗀 조직총괄본부의 정수빈 씨는 이렇게 말했다.

"이번 선거에서 가장 기대되는 건 바로 여러분이에요."

이 발언 덕분에 회의 분위기는 한층 훈훈했고 서로에 대한 기대로 가득 찼다. 그때부터 본부 회의 참석자들은 더 많은 것들을 할 수 있다는 생각을 했고 기회를 적극적으로 만들어갔다.

그러나 이들은 온몸으로 부딪히면서 아주 가까운 곳에서부터 변화의 바람과 한계를 동시에 느끼기도 했다. 마음먹은 만큼 되지 않았고, 마음대로 할 수 없었던 시간들도 맞닥뜨렸다. 그러나 한편으로는 오히려 서로의 마음들을 나눈 시간이기도 했다.

선거 캠프의 아이 돌봄 서비스

이예송·조하인 편
세대공감본부 아이누리위원회

아이누리는 선거 캠프에서 일하는 부모들을 위해 만들어진 아이 돌봄 서비스로, 우리나라 선거 역사상 최초로 시행된 제도다. 본부 1층 한 켠에 자리잡고 있는 아이누리 방은 박시장이 예비후보로 등록한 14일부터 한 달 가량 매일 9시부터 6시까지 운영됐다.

아이누리 탄생의 주역은 기획자 이예송 씨와 자원봉사자 조하인 씨다.

만삭의 몸으로 선거 역사상 최초 서비스 기획

예송씨는 만삭의 임산부다. 7월 5일이 출산 예정일이었던 그녀는 캠프 해단식을 진행하는 6월 14일까지 총무본부의 일원으로 근무했다.

2014년 캠프에 합류했을 당시 그녀는 결혼 준비 중이었다. 곧 태어날 아이에게 임신 때문에 '엄마의 사회생활'을 포기하는 모습을 보여주고 싶지 않았다. 주변의 만류가 보통이 아니었지만, 그녀는 누구도 말릴 수 없는 강한 의지로 이번 캠프에도 합류했다.

초창기 안국빌딩 사무공간 기획에 참여한 것은 캠프 생활에 또 다른 전환점을 가져왔다. 캠프 내 아이가 있는 구성원들은 짧은 회의 때문에 캠프에 오면서도 아이를 맡길 곳을 찾느라 종종 애를 먹었다. 박시장이 만들어 갈 미래 서울의 모습에서 '아이와 함께 하는 서울'은 너무도 당연했지만, 정작 아이가 있는 부모에겐 캠프 출퇴근부터 쉽지 않았다. 이 모순을 해결하기 위한 시도가 캠프 내 아이 공간인 '아이누리위원회'였다.

여태껏 그 어떤 캠프에도 전례가 없었다. 검토가 쉽지 않아 초기 기획부터 난항을 겪었다. 캠프 안의 공간 부족으로 인한 효율성 논란과, 안전사고를 우려하는 목소리도 큰 벽이었다. 박원순 캠프는 효율성이 아니라 당위성과 그 상징적 의미를 고민해야 했다. 다행히도 많은 사람들이 취지에 공감해준 덕분에 2018년 광역자치단체장 선거 캠프 최초로 아이들을 자유롭게 데려올 수 있는 공간이 생길 수 있었다. '박원순 캠프'라서 가능한 일이었다.

6월 13일 서울시장 3선 당선이 확정된 늦은 시간, 예송씨는 본부에 온 박시장을 만났다. 박시장은 뱃속의 아이에게 '승리'라는 태명을 지어줬다. 그녀는 수 차례의 캠프 경험에도 불구하고 출산을 20일 앞둔 '첫아들 승리와 함께 한 2018년 박원순 캠프'가 가장 기억에 남을 것이라고 했다.

생활밀착형 개혁의 시작점이 된 조하인 씨

박원순의 골수팬 조하인 씨는 민심 하나하나를 세세하게 신경 쓰는 박시장의 정책이 좋다고 했다. 일반적인 정치인들은 유권자에게 보여주기 위한 정치를 하지만 박시장은 티가 잘 나지 않는 생활밀착형 정책을 만든다고 했다. '걷기 편한 행복한 거리 만들기'가 대표적이다. 노인과 장애인 등의 교통약자 220만 명을 위해 횡단보도의 턱을 기존의

20cm에서 1cm로 낮춘 것이다. 휠체어도 유모차도 편하게 다닐 수 있는 보행친화도시를 만들었지만 많은 시민들의 뇌리에 남는 정책은 아니어서 아쉽다고 했다.

하인씨는 아이누리 서비스가 아니었다면 캠프에서 자원봉사를 하지 않았을 것이라고 단언한다. 이미 2014년 대선 캠프에 자원봉사로 참여한 경험이 있었기 때문에 이번에는 새로운 역할을 맡아보고 싶었다. 가정주부인 그녀는 자녀 또래의 아이들과 함께 할 수 있어 행복한 한 달이었다고 회상한다. 후보자를 위해 방문하는 유권자가 마음 놓고 캠프를 견학하고, 업무를 볼 수 있도록 아이들을 돌봐주는 것에 보람을 느꼈다고 했다. 딱딱한 정치 선거문화에 혁신을 일으키는 데 일정 부분 기여한 점을 자랑스러워했다.

물론 황당한 경험도 있었다. 선거 캠프에 놀이방이 있는 것을 상상조차 하지 못하는 일부 남성들이 놀이방에 신발을 신고 들어오거나 잠시 점심을 먹고 온 사이에 놀이방 안에서 잠을 자는 경우도 있었다. 만약 박시장이라면 이런 상황에서 어떻게 했을까? 라고 생각하며 곤히 자고 있는 사람을 일부러 깨우지는 않았다고 한다.

아이들과 함께했던 시간은 소중하고 재미난 추억이 되었다. 한 아이는 시간 가는 줄 모르고 놀다가 헤어질 시간이 되면 울기도 했단다. 또 어떤 아이는 노는 것을 너무 좋아해 한두 시간만 맡겨두려고 했다가도 결국 부모가 퇴근 후에 데리러 온 적도 있다고 했다.

정치는 삶의 일부다. 국민의 일부만 참여하고, 혜택을 누리는 특권이 아니다. 많은 국민이 일상적으로 정치에 관심을 가지고 참여하기 위해 아이누리 돌보미 서비스와 같은 생활밀착형 개혁이 필요하다. 모두가 선거를 축제처럼 느낄 수 있게 만들어주는 작지만 소중한 아이디어.

이 '아이누리 서비스'는 생활밀착형 개혁의 시작점이 될 것이다.

표를 낚는 어부단, 황금어장 찾아 떠나다

유준호 편
세대공감본부 공간팀

유준호 씨는 전문 기획자다. 이번 선거에서 크게는 두 개의 프로젝트를 디렉팅했다. 1층 하이파이브 라운지 공간 기획과, 사전투표 독려 오프라인 캠페인이다.

그는 캠페인 기획자이자 현장 디렉터로 활동한 사전투표 오프라인 캠페인에 대해 이렇게 술회했다.

캠페인은 송곳 같아야

캠페인은 항상 어려웠다. 아니, 정확하게는 개인적 동기와 주제를 연결시키는 작업이 어려웠다. 현업에서 소비자를 상대로 캠페인을 진행하는 것도, 시민청에서 시민들을 상대로 하는 것도 개인적인 재미를 주제와 잇는 게 유준호 씨가 일하는 방식이었다.

그래서 처음 사전투표 독려 캠페인을 기획할 때는 조금 힘이 빠진 상태였던 것 같다고 고백한다. 함께 논의하면서 주제를 만들어가는 것이 아니라, 이미 사전투표 독려라는 주제가 만들어진 상태에서 각자의 동기를 연결시키는 과정이 조금 길어서였을까.

유준호 씨는 '캠페인은 송곳 같아야' 한다고 생각한다. 날카롭게 찌를 수 있는 지점이 생겨야 사람들의 마음에 의미가 가닿기 때문이다.

온라인 캠페인의 경우, 매체의 특성상 언제든지 다시 열어볼 수 있다는 장점이 있는데, 직접 피부로 마주해야 할 오프라인의 경우는 시간과 장소가 특정되어 있어 콘셉트가 날카롭게 다듬어져 있지 않으면 기대한 효과를 얻기 어렵기 때문이다.

2018 지방선거는 치열한 상황 자체가 만들어지지 않았다. 특히 서울의 경우는 더 그랬다. 그래서였을까, 유준호 씨는 뭔가 신선하고 재미있는 시도들을 해가고 싶은 욕구가 생기기 시작했다.

사실, 유준호 씨를 비롯해 팀원 모두가 왜 해야 하는지, 무엇을 위해 해야 하는지, 돌아보면 지나치게 골몰했던 것은 아닌가 싶을 정도로 꽤 심각하게 고민했었다. 의미나 가치에 대한 충분한 이해와 논의 없이 좋은 콘텐츠가 나올 리 없다는 신념에서 비롯된 것이었다.

처음 유준호 씨가 혼자 기획안을 썼을 때는 방범대 콘셉트를 잡았다. 언제나 중요한 문제로 인식되는 '안전'을 해결해 줄 수 있는 사람이라는 이미지를 후보와 연결시키고, 동시에 투표독려 문구를 활용한 투표랜턴을 제작해 여러 스팟들을 돌아다니는 형식의 캠페인을 기획했던 것이다.

하지만 현실적인 랜턴 제작 문제가 발목을 잡았다. 당장 오프라인 캠페인 시작일은 다가오는데 제작 일정을 맞추기가 어려웠다. 그는 급히 대책회의를 열었다. 캠페인을 진행하는 6일을 3일씩 낮 캠페인과 저녁 캠페인으로 나누기로 하고, 랜턴 제작 시간을 감안해서 낮에 이루어지는 캠페인을 먼저 시작하기로 했다.

콘셉트를 다시 기획해야 했지만, 다행히 팀원 모두가 재미있고 적극적으로 회의에 임했다. 이 시대를 사는 사람들이 소비하는 콘텐츠들을 나열해보고, 그중에서 콘셉트를 뽑아보는 논의 중, '도시어부'라는 프로그램에 착안해, '유권자들의 마음을 낚아보자'는 메시지가 도출됐다.

그 이후로는 빠르게 콘셉트가 정리되었다. 기존의 선거 캠페인과는 다르게 캐주얼하고 재미있었던지 다들 흥미를 느끼고 참여했다. 각자 역할을 나누어 레퍼런스들를 찾았고, 해외에서 진행했던 마네킹 챌린지의 형식을 따 플래시몹(유동인구가 많은 곳에서 어떤 장면만 멈춰있는 상황을 연출하는 것) 퍼포먼스를 구성했다.

사람들은 부자연스러운 상황에 반응한다고 했다. 그래서 이목을 집중시킬 수 있는 부자연스러움을 그려내고 싶었다. 또한 단시간에 더 많은 사람들에게 노출시키기 위해서는 사람들이 머무는 장소가 아니라 많이 움직이는 거리가 적합하다는 분석이 나왔다. 그래서 사람들과 같이 움직이며 피켓을 들고 거리를 행진하는 것보다 움직이는 사람들의 시선을 사로잡기 위해 유동인구가 많은 홍대, 강남, 이태원, 대학로, 건대입구, 종각, 광화문을 실행 스팟(지점)으로 정했다. 바로 연출 소품을 정리하고 피켓 제작에 들어갔다.

그의 기획은 전체 6일의 캠페인 기간 동안 2건의 기사로 다뤄졌다. 독특한 콘셉트의 캠페인이라 지나가는 사람들에게 꽤나 재미도 주고,

메시지도 던졌다고 생각하는 유준호 씨는 유세차량도 중요하지만, 이런 식의 재미있는 기획도 있어야 후보와 캠프에 다채로움을 더하는 것이라 생각한다고 말했다.

유준호 씨는 서두에서 '나는 기획자다'라고 자신 있게 이야기했지만, 캠프생활은 사실 부족한 지점들을 더 많이 자각하게 된 계기였다고 말했다.

보통의 다른 사람들보다 정치나, 정책에 대한 이해도가 높다고 생각했지만, 실상 우물 안의 개구리였을 뿐이라는 깨우침도 얻었단다. 뭔가 배우고 싶은 사람들, 매력적인 사람들이 많아서 좋았다는 그는 어떤 부분을 더 채워야 하는지도 알게 되었다고 한다.

물론 캠프에는 잘 드러나 보이지는 않지만 여전히 남아 있는 위계구조, 청년의 자율성과 독창적인 발상을 저해하는 의사결정구조 등 개선되어야 할 지점들도 산재해 있었다. 그러나 그 어느 선거캠프보다 혁신적이었고, 보완해야 할 부분을 확인할 수 있다는 것도 분명 이번 캠프의 장점이라고 유준호 씨는 말했다.

이야기의 중심이 주로 사전투표 오프라인 캠페인에 집중된 것은, 그나마 가장 치열했던 시기였기 때문이었을 것이라는 유준호 씨는 그 외에도 다른 여러 일들을 함께했지만, 표를 낚는 어부단의 작업에서 '원팀'이라는 느낌을 충만하게 받은 것 같다고 말했다.

유준호 씨는 "오프라인 캠페인 기획자로, 현장 디렉터로 많이 부족했지만, 특히 퍼포먼스 브리핑과 동선 기획을 함께한 신태섭 씨와, 아낌없

이 많은 지원을 해준 고정은, 오가인, 현장에서 고난이도의 액션을 보여준 정영훈, 전속 타임키퍼 및 포토그래퍼 이대호, 그리고 다른 캠프 업무로 모든 현장을 함께 하지 못한 김영경 실장, 김희성, 임경지, 금중혁, 유지인 씨 등 세대공감본부 사전투표 캠페인 기획단 전원에게 고마움을 전한다."는 인사말로 마무리했다.

어서 와, 키트

고정은 · 이대호 편
세대공감본부 87위원회

선거를 위해 캠프에 들어오는 사람들은 어떤 이들일까? 캠프가 처음인 사람도 있을 테고, 박원순 시장의 선거 세 번 모두 빠지지 않고 참여한 베테랑도 있을 것이다. 누구에겐 익숙하고 편한 공간일 것이고, 누구에겐 어색하고 불편한 공간일 테다.

'어서와, 키트'는 이런 고민에서 시작됐다. 서로 다른 삶을 살던 다양한 사람들이 하나의 목표를 가지고 모여들었을 때 필요한 것이 무엇일까라는 물음에서 시작됐다. 어서와 키트는 캠프 생활 초년생을 위한 지침서이다.

캠프생활 초보자 지침서, '어서와, 키트'

우리는 어떻게 일해야 할까? 국회에서 일하던 대로, 시청에서 일하던 대로, 당에서 일하던 대로, 회사에서 일하던 대로 하면 될까? 아니다. 박원순 캠프만의 규칙이 필요했다. 짧은 기간이지만 최대한 수평적인 조직 문화를 만들어가자는 목적의식이 있었다. 카카오 관계자를 만나고, 네이버 관계자도 만나 조언을 구했다. 음식배달 중계업체 어플리케이션 '배달의 민족'이 만든 '일하는 원칙'을 뜯어보고, 다른 회사는 스

타트 키트에 무엇을 담는지도 조사했다.

초안을 만든 후 여러 번 수정이 이루어졌다. 과연 사람들이 공감하고 따를지에 대한 논쟁도 있었다. 그래도 꼭 필요한 얘기들이 있다는 것이 중론이었다. '새로움은 늘 도움이 됩니다', '나이야, 가라!', '당신은 당신만큼 귀합니다' 등 마지막까지 살아남은 여섯 가지 항목이 그랬다.

87팀은 솔직히 캠프가 운영되는 동안 이게 얼마나 잘 쓰였는지는 모르겠다고 했다. 하지만, 이 키트가 무심코 뱉은 말과 행동을 뒤돌아보게 하는 역할을 했다면 만족한다고 했다.

청년공약 개발, '시민프로듀서'

87위원회의 중요한 목표는 젊은 세대의 의견을 정치에 반영하는 것이다. 청년은 단일하지 않고 다양한 삶들로 이루어져 있다. 그 다양성을 반영하기 위해 '시민프로듀서'를 기획했다.

'시민프로듀서'는 청년들에게 공약을 보여주고 의견을 구하는 프로그램이다. 공약을 리뷰해줄 '특별하고도 평범한' 청년들을 5개 그룹으로 모았다. 음식을 배달하는 배달 라이더, 경기도에서 서울로 통근 또는 통학하는 '통근통학러', 화장품 판매업에 종사하는 여성 노동자, 특성화 고등학교를 졸업하고 직장에 다니는 사람들, 콘텐츠 또는 예술분야에 진출하기 위해 준비 중인 (지)'망생'들이 그들이었다.

공약들 중에서 청년들이 관심을 가질 만한 것들로 20여 개를 추리고 그것들을 소개, 설명했다. 그리고 그들이 공약에 대해 어떻게 생각하는지 인터뷰를 했다. 예상했던 반응은 공약의 '섬세하지 못한 면'을 찾아내는 것이었다. "취지는 좋은데 이런 점이 저에게는 해당되지 않아요", "이 공약은 이렇게 바꾸면 저에게 더 도움이 되겠네요" 등의 피드백을 받아 공약의 발전 방향을 제시하는 것이었다.

그러나 예상과는 달리 비판적인 의견이 많이 나오지는 않았다. 정치 공약을 낯설게 느끼는 청년들이 많았기 때문이다. 정책에 대해 생각해본 적이 별로 없는 사람들이 공약을 보고 그 자리에서 비판적이며 발전적인 제언을 해 주리라는 것 자체가 무리한 기대였다. 이 점을 사전에 예상하고 최대한 공약을 쉽게 이해할 수 있도록 다양한 장치들을 만들었지만 역부족이었다. 호박에 줄 긋는다고 수박이 되지는 않았다.

하지만 예상하지 못했던 성과도 컸다. 평소 접하기 힘든 다양한 사람들의 이야기를 들을 수 있었다. 동대문에 있는 화장품 매장에서 일하는 사람들은 야근을 하고 나면 택시비를 받아도 택시가 잡히지 않아 무용지물이라는 이야기, 대기업에서도 대졸 신입사원에게는 연수기회를 주지만 특성화고 졸업 신입사원에게는 이틀 교육 후 바로 실무에 투입

한다는 이야기 등 몰랐던 우리 사회의 일면을 알게 됐다.

이 경험은 후보의 일정을 기획하고 제안하는 일에도 큰 도움이 됐다. '시민프로듀서' 프로그램으로 만났던 특성화고 졸업생 임설아 씨는 본인이 수강하는 수업에 후보를 초청했다. 특성화고 출신들이 겪는 사회적 차별을 주제로 발표를 준비하고, 이 발표를 후보가 듣고 자신의 생각을 이야기하는 특강을 함께 기획하게 됐다. 특강 현장에서 후보는 "그동안 미처 몰랐으나 반드시 알아야 할 이야기들을 알게 됐다. 여러분이 겪는 차별은 분명히 잘못된 것이며, 함께 고쳐 나가자."며 강한 의지를 표명했다. 박원순다운 일정과 메시지를 만들 수 있었다.

흔히 쓰는 말로서 "답은 현장에 있다."는 표현이 있다. 다양한 현장의 의견들로 공약을 버무려보겠다는 기획은 성공하지 못했지만, 책상머리에서는 몰랐을 다양한 삶들을 알게 됐다. 그리고 이 삶들은 다양한 방법으로 캠프와 후보에게 전달이 됐다. 이제는 '시민프로듀서' 프로그램 이전으로 돌아갈 순 없게 됐다. 작지만 분명한 변화를 만들어냈기 때문이다.

세대간 소통을 위한 '세대공감 프로토콜'

민주주의는 '다양성'을 근간으로 한다. 다양한 시각, 다양한 의견이 두루 어우러져서 논의가 이루어지고 결정을 내리는 것이 민주주의의 본질이다. 그러나 비슷한 정체성을 가진 사람들끼리 논의와 결정을 주도한다면 다양한 의견이 의사결정에 반영되지 않는다.

87위원회는 우리 정치가 '세대균형적이지 않다'는 문제의식을 갖고 있었다. 세대는 개인의 정체성을 규정하는 가장 강력한 요소다. 특정

세대만 의사결정에 많이 참여한다면 다양한 세대, 다양한 사람들의 이해관계가 두루 반영되기가 어려워진다. 여러 세대가 동등하게 서로를 존중하며 소통하고 협의해서 의사결정을 내릴 수 있어야 한다고 생각했다. 아쉽게도 한국 정치에는 2030의 비중과 권한이 부족하다. 그래서 세대균형적인 의사결정이 이뤄지기가 어렵다.

이 문제를 캠프에서 해결해보고자 '세대공감 프로토콜'을 기획했다. 여러 세대가 의사결정에 참여할 수 있는 일련의 규칙들을 제안하고, 토론을 거쳐 그것을 조직 전체가 수용한다. 그리고 여러 세대가 중요한 문제를 함께 토론하고 의결한다. 이것을 가능하게 하려면 일종의 어퍼머티브 액션(적극적인 보호조치)이 필요하다고 생각했다. 이것들을 '프로토콜'이라는 이름으로 묶었다.

세대공감 프로토콜의 골자는 세 가지였다. 하나, 캠프의 주요한 의사결정에 직접 참여하는 선대본부장 중 한 명을 캠프 내 청년 구성원들이 호선한 청년으로 인선한다. 둘, 캠프의 입장을 시민에게 알리는 대변인 중 한 명을 캠프 내 청년 구성원들이 호선한 청년으로 인선한다. 셋, 팀장, 공동팀장 중 20%를 캠프 내 청년 구성원으로 인선한다. 공동팀장들은 서로를 존중하며 중요한 일들을 함께 논의하고 결정한다.

87위원회가 초안을 만들고 캠프 내에서 일하고 있는 2030 구성원 40여 명에게 의견을 수렴하는 절차를 거쳐 완성됐다. 이 내용을 캠프 총괄단위에 정식으로 제안하고 토론을 거쳐 명시적으로 제도화하고자 했다. 하지만 이미 조직구성이 상당 부분 진행된 상황이었기 때문에 토론을 통해 합의를 이루는 과정은 쉽지 않았다.

87팀은 기회가 될 때마다 프로토콜의 취지를 부단히 소개했다. 그 결과 만족할 만한 수준은 아니지만 프로토콜의 내용이 캠프의 흐름에 어느 정도 반영되었다. 세대공감본부 2030 구성원 2명이 공동선대본부장으로 임명됐다. 또 팀장 20% 이상이 2030으로 구성되었다. 캠프 내 대변인 중 한 명이 30대로 임명됐다.

그러나 결과적으로 아쉬움이 컸다. 결과보다 과정이 중요했던 기획이었기 때문이다.

기획자들은 프로토콜을 수립하게 된 배경과 취지를 정식으로 설명하고 여러 세대가 함께 토론해보고 싶었다. 이견이 있더라도 '세대균형적 정치구조의 필요성'과 '실제적으로 어떻게 구현할 수 있는지' 이야기를 해보는 것이 필요하다고 생각했다. 그러나 캠프의 시침과 분침은 같은 속도로 움직이지 않았고, 급변하는 상황들 속에서 제대로 된 논의와 토론을 할 수 없었다.

세대균형성의 확보는 시대적 과제다. 세대간의 갈등을 해결하기 위해서는 여러 세대가 공동으로 토론하고 논의하는 틀이 반드시 필요하다. 그렇게 되지 않으면 이해관계가 다른 사람들 사이에 접점이 만들어지기 어렵다.

그 첫발을 2018 지방선거 박원순 캠프에서 제대로 떼지는 못했다. 그러나 후보의 공약 중 하나인 '서울시 각급 위원회 15% 2035 할당'에 그 정신을 담을 수 있었다. 당선 후 시정에서 세대균형적 의사결정이 구현될 수 있기를, 이번의 '시행착오'가 밑거름이 될 수 있기를 기대한다.

1,613명 청년들을 이끌어내다

김희성 편
세대공감본부 2030지지선언TF팀

"청년의 문제는 청년이 제일 잘 알고 있습니다. 당사자의 필요와 현실에 맞추어 제도와 정책이 변화해야 합니다." 박원순 시장의 연설 중 일부다.

김희성 씨는 청년을 동등한 주체로 인식해 당사자와 현장의 목소리를 존중하는 박시장의 시정 철학이 좋았다. 그는 서울시의 청년명예시장이다. 서울시는 다양한 분야·영역의 시민들과 행정 사이에 소통을 활성화하기 위해 세대와 분야별로 17명의 명예시장을 두고 있다.

명예시장으로서 그는 서울청년정책네트워크라는 시민참여플랫폼에서 활동했다. 단순히 서울시의 행정을 집행하는 수동적인 관계가 아닌, 문제해결을 위해 머리를 맞대고 토론하고 협력하는 '파트너'로서 지난 4년을 함께 해왔다.

박시장은 '좋은 어른'으로서 청년들과 소통하기 위해 부단히 노력하고 있다. 행정의 책임자로서 청년 당사자를 동등한 파트너로 인정하고 정책과 제도를 함께 만들려고 노력해왔다. 이러한 배경 속에 서울청년정책네트워크, 서울청년의회 등 당사자가 주도하는 시민참여 플랫폼이 만들어졌고, 청년수당, 청년공공주택, 취업날개 서비스, 청년 공간

무중력지대 조성, 희망 두 배 청년통장, 청년뉴딜일자리 사업 등이 정책으로 이어졌다.

김희성 씨는 캠프 내 '2030지지선언TF' 소속이다. 박시장의 지난 6년간의 성과가 10년의 완성으로 이어지고, 변화의 움직임이 확고한 전환으로 자리매김할 수 있도록 청년들의 목소리를 지지선언의 형태로 모아내고자 하였다.

지금의 청년세대에게 지지선언이라는 형식의 의사표명은 낯설고, 익숙하지 않은 행동이다. 지지선언을 요청하고, 기자회견을 준비하면서 정말 많은 청년들에게 부탁을 가장한 독촉과 압박을 했다. 많은 노력 끝에 온라인을 통해 지지선언에 참여한 청년들은 총 1,613명이었다. 이렇게 모인 1,613명의 지지선언은 '내 삶을 바꾼 1번째 시장, 박원순 후보에게 6월 13일에 투표하겠습니다!'라는 기자회견을 통해 공개되었다.

특히 이날 기자회견에 발언자로 나선 청년들은 지난 6년간의 서울시의 혁신적인 청년정책을 직접 경험하고 있는 당사자들이었다. 또 이번

지방선거에 처음으로 투표권을 행사하는 청년의 발언도 이어졌다. 지방선거를 맞아, 청년이 주도하고 청년이 기획해서 청년들을 규모 있게 조직화했다.

특히 1,613명이라는 숫자를 '내 삶을 바꾸는 첫 번째 시장, 1번을 찍는 6월 13일을 만들자.'는 의미로 재해석함으로써 기존 지지선언과는 다른 새로운 형태를 시도했다.

청년정책의 실제 수혜자들이 직접 지지선언을 함으로써, 지난 민선5·6기를 통해 만들어진 청년정책과 그 혁신성을 효과적으로 드러낼 수 있다고 판단했다. 다양한 분야에서 활동하는 청년들의 목소리를 '청년'이라는 이름 하나로 포괄하지 않도록 했다. 투표독려의 한 방식으로 이어지게 했다고 자평했다.

브라보! 비혼 라이프

류벼리 편
세대공감본부 2030여성기획단

박시장은 여성이 주체가 되는 성균형적인 캠프를 희망했다. 그 결과 성평등위원회와 여성총괄본부 등 두 개의 굵직한 기구가 캠프 내에 만들어졌다. 또 세대공감본부에는 2030 여성들의 목소리를 듣기 위한 별도의 팀이 구성되었다. 류벼리 씨가 속해 있는 2030 여성기획단이다.

'박원순표' 정책 수혜자에서 기획자로

류벼리 씨는 스스로가 박원순 정책의 수혜자라고 생각한다. 청년이 아닌 박시장이 청년의 이야기를 듣고 반영하기 위해 애쓰는 모습이 좋았다. 그래서 좀 더 오랫동안 서울시장으로서의 역할을 해줬으면 좋겠다고 생각했고, 캠프에 합류하게 되었다.

2030 여성기획단은 청년 여성의 정책들이 캠프와 서울시정에 어떻게 하면 효율적으로 반영될 수 있을지를 늘 고민했다. 특히 녹색당의 페미니스트 신지예 후보를 염두에 두다보니 더 많은 고민을 했다고 한다.

박원순 후보의 장점은 '이야기를 듣는 사람'이다. 2030 여성기획단은 카드뉴스 기획 시 여성의 이야기도 집중할 수 있는 사람이라는 점을 강조했고, 여성지지자 200명의 지지선언을 이끌었다. 6월 11일 2030 여성들에게 가장 민감한 주제인 결혼을 주제로 한 '브라보! 비혼 라이프, 우리가 비혼을 선택하는 이유'로 간담회를 진행했다.

그녀는 청년여성의 목소리가 시정에 반영될 수 있도록 지속적인 노력을 하고 싶다. 지속성을 위해서 여성의 목소리를 한곳에 모으는 것이 중요하다고 했다. 이 글을 읽고 있는 여성 독자들이 적극적으로 함께 목소리를 내주기를 바란다고 말했다.

하이파이브 라운지의 짧고 굵었던 역사

유준호 편
세대공감본부 공간기획팀

'공간을 채우는 것은 결국 사람이다.' 문화기획자인 유준호 씨가 가지고 있는 '공간'에 대한 철학이다. 아무리 멋진 기획이 나왔다 한들, 함께 만들어갈 사람과 즐길 사람이 없다면 결국 쓸 데가 없지 않을까.

지난 7년 동안 서울 곳곳에 많은 시민 공간들이 생겼다. 그 가운데 '시민청'이 있다. 그는 5년 전, 어쩌다 방문하게 된 그곳을 통해, 많은 사람을 만나고, 다양한 일들을 경험할 수 있었다. 지금은 시민들이 언제든 방문할 수 있고, 쉬어갈 수 있는 시민문화공간으로 모두가 함께할 수 있는 축제, 공연, 전시, 캠페인들을 만들어 가고 있다.

시민청 그리고 캠프 민원실

모두가 함께 뛰어 놀 수 있는 시민문화공간, 시민청을 만든 사람이 박원순 시장이다. 서울시 홍보관으로 지어질 뻔했던 서울시청 지하대지 8천여 평을 시민의, 시민을 위한, 시민에 의한 장소인 문화공간으로 탈바꿈하게 만든 것이다.

유준호 씨는 박원순을 진짜 어른으로 생각한다. 모름을 인정하는 박시장의 솔직함을 사랑한다. “청년의 문제는 청년이 제일 잘 알지 않는가. 나는 잘 모른다.” 라는 박시장의 발언이 그의 마음에 깊숙이 꽂혔다고 했다. 모르는 것을 모른다고 솔직하게 말하지 못하는 사람이 넘쳐나는 세상 아닌가.

유준호 씨는 그의 인생에서 비중있는 변곡점에 ‘박시장’이 있다고 했다. 유준호 씨는 시민청의 아트디렉터로 활동했다. 공간이든, 콘텐츠든 중심에 무엇이 있느냐가 가장 중요한 요소이다. 상업적인 요소에서 벗어나 가치 중심의 고민을 할 수 있는 기회가 생긴 것이 가장 큰 성과라고 했다.

유준호 씨는 캠프에서 1층 민원실 공간구성 TF, 사전투표 독려 캠페인 TF에서 활동했는데, 민원실 공간구성에 대해 할 말이 많았다.

처음 마주한 1층 공간은 마치 세련되지 못한 비주류 아파트 브랜드 모델하우스 느낌이었다고 했다. 통유리로 된 문에 바닥은 장판이었다. 타일도 형편없는 상태였다. 솔직히 그는 경악을 금치 못했다고 한다. 시민들에게 열려 있는 공간인데, 아쉬운 점들이 많았다.

새롭고 재미난 공간을 만들 수는 없을까. 공간이 후보의 브랜딩과 직결되는 곳이 될 수도 있는데 어떻게 바꿔볼 수는 없을까. 아마 김영경 실장이 같은 고민을 하고 있었는지 그를 찾아와 공간 기획을 요청했다. 기다렸다는 듯이 TF를 구성했고, 2030 청년기획단에서 활동하는 실력파 그래픽 디자이너 김동규 씨, 이성휘 씨와 팀을 짰다. 곧 PI팀 신영웅 씨도 합류했다.

‘안 좋아해도 괜찮으니 들어오세요.’

주말도 불사한 첫 회동에서 콘셉트가 나왔다. 민원실이라는 최초의

목적을 개념적으로 확장하기로 했다. 후보의 PI를 효과적으로 홍보할 수 있는 오프라인 채널을 만들기로 했던 것이다.

촉박한 시간 속에 기획과 실행과정을 동시에 진행했다. 팀의 입장은 정리가 되었지만, 1층 살림을 담당하는 이해숙 자원봉사 단장과 아이캠프 TF, 총무본부 등 여전히 논의해야 할 주체들이 많았다. 며칠 동안 지난한 회의가 이어졌다. 각자의 이해를 불만 없이 담아낸다는 게 참 어려운 일임을 느꼈다.

때론 고집을 부려볼까 싶다가 현장을 무시한 기획이 얼마나 처참해지는지를 알고 있던 그는 해결방안을 찾아야 했다. 모든 작업은 결국 대화와 타협의 문제가 아닌가.

보통 민원실에는 정치에 관심이 많은 강성 민원객들도 몰려온다. 때문에 고성이 오가기도 하고, 다툼도 생긴다. 그래서 공간을 차가운 사무실이 아닌 따뜻하고 차분한 분위기로 조성하는 방향으로 결정했다.

그는 1층에서 근무하는 캠프원들을 위한 심리적 공간과, 자원봉사자인 어린이집 원장들을 위한 공간구성 계획을 마련했다.

'사람들이 주저하지 않고 들어올 수 있는 공간은 어떤 곳일까' 라는 문제 속에 40%는 선거 캠프의 목적에 맞게, 30%는 세련됨을, 20%는 재미를, 마지막 10%는 감성을 담아보기로 했다. 특히 PI팀과 협력해 기존의 '원순씨와 하이파이브' 캠페인과 연계해서 공간 브랜딩에 집중했다. 1층 공간의 이름이 '하이파이브 라운지'가 되었고 각종 제작물에 해당 로고를 삽입했다. 공간팀의 동규 씨가 하이파이브 로고를 알맞게 다시 제작해주었고, 그 결과 전체 작업물 시안이 나왔다.

또 외부, 내부 공간별로 메시지를 만들어 갤러리처럼 배치하는 데에 주력했다. 1층 유리문에도 재미있는 메시지를 제작해 넣었다.

'안 좋아해도 괜찮으니 들어오세요.'

문구도 남다르지 않은가. 지나가는 시민들이 문구 사진을 찍어가는 경우도 종종 있었다. 그는 1층의 하이파이브 라운지가 지난 어떤 선거에서도 시도되지 않았던 파격적인 공간 디자인이라고 생각한다. 그중에서도 하이파이브 네온사인 간판은 화룡점정이다. 2030 세대에게도 어필할 수 있는 디자인으로 공약을 살리면서 미적 감각까지 놓치지 않기 위해 노력했다. 거기에 후보의 핵심공약들을 누리 공간 전면에 배치하면서 오프라인 채널의 역할을 수행하도록 만들었다.

공간기획팀은 민원실을 아름답게 꾸미는 것에 그치지 않았다. 28일간의 선거 캠프의 경험을 디자인한 것이다. 시민들에게 '박원순이니까 가능한, 박원순이라 다른' 또 다른 경험을 제공한 것이었다.

청각장애인을 시정 파트너로

박미애 편
세대공감본부 다양성위원회

다양성위원회는 전국에 있는 30만 명의 청각장애인을 위한 부서다. 이들은 청각장애인도 함께 나아가야 하는 서울 시민이라는 인식을 심어주고 싶었다. 김하정, 이종운, 조윤주, 진생재, 박미애, 이진경 등이 위원회의 주요 멤버들이다.

캠프 내 모든 행사에 수어통역 함께

캠프 안에서 진행되는 모든 행사에는 수어통역이 함께했다. 또 캠프가 진행되는 28일 동안 SNS에 수어와 자막을 사용해 박시장의 공약을 알리는 동영상을 게시했다. 조회수가 1,000회에 육박할 정도로 큰 인기를 끌었고, 댓글도 폭발적인 반응이었다. 거기에 농청년, 농부모, 속기사, 서울통신중계사(수어통역사) 등 60여 명의 박원순 시장 지지선언을 이끌어냈다.

박미애 씨가 캠프에 합류하게 된 계기는 박시장의 소탈함 때문이다. 그녀는 서울시에서 진행했던 '사회적 우정'에 수어통역사로 여러 번 참여했다. 이를 기억한 박 시장이 먼저 전화번호를 주면서 친구가 되자고 말했단다.

팀 내에는 서울 시민이 아니어서 3시간 동안 통근을 해야 했던 사람도 있다. 의왕시에 사는 이진경 씨다. 친한 농인 언니의 제안으로 캠프에 합류하게 된 그녀는 처음에는 원망스러운 마음도 있었다. 하지만 농인의 지지발언을 하는 박원순 시장의 모습을 보며 감동했고, 이내 원망의 마음이 사라졌다.

선거 기간이 아니라도 늘 소수자의 이야기를 들어주고 소통하는 시장이 되기를 바라는 것이 다양성위원회의 바람이다. 서울시에서 열리는 세미나, 박람회, 각종행사 등 수어통역과 문자통역이 배치되면 좋겠다고 한다. 사실 다양성위원회 내에는 정치에 거리감을 느끼는 팀원도 다수 있다. 그러나 이번 캠프 참여를 통해 정치에 대한 불신 중 상당 부분이 해소되었다고 했다. 그러면서도 적극적으로 정치에 참여하는 유권자로 남을 것인지 예전과 같이 무관심한 시민으로 돌아갈 것인지는 박원순 후보의 행보에 달려 있다는 묵직한 암시를 남기기도 했다.

'원순투순쓰리순'

유지인 편
세대공감본부 대학생위원회 '무명'

'원순투순쓰리순.'

대학생위원회 '무명(無名)'에서 만든 페이스북 페이지 이름이다. 대학생의 재기발랄함으로 이루어진 이 페이지는 박시장의 사진을 이용해 '1일 1공약' 게시물을 올리고, 시정성과를 담은 카드뉴스도 만들었다. 거기에 투표독려 웹 포스터를 제작해 투표의 중요성을 유권자에게 알렸다. 청년들의 감수성을, 대학생들의 생각과 의견을 선거 캠페인에 적극 반영하고 싶다는 것이 그들이 들은 박시장의 의중이다.

무명팀은 대학생의 목소리를 캠페인에 녹여내기 위해 박시장의 자서전을 읽고 연구하며 매주 모여서 회의를 진행했다고 한다. '대학생들은 박원순 시장을 어떻게 생각하는가', '어떻게 해야 박시장의 시정성과를 널리 알리고 10년 혁명을 완수할 수 있을까', '어떻게 해야 대학생들도 정치에 많은 관심을 가질 수 있을까' 등이 회의의 주제였다. 회의를 통해 도출한 기획안을 작성해 캠프에 제안했다.

유지인 씨는 2014년 고등학교 2학년인 18살 때 박시장을 실제로 처음 봤다. 청소년 명예부시장으로 위촉받는 자리였다. 이후 4년간 박시장의 행적을 지켜보았기에 22살이라는 어린 나이임에도 서울시정에 대해 잘 알고 있다고 자부한다.

무명은 선거운동 말미에는 하루에 3개 이상의 행사에 참여하기도 했다. 학업 때문에 세대공감본부 내의 모든 기획과 진행에 참여할 수는 없었지만 정치에 관심이 없는 대학생에게도 관심을 유도했다는 점이 뿌듯하다고 했다. 무명팀은 본인들이 기획한 활동이 아니어도 박원순 후보의 당선을 위해 세대공감본부와 함께 했던 모든 순간들이 소중하다고 했다.

세대균형적인 거리 캠페인을 꿈꾸며

고정은 편
세대공감본부 사전투표캠페인 오프라인TF팀

'사찍서'(사전투표, 찍고, 서울을 떠나자), '찍미'(픽미 패러디). 5월 22일 사전투표 첫 회의에서 나왔던 캠페인 문구들이다. 이때까지만 해도 사전투표 TF팀은 별 생각이 없었다. 가벼운 마음으로 회의를 시작했고, 별다른 성과 없이 시간은 디데이를 향해 빠르게 흘러가고 있었다.

며칠 뒤 캠페인 슬로건이 정해졌다. '선찍순, 더 일찍, 내 사전에 투표는 있다' 등이 슬로건 후보였다. 캠페인 기획단 전체 투표 결과 '더 일찍'에 대한 선호가 압도적이었다. '미리' 찍는다는 사전투표의 의미와 함께 '더불어민주당', '1번'의 의미도 숨겨져 있다.

이 완벽한 문구는 고정은 씨의 작품이다. 이제는 거리 캠페인의 콘셉트가 필요했다. 바로 '낚시'였다. '표를 잡는 어부단'이라는 팀을 만들었다. '유권자의 마음을 끌어올리는 중입니다'라는 문구는 거리 캠페인의 핵심이 되었다.

6일간의 길거리 탐방

사전투표 독려 거리 캠페인은 6월 3일에서 8일까지 5일 동안 진행됐다. 전담 TF는 따로 있었지만 현장 캠페인에는 여러 부서의 팀원들이 함께해 주었다. 그 덕에 다양한 부서의 사람들과 잊지 못할 추억이 생겼다고 한다.

거리 캠페인은 사무실에서 일하는 것보다 더 많은 에너지를 필요로 하는 일이다. 사람을 모으고, 물품을 일일이 확인하고, 동선을 짜고, 교통편과 식사, 사진까지 챙겨야 할 것이 너무 많다. 거기에 표정관리까지 필요하다. 선거법 위반을 염려해 캠프나 당 이름조차 걸고 다닐 수 없다.

첫째 날, 시작은 홍대였다. 정종화 씨, 전략팀의 신현식 씨, 홍보팀의 김상우 씨가 함께 했다. 다들 어색함에 어쩔 줄을 몰라 했다. 회의만 몇 번 같이 해 온 사이인데, 갑자기 거리에서 미키마우스 머리띠를 쓰고 사전투표 캠페인을 독려해야 하는 상황이라 모두들 우왕좌왕했다.

둘째 날, 강남역. 두 명의 긍정맨 신현식 씨, 김상우 씨와 더불어 조직팀의 이찬연 씨, 김창대 씨, 총무팀 최지혜 씨가 함께 했다. 베테랑인 이찬연 씨는 거리에서 캠페인을 적극적으로 주도해나갔다. 최지혜 씨는

이날의 히로인이었다. TF에서 기획한 캠페인에 대해 칭찬하며, 팀원들이 유세현장을 오롯이 즐길 수 있게 도왔다. 그 덕분에 이날은 분위기가 좋아 반주도 했다.

셋째 날, 이태원. 드디어 랜턴이 마련됐다! 사실은 벽에다 쏘는 조명인데, 손으로 들고 다녀서 랜턴이 되었다. '투표가 동네를 바꾼다', '사전투표 8~9일' 문구와 기표도장 마크를 영사할 수 있었다. 랜턴을 꼭 하자고 주장했던 유준호 씨가 특별히 뿌듯해했다. 이 날은 웃음이 많은 류벼리 씨가 합류했고, 최창락 씨가 사진을 찍었다. 금중혁 씨를 비롯해 모든 팀원이 신이 나서 돌아다녔다. 선거 캠프의 막내 정영훈 씨는 너무 열정적으로 사전투표를 독려해 다리에 쥐가 났다. 이 날은 반주가 길어졌다.

다음 날은 대학로였는데. 이 날은 힘이 빠지는 날이었다. 본부에서 언론보도에 나가야 한다고 규모를 크게 가져가라는 지시가 있어 30명에 가까운 사람들이 함께 해주었는데, 한 줄도 기사화되지 않았다. 그래서 이 날은 짜장면만 먹고 헤어졌다. 그래도 든든한 사람들과 함께해서 위안이 되는 날이었다. 조직 정수빈 씨, 강정욱 씨 외 여러 명과 홍보의 신은재 씨, 성평등인권위 김혜원 씨, 더불어민주당 대학생위원회에서 힘을 보탰다.

다섯째 날은 안국동 본부에 가까운 삼청동에서 캠페인 독려활동에 나섰다. 삼청동을 돌다가, 경복궁에 갔다 익선동으로 향했다. 익선동의 밤은 처음이었는데, 너무나 낭만적이었다. 투표기호 선글라스를 쓰고 부러운 눈빛으로 카페 안을 바라보는데, 몇몇 사람들이 소스라치게 놀라워했던 날이다.

드디어 캠페인 마지막 날! 많은 부서에서 합류해주었다. 캠프에서 출발해 종각에서 청계천을 지나 광화문까지 걸었다. 날이 더워 보통 하루에 네다섯 번 하는 마네킹 퍼포먼스는 대폭 줄이고, 행진하는 것으로 대체했다. 끝이라는 사실에 모두들 신이 나 있었다. 가회동 주민센터에서 사전투표를 하고 셀카를 찍었는데, 피곤해서인지 얼굴이 다들 엉망이었다.

고정은 씨는 사전 투표 독려 거리 캠페인을 마치고 한 가지 의문이 남는다고 했다.

"부끄러움은 왜 청년만의 몫이어야 하나요? 40대도, 50대도 LED 머리띠 쓰고, 낚시대 들고 거리에 나설 수 있습니다. 다음 선거 때는 진짜 '세대균형적'인 거리 캠페인이 되길 바랍니다."

원팀 챌린지

신태섭 편
사전투표캠페인 온라인TF팀

신태섭 씨는 2016년 10월 중순, 오랜 타지 생활을 마치고 한국에 왔다. 정치에 관심이 많은 사람이 아니었다. 하지만 당시 미디어는 박근혜 탄핵으로 도배되어 있었고, 성난 민심이 모여 촛불혁명으로 진행되는 모습을 보았다. 충분한 동기와 효율적인 의견 표현 방식만 있으면 정치적·사회적 이슈에 대한 사람들의 의견을 모을 수 있다는 생각이 들었다.

데이터 애널리스트 경험을 바탕으로 사회적 이슈에 대한 사람들의 의견을 모으기 시작했고, 지역 매거진 형태의 마을 기업을 운영하게 되었다. 사업을 진행하며 다양한 사람을 만났고, 그중 지방선거 때에 송기호 변호사의 보궐선거를 돕게 되었다. 그리고 패배했다. 그렇게 첫 선거 경험이 끝나나 싶었지만, 의외의 장소에서 인연이 닿아 87위원회의 부본부장 이대호 씨를 만나게 되었고 박원순 캠프에 합류하게 됐다. 비슷한 또래의 청년들이 모여 청년 문제에 대해 기획하고 고민하는 주도성에 큰 매력을 느꼈다.

그는 세대공감본부의 87위원회 소속이다. 87위원으로서 '대학생 언론인과의 만남'과 '시민프로듀서'의 기획에 참여했다. 캠프의 특성상 다른 본부와 협업해 여러 가지의 공동 사업을 진행할 일이 많았는데, 그 중 사전투표 TF에 참여하게 되었다.

87위원회는 사전투표 독려 캠페인에 많은 부분 기여했다. 이번 사전투표율은 2030이 무려 40%를 차지했다. 87팀은 온오프라인 사전투표 캠페인을 통해 박원순 시장의 당선에 기여했을 것이라고 믿는다.

온라인 사전투표 캠페인의 핵심은 '원팀_챌린지'였다. 원팀 챌린지는 동영상 릴레이로 박원순 시장 후보가 다른 후보들을 지명하면 그 후보들이 영상으로 사전투표를 독려하고 또 다른 후보들을 지명하는 방식이다. 25명의 구청장 후보를 목표로 했으나 16명만이 참여해 아쉬움이 남는다고 했다. 그는 사전투표 독려와 더불어 '우리는 원팀이다'라는 메시지를 통해 경선에서 상처받은 당원들을 위로하는 캠페인을 만들기도 했다.

87팀은 온라인 사전투표캠페인뿐만 아니라 거리 독려 캠페인에도 참여했다. 독려 캠페인 다섯째 날 익선동에서 한 여성을 만났다. 사전투표 독려 캠페인을 하느냐는 질문에 자신감에 찬 어조로 "네, 내일부터 9일까지 대한민국 어디서나 신분증만 가지고 가시면 사전투표 하실 수 있습니다."라고 말했단다. 알고 봤더니 선관위 직원이었다. 선관위 직원은 웃으면서 사진을 찍어갔다. 과연 그 사진이 어떻게 쓰였을지 궁금하다고 했다. 번데기 앞에서 주름 좀 잡아본 일화였다.

서울을 살아가는 목소리를 담아내다

김민수 편
세대공감본부 서울라이트

서울라이트는 현장의 살아 있는 목소리를 듣는 '현장 의견청취' 그룹이다. 청년활동가들이 주축이 되어 서울을 살아가는 시민들의 정책적 의견을 직접 듣고 캠프에 공약 과제로 연결하는 활동을 했다.

이들은 5월 1일부터 6월 9일까지 40일 동안 11명의 팀원들과 22개의 현장을 누볐다. 5년차 신혼부부, 청년사업가, 청년인디밴드, 취업상경 여성, 청년간호사 등 밑바닥 민심을 경청하고 이를 책자로 제작했다.

'서울라이트' 책자를 만드는 동안 가장 힘들었던 것은 인터뷰 대상을 섭외하는 일이었다. 직전에 인터뷰가 취소되기 일쑤였다. 그러나 서울의 빛을 만든다는 자부심으로 40일 동안 쉬지 않고 달릴 수 있었다.

낮에는 캠프자봉 밤에는 회사근무

최재혁 편
세대공감본부 시민채널 청년위원회

최재혁 씨는 더불어민주당 당원으로서 중구 성동을 당원 행사에 참여했다가 박원순 후보를 만났다. 대선 당시 문재인 후보 캠프에서 자원봉사를 함께 했던 시민채널, '수니선봉대' 멤버들이 이번 6.13 지방선거에 박원순 캠프에서 자원봉사를 해 볼 생각이 있느냐고 해서 동참을 결심했다. 대선 때 문재인 후보를 함께 지지했던 또 다른 지인들에게 박원순 후보의 좋은 점과 정책 등을 알리는 일을 했다. 시민채널에서 주관하는 강연회 행사에 보조역할을 했고, 선거 기간에는 유세 현장을 다니며 응원도 했다.

최재혁 씨는 진솔하고 진실한 태도로 사람들을 대하는 박시장이 좋았다. 그는 평소 너무 착하고 순진해서 나쁜 사람들에게 이용당하니 조심하라는 말도 자주 듣는 터였다. 그런데 박원순 후보는 착하고 똑똑한데 강단도 있기 때문에 이명박·박근혜 정부 동안 핍박 속에서도 서울 시민의 더 나은 삶을 위해 노력했다고 생각한다. 그에게 박원순 시장은 광

화문 촛불집회의 숨은 공로자요, 사회적 약자들도 더불어 잘살게 하는 정책을 펼치는 시장이다.

다양한 나이대의 사람들과 어울려 서울역에서 사전투표 독려운동을 했다. 전국투표율이 20%를 넘겨 무척 기뻤다고 했다. 낮에는 캠프에서 자봉을 하고, 밤에는 야간근무를 했기 때문에 나중에는 피곤이 누적되었다. "올인하지 못 하는 것이 아쉬웠지만, 나의 상황에 맞게 하면 된다고 스스로 위로했으나, 저는 이렇게 끝나서 아쉽습니다. 시간을 돌릴 수 있다면 야간근무를 하지 않고 캠프 활동에만 전념할 수 있는 환경을 만들고 싶습니다. 제가 할 줄 아는 게 별로 없어서 팀에도 캠프에도 별 도움이 못 되어서 죄송합니다. 더 잘 할 수 있었는데 아쉬움이 큽니다." 라며 지나치게 겸손해서 글쓴이를 부끄럽게 만들기도 했다.

청년회계사에서 청년으로

이호재 편
세대공감본부 운영실

이호재 씨는 4월 중순 청년공인회계사회 회장에게서 박원순 캠프에 참여해 볼 생각이 없느냐는 권유를 받았다. 그가 평소 정치에 관심이 많았던 걸 알고 있는 회장의 배려였다. 그렇게 청년공인회계사회의 추천으로 캠프와의 인연은 시작되었다. 하지만 청년본부(세대공감본부)에 올 줄은 몰랐다.

아이 둘의 아빠가 청년본부로

이호재 씨는 아이 둘을 키우는 아빠라서 청년문제보다 육아문제가 더 시급했던 것이다. 하루하루 먹고사는 일이 걱정인지라, 온 힘을 쏟는 다른 팀원에 비해 열심히 하지 못할 것이 뻔하니 민폐 인원일지도 모르지만, 지금 아니면 앞으로는 청년들과 함께 청년문제를 다룰 수 없을 것 같았다. 다시 20대로 돌아가는 것도 좋은 경험일 것 같아 청년본부로 합류했다.

그는 운영실에서 김영경 운영실장과 같이 캠프 운영을 보조하는 역할을 맡았다. 캠프에 상주하지는 못해서 온라인으로 소통하고, 늦게까지 더불어 참여하지 못하니 아쉬운 점이 한두 가지가 아니었지만, 처가

살이를 하는 탓에 캠프에 이름을 올린 것만으로도 집에 계신 분께 감사하다고 익살을 부린다.

세대공감본부는 모든 구성원들이 정말 열심히 했다. 박원순 후보가 청년문제에 관심을 갖도록 설득하기 위한 무궁무진한 아이디어를 짜냈다. 청년 표의 중요성이 높아지면 후보 일정도 많이 달라질 텐데 하는 아쉬움도 있지만 투표독려 캠페인이나 온라인으로 후보의 친근한 이미지를 만드는 데는 큰 성과가 있었다고 이호재 씨는 자평했다. 개인적으로는 대학교 동아리 후배들(얼굴도 모르는 현 재학생 후배들)에게 오랜만에 연락해서 지지선언을 부탁한 것이 미안하고 고맙다고 덧붙였다.

힘없는 서민들을 위한 시장, 서민들의 애환을 이해하는 소탈한 박원순 후보를 처음 본 것은 3월 시민채널(후에 시민참여본부가 되었다)과 함께한 북악산 동반산행이었다. 그때 박원순 시장은 등산 가방에서 직접 간식을 꺼내는 모습이 여느 사람과 다르지 않았다. 마치 삼촌 같은 편안한 느낌을 받았다. 의전담당이 잠시 자리를 비웠을 때 옆에 있었는데, 간식을 나눠주시는 모습에 꾸밈이 없음을 느꼈다. '시장님은 정말로 소탈하시구나…….'

이호재 씨는 그 전까지는 옆집 아저씨 같은 시장이 시청에 있었다는 것을 깨닫지 못했다. 왜냐하면 직접 본 적이 없으니깐!

기성세대와 청년세대가 공감하고자 하는 의미를 담아 '세대공감'이라는 본부 이름이 정해졌는데, 사실 본부 내에서도 20대 초반과 40대 중반까지 같이 있으니 스무 살 넘게 차이가 난다.

회의실에서 얘기 도중 누가 삐삐 얘기를 꺼냈다. 물론 호재씨에게 말한 것은 아니었지만 삐삐 얘기는 마치 소머즈가 된 것처럼 잘 들렸다.

"옛날엔 삐삐란 것이 있었대…" 하면서 삐삐를 마치 골동품처럼 얘기하는 것에 놀랐다고 한다. 사실 호재씨도 삐삐가 유행했던 시기를 잘 알지 못하지만 삐삐와 얽힌 추억이 있다고 한다. 그가 고등학교 때인 90년대 중반, 소위 잘나가는 친구들은 삐삐를 갖고 있었고 갖고 있다는 자랑으로 주머니에 삐삐줄을 내놓고 다녔었다.

네 살배기 딸 현서를 안고 박원순 후보와 함께 엄지척! 본부에서 기획한 <투나잇 궁나잇> 광화문 앞에서

그 시절, 호재씨도 삐삐를 갖고 싶었다. 하지만 잘 나가지(?) 못해 사지는 못했었는데 어느 날 삐삐줄만 주은 적이 있었다. 여고축제가 한창이던 그 즈음 삐삐 없는 삐삐줄을 주머니 밖으로 내놓고 친구랑 같이 한 여고의 축제에 갔던 기억이 있다. 그 시절에는 삐삐줄만 보고도 여고생들이 "오~ 삐삐 차고 다니네~~" 하면서 부러워하던 시절이었으니…….

세상이 점점 빠르게 변하고 있다. 앞으로도 더 많이 변할 것이 분명하다. 호재씨는 그럴수록 각각 다른 세대를 서로 이해하는 마음가짐이 중요할 것이라고 생각한다. 다른 경험을 나눈 다른 세대들이 공감할 수 그런 세상이 되면 좋겠다.

세대공감본부에는 인재가 참 많다. 10년 후 20년 후, 장차 우리를 즐

겁게 해 줄 정치인을 미리 알게 되어 좋다는 호재씨. 그런데, 많이 참여하지 못해 미안하고 집에는 소홀해서 미안하고……. 모두에게 미안하다고 말하는 그가 더욱 믿음직스러워 보인다.

수평적인 구조와 자유로운 분위기에 매료

조원영 편
세대공감본부 더불어민주당 서울시당 대학생위원회

박원순 캠프에는 20대 초반의 대학생으로 구성된 무명 외에도 대학생을 주축으로 한 또 다른 위원회가 있었다. 바로 더불어민주당 서울시당 대학생위원회다.

조원영 씨는 2016년 가을부터 더불어민주당 서울시당 대학생위원장으로서 활동했다. 박원순 후보의 팬은 아니지만 민주당의 공천을 받은 서울시장 후보의 당선에 보탬이 되고자 본부에 합류하게 되었다.

60명의 인원으로 구성된 더불어민주당 서울시당 대학위·청년위 동행선언을 통해 왜 2030 청년세대가 박원순 후보를 지지해야 하는가에 대해 알리고자 했다. 원영씨는 이번 6.13 지방선거에서 현장유세팀, SNS컨텐츠팀, 2030 정책협약식팀을 구성하여 박시장을 비롯한 민주당 출마자들의 선거운동을 지원하고 정책과 공약을 홍보하는 역할을 담당했다.

'궁나잇 데이트'가 기억에 남아

강남역, 동대문, 영등포, 홍대입구 등에서 펼쳐진 박원순 후보의 집중유세와 대학로에서의 사전투표 독려운동에 적극적으로 참여하여 유

권자들의 마음을 얻기 위해 노력했다. 총 네 차례에 걸쳐 박원순 후보와 서울시의 청년 정책(올빼미버스/문화정책/주거정책/청년수당)을 주제로 카드뉴스를 자체 제작하여 페이스북을 통해 홍보하기도 했다. '세대공감 농사짓기 행사', '궁나잇 행사'와 '야구장 투어' 등 박원순 후보와 청년세대의 소통을 테마로 한 선거캠페인에 직접 참여하는 동시에 일반 참여자들을 섭외하는 일을 맡았다.

그는 특히 6월 2일 대학생들과의 '궁나잇 데이트'가 기억에 남는다고 한다. 팀원 중 한 명과 박원순 시장이 서로를 업어주는 퍼포먼스를 벌였는데, 당시 허리가 좋지 않은 박 시장에게 혹여나 무리가 가지는 않을까 모두가 우려했다. 그러나 박 시장이 젊은 청년을 '번쩍' 들어 올리는 것을 보고는 '철인'이라 불리는 박 시장의 체력에 감탄했다. 동시에 청년들과 격의 없이 소통하고자 하는 그의 진심이 느껴졌다고 한다.

40일 남짓한 시간이었지만, 이번 캠프 합류를 통해 서울시와 박원순 지지자들의 저력을 느낄 수 있었던 시간이었다고 조원영 씨는 회상했다. 특히 박원순 캠프의 원동력으로 청년들이 아이디어를 창출해 낼 수 있는 수평적인 구조와 자유로운 분위기를 꼽았다. 마지막으로 그는 박 시장의 3선을 위해 달려온 모든 노력들을 바탕으로 10년 혁명이 알찬 성과를 맺기를 기원했다.

'그대들은 어떤 기분이신가요?'

이대호 편
세대공감본부 경청유세팀

새로운 약속이 필요하다고 생각했다. 어렸을 때 믿어 의심치 않았던 '약속'이 있었다. 열심히만 살면 누릴 수 있을 거라고 믿었던 삶이 있었다. 열심히 공부해서 대학 가고, 졸업하면 취업하고, 마음 맞는 사람을 만나 결혼하면 수도권에 전셋집 한 칸 구해서 아이 둘 낳고 사는 삶은 분명 평범했다. 그러나 이제 그 삶을 평범하다고 말하기는 쉽지 않다. 그렇게 사는 사람들이 특별한 것은 아니지만 운이 좋거나 아주 탁월하지 않는 한 주어지지 않는다. 열거한 조건들 중에 하나, 두 개, 세 개쯤 덜어낸 삶이 외려 평범하다.

'타운홀미팅'에서 '경청유세'로

경청유세팀의 이대호 씨. 과거의 약속이 유효하지 않은 시대, 새로운 약속을 만들어야 한다고 생각한 그는 '타운홀미팅-서울의 약속'을 기획했다. 새로운 약속이 필요하다는 사실을 공론화하고, 그 약속의 내용을 무엇으로 채워야 할지 토론하는 자리를 만들기로 했다. 각자의 삶을 이야기하고, 서울이 어떤 지향을 가져야 하는지 논의하는 자리를 만들고자 했다. 격차를 줄여나가고 다양성이 존중되는 사회를 우리 세대가 요구하고 있다는 사실을 명시하고 그것을 박원순 시장과 함께 만들고 싶었다.

프로그램 구성에 있어 가장 큰 고민은 법률상의 문제였다. 공직선거법에서는 집회를 엄격하게 금지하고 있다. 다만 몇 가지 예외적인 경우를 허용하고 있다. 그 예외적인 조항을 적극 활용해서 타운홀미팅을 기획하려고 했다. 500명 규모로 참여자를 모으고 참여자들간의 활발한 토론이 이루어질 수 있는 프로그램을 기획했다. 문제는 프로그램은 물론 기획 자체가 선거법에 위반될 여지가 많았다. 후보자 일정을 잡는 것도 어려웠다. 예상치 못했던 여러 상황이 생기면서 두 번이나 변경됐다.

까다로운 조건에 맞추어 기획을 수정하다 보니 본연의 기획을 축소할 수밖에 없었다. 사람을 많이 모으기가 어려워졌고, 세부적인 프로그램을 만들기가 어려워졌다. 결국 '타운홀미팅'이 아니라 길거리 버스킹 형식의 '경청유세'로 변경되었다. 타운홀미팅에서 가져가고 싶었던 핵심적인 콘텐츠인 '참가자간 토론'이 빠질 수밖에 없었다. 그런 구체적인 프로그램이 들어가면 집회의 성격을 가지게 되기 때문이었다.

실무 준비 시간은 빠듯했다. 일정 수립, 법률 검토, 프로그램이 완료된 시점은 행사 사흘 전이었다. 그럼에도 이 행사에 애정이 많았던 세대공감본부는 가용한 인적, 물적 자원을 총동원해 행사를 준비했다. 청년들의 마음에 가닿을 제목을 정하고, 장소를 섭외하고, 현장을 꾸밀 소품들을 찾았다. 다양한 논의 끝에 행사의 제목은 래퍼 이병재의 노래 제목인 〈그대들은 어떤 기분이신가요?〉로 정해졌다.

기대 이상으로 많은 청년이 행사장인 마로니에 공원을 찾았다. 각자의 기분을 이야기하고 자신의 삶의 고민을 이야기했다. 결혼을 해보니 빚

이 너무 많아 싸울 일이 많다는 신혼 부부, 경기도에서 매일 왕복 3시간씩 통학하는 것이 너무도 아깝다는 대학생, 집에 가는 길이 불안하지 않도록 사회를 좀 더 나은 곳으로 만들어줬으면 좋겠다는 여성 직장인 등이 자신의 이야기를 했다. 후보가 듣고 '약속'을 했다. 다양한 시각에 동의하며 여러분이 제안하는 미래를 함께 만들어가겠다는 약속을 했다.

하지만 그는 아쉬움이 남는다고 했다. 그림은 좋았지만, 최초에 기획했던 프로그램을 다 하지 못했기 때문에 웅장한 약속을 만들어내긴 어려웠다. 그러나 빛바랜 '약속'을 대신할 새로운 '약속'이 필요하다는 공감대는 넓고 깊어졌다. 그는 이 고민을 언젠가 더 크고 생생하게 드러낼 수 있으리라 믿고 있다. 그리고 필요한 역할을 할 수 있으리라 생각한다. 세대공감본부가 만들어드렸으나 낭독하지 못했던 박원순의 '그날의 연설'처럼.

"앞으로도 열심히 나무를 키우자. 가끔은 태풍이 나무를 흔들 때도 있겠지만, 지금까지 해왔던 것처럼 함께 나무를 기르자. 그러다 보면 어느새 울창한 숲이 될 것이다. 서울에 사는 청년들이 다 들어올 수 있는 그늘을 가진 거대한 숲으로 자랄 것이다. 청년들의 삶에 실질적인 변화가 생겨날 것이다. 그렇게 서울을 푸르게 뒤덮자. 여러분 덕분에 여기까지 왔고 앞으로도 함께 가지 않으면 갈 수 없는 길이다. 앞으로도 잘 부탁드린다."

자카르타에서 날아온 친구

박준영 편
세대공감본부

선거가 시작되자마자 안국빌딩 1층에는 방문객과 자원봉사자들이 넘쳐났다. 백서팀이 여기저기 현장스케치를 다니다가 누군가로부터 이번 선거를 돕기 위해 자카르타에서 날아온 친구가 있다는 얘기를 들을 수 있었다. 그 이야기를 듣는 순간 곧바로 만나고 싶다는 생각에 그를 찾아 수소문했다.

우리가 만난 사람은 뜻밖에도 갸름하고 준수한 젊은 청년이었다. 자카르타 UPH대학 경영학과에 재학 중인 박준영 씨였다. 그는 4·16 자카르타 촛불행동 대표이자 세계 40여 개국 촛불행동을 조직화한 장본인이다.

세월호 사건으로 온 국민이 슬픔과 분노에 잠겨 있었을 때는 도저히 잠을 이룰 수 없었다고 했다. 멀리 타국에서 고국의 상황을 그냥 지켜볼 수만은 없었다. 먼저 그가 머물던 인도네시아 자카르타에서부터 뜻 있는 사람들끼리 모임을 만들기 시작했고, 점차 전 세계의 교민들과 연락을 취했다. 나중에는 40개국이 넘는 세계 각국 도시들을 연결할 수 있었다. 탄핵촛불까지 이어졌다. 그 일을 하다보니 어쩌면 운명처럼 박원순을 만나게 된다.

그가 박원순 시장을 만난 것은 우리가 그를 만난 것처럼 행운이었다. 그는 개인적으로 세 번의 만남에서 정치인 박원순에게 완전 빠져 들었다.

첫 번째는 2014년 동남아 관광 활성화 목적으로 박원순 시장이 자카르타를 방문할 때였다. 당시 자카르타 촛불행동이 교민들과 함께 간담회를 요청하면서 만남이 이뤄졌다.

두 번째는 대선 직후 문재인 대통령이 박원순 시장을 아세안특사로 임명했을 때였다. 박시장 일행의 일정이 변경되어 간담회가 무산되었으나 공식일정 이후 박원순 시장이 머물던 숙소 호텔 라운지에서 밤 9시에 촛불행동 운영진 7명과 2시간 정도 비공개 간담회를 진행한 일이 있었다.

박시장이 많은 사람을 만나고 바쁜 일정을 소화하느라 매우 지쳐 있었을 텐데도 불구하고 세심하게 배려해주고 신경을 써준다는 느낌을 받았다. 밤11시경 라운지 클로징 타임이 되어 박시장 비서진에서 일정 문제로 간담회를 마치자고 했다. 해외에서 자주 뵐 수 있는 분이 아니기에 짧은 만남이 너무 아쉬웠다. 일행 중에서 누군가 박 시장에게 박준영 씨 방으로 가서 간담회를 계속 진행하자고 무리한 부탁을 했다. 다음 일정 관계로 비서진이 난색을 표명했지만 박시장이 흔쾌히 그러자고 했다.

이런저런 이야기들이 밤늦게까지 계속되었다. 당시는 대선 직후였다. 박준영 씨는 개인적으로 궁금한 사항을 질문했다. 대선 경선과정에서 문재인 후보에 대해 심한 공격을 한 이유를 물었다. 따지려고 물어본 것이 아니라 개인적으로 문재인 역시 적폐라는 식의 공격은 박원순답지 않다는 생각에서 질문한 것이다. 정치인들의 뻔한 회피성 답변을 예상했으나 박원순 시장의 답변은 의외였다. 지지율이 오르지 않아서 다급한 마음에 그런 공격을 했고, 그것은 패착이었다고 했다. 계속된 패착을 사죄하는 마음으로 경선후보를 사퇴했다고 했다.

'자신의 잘못을 인정하고 어떤 방식으로든 책임지는 모습을 보이는구나' 하고 깊은 인상을 받았다. 일반적으로 시민들이 정치인들에게 싫증내는 이유와 다르다는 생각이 들어서 박원순 시장이 더 좋아졌다.

세 번째는 2017년 10월 말, 서울에서 진행된 전세계활동가대회였다. 박원순 시장이 폐회식에 축사를 하기 위해 참석했다. 주최 측이 대회 일정을 급하게 잡느라 대회장소(시청 주변)가 수차례 바뀌기도 해서 박 시장의 참석이 불가능할지도 모른다고 예상했는데 참석이 이뤄졌다. 세계 각국에서 참여한 활동가가 매우 많아서 인사도 나누지 못하고 구석에 조용히 앉아 있었다. 그런데 박시장이 일정을 마치고 나가는 도중에 자카르타에서 만났던 박준영 씨라고 그를 불렀다. 이름을 정확하게 기억하고 있었고, 활동가대회 준비 과정에서 고생이 많았다고 격려해줬다.

그는 혹시 자기 얼굴을 기억하지 않을까라는 생각을 하고 있었지만, 그래도 기대하지 않았던 터라 몹시 당황했다. 어디서 봤더라는 식의 인사가 아니었다. "개인적으로는 박원순 시장과 제가 특별한 인연이 있다고 생각하지만, 박원순 시장에게 저 같은 사람은 수백 명, 수천 명 중의 한 명일 텐데 기억해준다는 것, 한 사람 한 사람을 기억하는 것이 시민들로부터 칭찬받는 서울시정의 기반이라는 생각을 하게 됐습니다." 라고 회고했다.

박준영 씨는 이번 선거에서 서울시장 후보 중에 눈에 띄는 후보, 개

인적으로 지지하고 싶은 사람이 따로 있긴 하지만, 개인적 경험을 바탕으로 박원순이라는 사람을 위해 열심히 봉사하자는 결론을 내렸다. 그리고 자카르타에서 서울로 박원순 후보의 당선을 위해 날아왔다. 서울 시민들에게 지지해달라고 이야기하고 싶고, 작은 도움이라도 될까 싶어 자원봉사 캠프에 합류했다.

그에게 비친 박원순이란 사람은 어떤 사람일까? 그는 박원순 시장의 담백함에 호감을 느꼈다. 보통 정치인들은 자극적인 것, 여러 사람의 눈에 띄기를 좋아하는 경우가 많지만, 빈수레가 요란하다고 생각한다. 그러나 박시장은 그런 담백함 때문에 사람을 얻고 있다.

당선 이후 서울시정을 지난 6년처럼 잘 이어가는 것이 중요하다. 다른 일을 하게 될 수도 있겠지만 박시장이 무슨 일을 하더라도 우리 사회에는 박원순과 같은 사람이 반드시 필요하다고 생각한다.

슬기로운 '리얼' 캠프 생활

서호성 체험수기
홍보SNS본부 총무팀

박원순 선거캠프 게시판 곳곳에는 '슬기로운 캠프생활'을 위한 공지사항이 붙어 있다. 처음 온 자원봉자사자들은 필독하고 숙지해야 한다. 하지만 머지않아 알게 된다. '슬기로운 캠프생활'을 위해서 알아야 할 게 이것뿐만이 아니라는 것을. 그래서 공개한다. 진정 '슬기로운 캠프생활'을 위한 나름 '리얼' 꿀팁들!

보안출입문 통과하기

박원순 캠프 자원봉사라고 아무나 해도 되는 줄 알아? 경쟁률 짱 치열해. 게다가 이력서 내고 기다려야지, 성평등 교육 받아야지, 절차가 여간 까다롭지 않다구. 이런 절차 모두 밟은 후에야 각 층 보안출입문을 열 수 있는 '지문 등록'을 할 수 있어.

하지만 아이러니컬한 건, 지문 등록하기도 전에 업무가 먼저 떨어진다는 거. 일단 내부적으로 부서가 배치되면, 업무가 시작되지. 맘 먹고 자원봉사 하러 왔으니, 의욕은 또 얼마나 넘치겠어. 하고 싶은 일도 많고.

그런데 지문 등록이 안 돼 사무실 출입을 제대로 할 수 없으니 답답할 노릇. 새로 온 신참 티를 내기도 쑥스럽고. "저 아직 지문 등록을 못해서 그러는데요, 화장실 좀 같이 가주실래요?" 뭐 이럴 수도 없지 않은가?

그러니 성평등 교육 받을 때까지 하루 이틀 동안은 다른 '고참'들이 들어갈 때까지 문 앞에서 잠시 대기해야 해. 그냥 기다리면 지문 인증 못 받은 신참 티 나니까, 창 밖을 바라보며 뭔가 업무가 안 풀리는 듯한 표정을 짓거나, 연기에 자신 있다면 통화하는 척하면서 기다리다가 문이 열리면 쓱 들어가면 돼.

캠프에 자원봉사자가 워낙 많고 바쁘게 돌아가서 금방 금방 문이 열리니까 굴욕의 시간은 몇 분 걸리지 않아. 그렇게 하루 이틀 보내고 지문 등록 하게 되면 잠시 세상을 다 가진 것 같지. 물론 곧 업무에 빠져서 허우적대는 자신을 발견할 테지만.

출입문 지문 얘기가 나왔으니 한 마디 더 하면, 지문인식 이거 물 묻으면 잘 안 돼. 화장실 갔다가 손이라도 씻으면 지문등록 한 사람이라도 손가락이 마를 때까지 기다려야 하지. 이 시간이 은근 길게 느껴지는데, 그래서인가? 화장실에서 나오면서도 손을 안 씻는 사람들이 많이 눈에 띄더라는……. 기분 탓인가?

밥 얻어먹기

사람에게 가장 중요한 건 뭐다? 먹고 사는 거. 당연히 우리가 박원순 캠프에서 자원봉사 하는 것도 이 얘기, 저 얘기 빼면 나 자신과 가족, 이웃들하고 잘 먹고 잘 살자고 하는 일이잖아. 지금부터는 제때 밥 얻어먹기 신공에 대해 말해줄게.

일단, 이걸 알아야 해. 캠프에서 자원봉사자에게 밥 준다, 안 준다?

답은 안 준다. 설마 밥은 주겠지? 아냐. 정말 안 줘. 그럼 어떻게 일을 하냐고? 그러니까 자원봉사지. 자원봉사는 자기 차비 내고 사무실 와서, 자기 돈 내고 밥 먹고, 자기 일당 포기하고 열심히 일하고, 그러다가 업무 잘못되면 엄청 욕먹는 게 자원봉사야. 그래도 자신이 좋아하는 박원순 후보를 위해 일하면 보람 있잖아? 뭔가 뿌듯하잖아? 이런 걸 바로 '자원봉사 = 열정페이'라고 하지.

캠프의 점심, 12시쯤 풍경을 말해줄게. 점심 때가 가까워오면 한두 명 씩, 두세 명씩 슬슬 조용히 없어져. 각자 혹은 끼리끼리 밥 먹으러 가는 거지. 일에 몰두하다 정신 차려보면 혼자 썰렁하게 남아 있는 자신을 발견할 때가 있어.

이렇게 혼자 남겨지는 날이 많은 사람은 뭔가 캠프생활 잘 하고 있는지, 사회생활에 문제없는지 돌아봐야 해. 암튼 아직 친하지 않은 사람들과 칼 같이 더치페이하기도 좀 그렇고, 그렇다고 같은 자원봉사 주제에 대신 밥 값 내주기도 그렇고 해서, 캠프의 점심시간은 거의 항상 묘한 긴장감이 흐르곤 해. 이건 뭐 인간성하고도 상관없고 캠프 동지애하고도 상관없는 '현실'이라고 인정해야 해.

그런데 간혹 마음 약한 윗분이, 혹은 선배가 좀 멋쩍은 목소리로 "식사 안 해요?" 할 때가 있어. "식사하러 갑시다!"도 아니고 "식사 안해요…?" 하며 말끝을 보통 흐리지. 왜냐면 같은 자원봉사자 처지니까.

이 타이밍을 놓치지 않는 게 중요해. 모든 업무 즉시 중단! "예! 해야죠!" 하고 일어서야 해. 그러면 그 선배 혹은 윗분이 잠시 약간 당혹한 표정을 짓는 듯하다가도 이내 표정이 밝아져. 그분도 순간 포기하는 거야. '아, 오늘은 내가 내야겠구나!' 사람은 포기하는 순간 평화를 되찾지.

그 윗분 혹은 선배에게 평화를 준다는 사명감으로 누가 밥 얘기 꺼내면 즉시 일어서서 호응을 해줘야 해. 다시 한 번 말하지만 세상에 먹고 사는 일보다 중요한 게 뭐 얼마나 많겠어.

그런데 혹시 본인이 그래도 세상 좀 살았다 싶거나 어찌어찌 직책이 좀 있다 싶은 사람은 이러면 안 돼. 이건 사회성의 문제가 아니라 인간성의 문제가 된다구. 그렇다고 너무 자주 앞장서도 바보 소리 듣는 거 말 안 해도 알지?

안국역 근처 가성비 갑 맛집

재동순두부 안국역 2번 출구에서 가깝다. 초당순두부(8천 원)도 먹을 만하지만 개인적으로는 해물순두부(8천 원)가 제일 맛있었다. 우리가 아는 고유한 순두부찌개 바로 그 맛. 가격도 8천 원이면 이 근처에서는 싼 편. 반찬도 처음엔 차려주지만 부족하면 눈치 안 보고 더 갖다 먹어도 된다.(셀프)

두 대문집 안국역 6번 출구 인사동길 안으로 3번째 골목에 있다. (2번째 골목에는 후문. 문이 2개라 두 대문집인 듯.) 7천 원짜리 된장찌개와 순두부찌개가 먹을 만하다. 8천 원짜리 강된장 비빔밥은 정말 강추. 먹어보진 못했지만(후배들은 시켰음. ㅠㅠ) 맥적구이쌈밥 등 1만 3천~1만 5천 원짜리 음식들도 저렴하면서도 맛있었다고 한다.

깡통만두 안국역 2번 출구 헌법재판소 앞 골목 끝집이다. 여긴 만두를 좋아하는 내가 수요미식회에 소개된 곳이라 검색해서 찾아간 곳이다. 1988년부터 있던 전통 맛집. 김치가 무지 맛있었다. 대표 음식인 손만둣국이 9천 원인데, 왕만두가 6개 들었다. 배부르다. 공깃밥 절반 욕심냈다가 저녁 못 먹었을 정도로 푸짐하다. 만두전골과 비빔국수도 정말 맛있어 보였지만 만둣국 하나로도 합격. 점심시간에 좀 늦게 가면 대기표 받아 기다려야 한다. 감내할 수 있을 수준의 기다림이다.

북촌도담 안국역 2번 출구 나와 건너편 스타벅스 골목. 여긴 낮술 먹기 좋은 곳.(같았다. 먹었다는 게 아님) 심지어 밖에다 '북촌에서 막걸리가 술술 잘 넘어가는 집'이라고 현수막까지 걸어 놓았다. 7천 원짜리 들깨 시래기국이나 8천 원짜리 소고기뭇국을 먹으면 우와~! 건강하게 제대로 먹은 만족감을 느낄 수 있다. 2만5천 원짜리 클래식보쌈에 막걸리 한 항아리 먹었으면 더 좋았을 것이다.(먹었다가 아니다.) 메뉴판에 있었던 '항아리 밤막걸리' 먹고 싶다. '항아리 누룽지막걸리' 먹고 싶다. '덕산약주'도 먹고 싶다. 김치찜 안주나 녹두전 안주가 딱 맞을 것이다.

금주령에 대처하는 우리의 자세

박원순 캠프 자원봉사자들은 금주령 문자를 두세 번 받았다. '마지막까지 절실하게, 낮은 자세로 최선을 다합시다. 우리 모두 과도한 음주 등은 절대 하지 않도록 합시다. 서로가 존중하고 배려하는 아름다운 캠프문화를 위해.' 낮은 자세와 과도한 음주, 존중과 배려, 아름다운 캠프 문화……. 서로 연결이 되는 듯 안 되는 듯, 뭔가 정작 할 말을 안 하고 있는 듯한 이런 문자 말이다.

그래서 우린 나름 꽤 오랜 시간 같이 일하면서도 맘 편히 술 한잔 못했다. 서로 알아야 존중과 배려를 하지… 서로를 좀 알려면 서로 대화도 좀 많이 하고 그래야 하는데… 대화를 자연스럽게 하려면 술도 한 두 잔 해야 하는데… 그나마 초기엔 "반주 정도는 괜찮다"란 말이 있어서 '선수들'은 반주를 좀 길게 하는 편법을 쓰기도 했다. 저녁식사 시간이 생각보다 길다 싶으면 '합법적'으로 '반주'를 하고 오신 거다. 또 어떤 선수들은 낮술 작전을 쓰기도 했다. 특히 토요일, 일요일이나 공휴일에는 은근 낮술 분위기가 조성되기도 했다.

하지만… 뭐 굳이 '존중과 배려', '아름다운 캠프문화' 운운하지 않더라도 금주는 거의 자동적으로 실현됐다. 힘들어서. 술 마실 체력, 시간 있으면 잠을 더 자겠다. 그리고 주머니 사정. 어느 시인이 "날씨야, 아무리 추워봐라, 내가 옷 사입나. 술 사먹지"라고 했다지만, 우린 뭐 시인도 아니고 배고픈 자원봉사자일 뿐이다.

사실 박원순 캠프에 내려진 금주령을 자원봉사자들이 어느 정도 지켜준 것은 의무교육이던 '성평등 교육'의 효과 덕이라고 생각한다. 금주령 자체가 사고 방지의 근본 대책이냐, 아니냐에 대해서는 토론해볼 만하지만 지나친 음주문화는 확실히 사라져야 할 것이다. 특히 선거 같은 중요한 일을 치러야 하는 캠프에서는.

그밖의 '슬기로운' 팁들

'조물주 위 건물주' 열 받으면 나만 손해. 캠프가 있는 안국빌딩은 좀 특이하다. 물론 옛날 건물인데다 그래서인지 화장실도 좁고, 남자화장실은 대변기도 한 개뿐이라 아침에 경쟁이 치열하다. 하지만 특이하다는 것은 건물의 불편함을 두고 하는 말이 아니다.

안국빌딩은 음식 배달이 안 된다. '배달의 민족'이 알면 사장 이하 전

직원이 몰려와 데모할 일이다. 물론 한 달쯤 시간이 지나니 틈이 보이기도 했다. 경비아저씨들이 잠시 자리를 비우는 틈을 이용하거나 배달원들과 건물 밖에서 '접선'하여 음식을 들여오는 것이다.

그런데 이렇게까지 먹고 살아야 하나? 살짝 비애감이 느껴지기도 한다. 게다가 일하다가 12시에 건물 밖으로 나가지 않으면 다음날 4시30분까지 건물에 갇힌다. 잠들어 있는 서울 야경을 창문을 통해 바라보다 보면서 '나는 누구? 여긴 어디?' 사람을 위해 건물이 있는 건지, 건물을 위해 사람이 있는 건지, 살짝 상념에 젖기도 한다.

담배 피려면 목숨 걸라. 다행인지 불행인지 안국빌딩은 비상계단에서 담배를 피울 수 있다. 대신 목숨까진 아니어도 상당한 위험을 감수해야 한다.

비상문이 안에서 밖으로 미는 문인데, 건물 외벽에 회전 나사식으로 붙어 있는 철제 비상계단은 계단 참 공간이 매우 좁다. 다시 말해 비상문을 좀 세게 느닷없이 밀면 거기서 넋 놓고 담배피던 사람이 계단 밑으로 밀려 떨어질 수도 있다.

담배, 그 오묘한 맛에 스릴까지 더해져서인지, 캠프 자원봉사자들은 '요즘도 이렇게 흡연자가 많나?' 싶을 정도로 이 비상계단을 애용, 많이들 매달려(?) 있었다.(선거가 겨울이면 모두 얼어 죽었을 듯)

비상통로 낙상 조심. 오래 살겠다고, 아님 허벅지 근육량 늘려보겠다고 계단을 걸어 오르내리는 사람들이 꽤 있다. 하지만 안국빌딩에서 자원봉사하려면 비상통로로 다닐 생각은 아예 말자. 낙상하기 십상이다.

안국빌딩은 옛날 빌딩이라 엘리베이터가 작고 비상통로도 좁은 건 이해한다. 하지만 왜 계단을 없애고 경사로로 만들었는지 모르겠다. 차

라리 힘들더라도 계단이 낫지, 경사로 경사가 장난 아니게 급하다. 특히 슬리퍼 신고 다니다간 무릎 나가거나 넘어져 엉덩이뼈 금간다. 반드시 엘리베이터 타고 다녀라. 한두 층이라고, 엘리베이터 늦게 온다고 비상문을 여는 순간 공포가 엄습해 오리라.

캠프 성평등 교육을 마치고

"박원순 캠프에서 자원봉사 하려면 성평등 교육을 받아야 합니다."

엥? 이 말을 듣는 순간 좀 당황스러웠다. 나름 고급인력(?)이 자원봉사 해주겠다는데(^^), 게다가 1~2년 사이 여기저기서 몇 번은 족히 받은 성평등 교육을 여기서 또 받아야 하다니. 선거 캠프에서 별 걸 다…….

하지만 신선했다. '그래. 한시적이긴 하지만 다양한 분야, 다양한 연령대, 많은 사람들이 모인 곳이니 선거캠프야말로 성평등 교육이 필요하겠다.'

그래서 받은 성평등 교육. 정식 제목은 '성희롱·성폭력 예방교육'이었다. 강사는 장윤경 박원순 캠프 성평등 인권위원장. 최고였다. 지금까지 받은 교육 중에서. 20여 년의 상담 실무 경험이 녹아든 사례, 철학, 재미… 모두 별 다섯 개.

"요즘 젊은이들은 DNA(체질적)적으로 성평등이 몸에 뱄지만, 우리 세대(강사 포함 나 같은 수강생)는 훈련에 의해 성평등 흉내만 낼 뿐이다."

맞다. 교육받을 때 잠시 뿐이다. 동네에서 형들과 술 한잔 하다보면 금방 그 자리 대화가 너무 편하다. "성평등은 인간 평등, 존중, 인권문제다."

맞다. 남녀문제만이 아니다.

"관리자의 역할이 중요하다. 상황이 벌어졌을 때 피해자의 관점으로 보는 게 중요하다."

맞다. 가해자의 변명을 비판적으로 들을 줄 알아야지.

성평등 교육을 받고서야 난 비로소 박원순 캠프의 정식(심적으로도!) 일원이 됐다. 앞으로 박원순 후보 당선을 위해 짧지만 나름 보람 있고 의미 있는 일을 하게 될 것이다. 하지만 오늘 이 성평등 교육을 받고 각오를 새롭게 다진 것만으로도 박원순 캠프에 온 보람을 느낀다.

선거캠프 최초로 성평등 교육을 해야겠다는 생각을 한 캠프. 또 교육 내내 강사 말에 집중하며, 때로 숨죽이고, 때로 박장대소하며 성평등한 세상 만들기를 다짐하는 캠프 자원봉사자들. 이 안에서 뿌듯했다. 나는 박원순 캠프 자원봉사자다. 피해자가 인식하지 못하는 억울함도 발견해내야 한다.

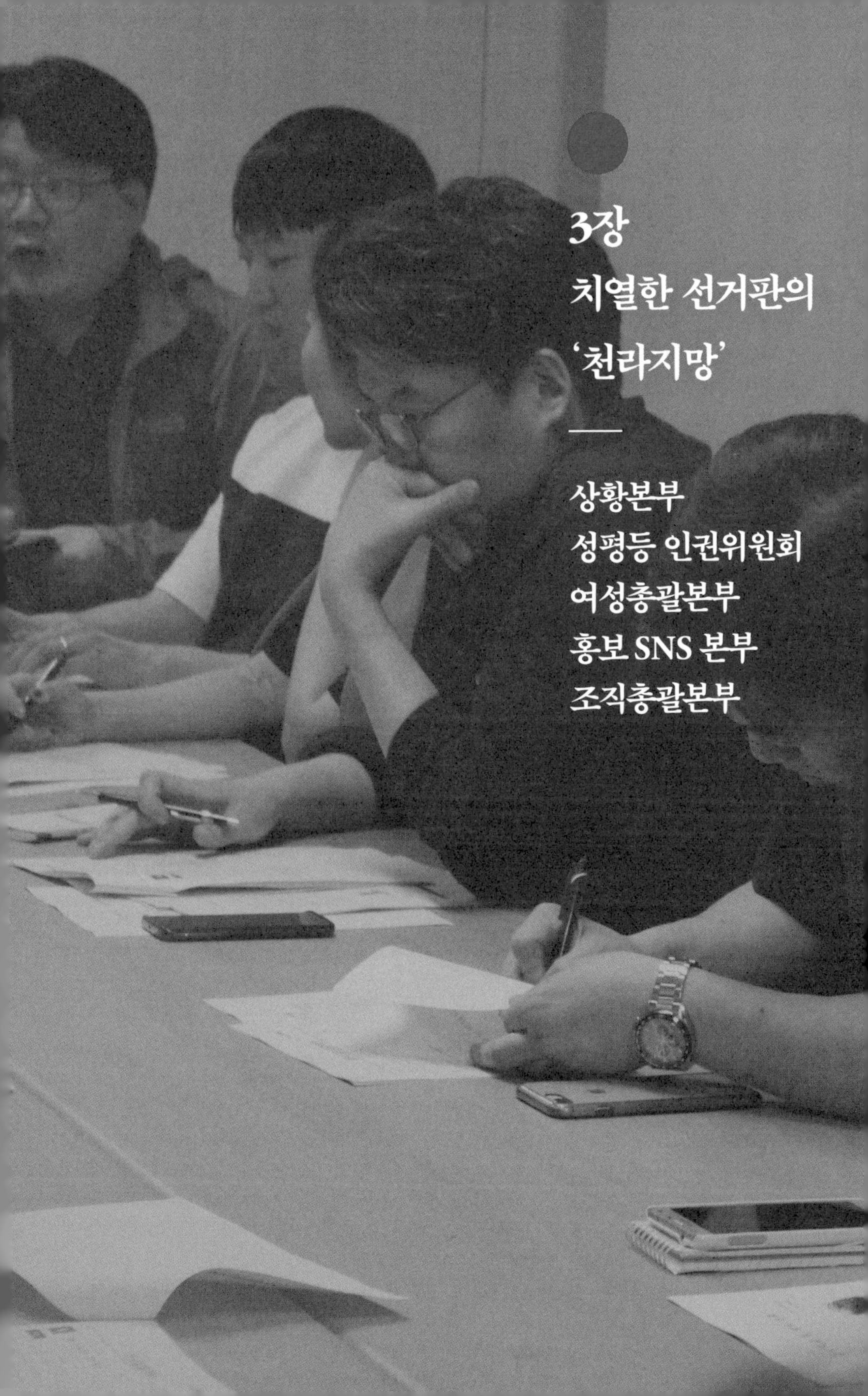

3장
치열한 선거판의 '천라지망'

상황본부
성평등 인권위원회
여성총괄본부
홍보 SNS 본부
조직총괄본부

더 나은 자신이 되고자 하는 마음과, 더 나은 사회로의 발전에 기여하고자 하는 마음을 어떻게 지킬 수 있을지 고민이 깊었는데 캠프에서 그 답을 찾았다. 이 곳에서 만난 선배, 어르신들은 여전히 시들지 않은 눈빛과 본인만의 에너지를 가지고 있었다.

차세대 한국 정치의 대표주자

기동민 국회의원 편

상황본부

기동민 국회의원은 차세대 한국 정치의 대표주자다. 기동민은 1966년 2월 23일 전라남도 장성에서 태어났다. 2011년 서울시장 보궐선거 때 민주당에서 시민캠프에 비서실장 역할로 파견돼 박원순 시장을 처음 만났다. 그는 국회 내 대표적인 '박원순맨'으로 꼽힌다.

김대중 전(前) 대통령 비서실 행정관, 김근태 전(前) 보건복지부장관 정책보좌관, 박지원 민주당 원내대표 특별보좌관, 서울특별시 정무수석, 정무부시장을 차례로 지냈다. 박원순 시장뿐만 아니라 그동안 정치권의 큰 인물들을 옆에서 보좌하며 그들과 함께 호흡했다. 이런 그가 본 박원순 시장은 어떤 모습일까? 또한 3선 서울시장에 도전한 이번 2018년 선거에 대한 소회는 어떨까?

기동민 의원이 바라보는 박원순 시장

기동민은 2011년, 2014년, 2018년 박원순 선거운동을 모두 도왔다. 초선 국회의원이면서도 2018년 지방선거에서 박원순 캠프의 알파와 오메가 역할을 톡톡히 해낸 인물이다. 서울시장 선거 민주당 경선에서 캠프의 단장을 맡아 선거를 진두지휘했고, 압도적인 차이로 승리를 이끄는 데 기여했다. 경선 이후 본 선거에서는 상황본부장을 맡았다.

'소통과 협치의 정치인', '거버넌스(Governance) 구성에 탁월한 사람.' 기동민이 말하는 정치인 박원순의 모습이다. 기동민은 시민과 자연스럽게 소통하는 모습을 요즘 시대에 부합하는 박시장의 가장 큰 장점으로 꼽았다.

시정에 임할 때는 '시민'을 중심에 두고 하나부터 열까지 모두 살피려는 자세를 가진 시장이었기에, 이같은 박시장의 업무 스타일을 때론 부정적으로 가공해 얘기를 만들어 내는 사람도 있었다. 기존 정치권과 공무원 사회가 시민과 함께 호흡하는 박시장의 디테일한 업무스타일에 적응하지 못 했을 때 나온 이야기였다. 박시장의 디테일은 섬세한 행정이다. 섬세한 행정은 6년 6개월 동안 서울시를 이끈 힘이 되었고, 10년 서울 혁명을 이룰 수 있는 토대가 되었다.

기동민은 또 기성 정치인과는 다른 '자신의 장점'으로 승부하는 사람이 박원순이라고 말한다. 박시장은 정치 리더의 대표적인 유형으로 꼽히는 보스형도, 조직형도 아니다. 공천권을 쥐고 줄 세우는 사람도 아니다. 시민 속에서 성장해 정치 행정가로 변신한 사람이다. 박원순이 가진 시민성과 행정가로서의 새로운 이미지는 박원순의 자산이자 정치적 기반이다. 기동민은 정치인 박원순이 고유한 향기를 줄이며, 과거의 정치리더를 흉내낼 필요가 전혀 없다고 본다. 그는 과거의 정치와 2018년의 정치는 달라야 한다며 강변한다. 그런 의미에서 박시장이 2018년 오늘의 시간에 꼭 맞는 정치지도자라는 게 그의 일관된 주장이다.

박시장은 여성성이 강하다. 과거에는 메시지가 강하고 분명한 정치인이 호감을 얻었다면, 다가오는 시대에는 여성성이 강하고 섬세한 리더십을 가진 인물이 주목받을 것이라는 게 기동민의 생각이다. 때문에 기동민은 박시장의 이미지 관리 방법에도 크게 동의했다. 박시장은 대중 앞에 나서기 위해 한 시간 가량을 준비한다. 선거운동기간 동안 기동민은 "박시장의 코디네이터가 누구냐. 헤어 담당은 누구냐?"는 질문을 많이 들었다고 했다. 그럴 정도로 많은 시민들이 달라진 박시장의 모습을 직접 확인할 수 있었다.

박시장은 이런 점을 스스로 잘 이해하고, 변신을 위한 투자를 아끼지 않았다. 스스로 변화하려는 움직임, 그것은 박시장의 굳은 의지라 여겨도 될 것 같다.

2018년 지방선거를 준비하며

2018 서울시장 선거는 박원순 시장의 6년 6개월 재임에 대한 평가였다. 갈무리를 잘 하고 시민 속에서 튼튼히 서 있으면 큰 어려움이 없을 것이라는 것이 그의 예상이었다.

선거를 준비하는 기동민의 입장에서 가장 큰 문제는 서울시 자체였다. 서울시가 흔들리고 있었다. 공무원이 힘들어 하고 있었다. 3선 피로감 역시 공무원들로부터 나온 이야기였다. 박시장의 만기친람적 조직운영이 긍정적 효과도 있지만, 전체 조직의 긴장과 피로를 높이는 측면이 있는 것도 사실이었다. 만기친람(萬機親覽)이란 모든 시정의 세세한 부분까지 시장이 직접 관장한다는 것을 말한다.

공무원이 바로 개혁의 주체였다. 내부의 인사문제를 어떻게 할 것인가? 또 이를 통해 공무원들의 의욕을 북돋을 수 있을지 많은 고민을 했다. 기본으로 돌아갔다. '공정하고 과감한 인사'가 키워드였다. 서둘러

매뉴얼대로 인사시스템을 정리해 내부 분위기를 다잡았다.

박시장 본인이 실수하지 않는 점이 중요했다. 안철수, 김문수 후보와의 싸움이 아니었다. 6년 6개월의 자산이 있었다. 또한 시대의 흐름 속에서 여당이 압도적인 우위를 점하는 상황이었고, 대통령과 공동운명체임을 강조하는 것이 중요했다. 시민들은 박시장에게 매우 호의적이었고, 결정적인 실수만 없다면 이길 수 있는 선거였다. 정제된 캠페인을 만들려고 노력했다. 무리하지 않고 오버하지 않으려고 차근차근 진행했다. 서울 강남, 서초, 송파, 중랑, 중구 등 다섯 군데의 전략지역과 더불어민주당의 '1-나'번 후보들이 당선되도록 특히 많은 노력을 기울였다.

기동민은 2018 박원순 캠프 조직 중에서 TV토론팀을 가장 먼저 칭찬했다. 경선 때부터 박시장의 장점을 극대화하고, 준비된 후보의 이미지를 어필하기 위해 애를 많이 쓴 팀이다. 사실 박시장은 TV토론을 잘한다는 인상을 깊이 심어주지 못했다. 하지만 2018년 서울시장 선거를 계기로 이와 같은 인상을 단숨에 날려버렸다. 여기에는 프로답게 제대로 준비하고, 박시장과 함께 호흡을 맞춘 TV토론팀이 있었다.

두 번째는 조직팀이었다. 당내 경선에서 66.26%라는 압도적인 승리를 이끌어 냈다. 일각에서는 50%를 넘기기 힘들 것이란 예측도 있었다. 조직팀은 더불어민주당 권리당원을 잘 조직화했다. 또한 박시장에 대한 홍보에도 큰 노력을 기울였다. 이러한 조직팀의 노력은 본선 사전투표에서도 큰 힘을 발휘했고, 전체 선거를 승리로 이끈 원동력이 됐다.

소회도 함부로 못 밝히는 신중함

박원순 캠프의 숨은 이야기를 풀어달라는 요청에 기동민은 그동안의 시원시원한 답변과는 다르게 말을 아꼈다. "작년 연말 7~8명이 모였다고 들었는데?" 이런 질문에도 "총무팀에게 이야기를 들어 보라. 내가 말할 수 있는 것이 아니다."며 신중하게 답했다.

사실 2017년 11월부터 서울시장 선거를 단계적으로 준비했고, 후보를 포함해서 10명 정도가 서울시 내부의 문제를 어떻게 할지를 논의했다고 한다. 그 결과 경선이 본선보다 잘 이루어졌다. 그러나 기동민은 과정에 대해서는 철저히 말을 아꼈다.

박원순 시장 곁에는 2011년부터 전략과 캠페인에 도움을 주었던 수많은 사람들이 있다. 이번 캠프에 함께 했던 사람도 있고, 사정이 있어 함께 하지 못했던 사람도 있다. 하지만 기동민은 이들 모두가 박시장과 함께 이번 선거를 치렀다고 생각한다.

기동민은 박시장이 대선으로 가기 위해선 서울시장 3선 도전이 아니라 여의도에 입성해야 했다는 일각의 지적에 대해 "아예 질문이 잘못됐다."고 말했다. 본인의 소임을 묵묵하게 다하면서 서울시장 자리가

징검다리로 인식되지 않도록 더욱 자신을 경계해야 한다는 것이다.

"대통령 선거는 지워야 한다. 대통령은 하늘이 내리는 것이다. 시민이 선택하고 역사가 선택하는 자리다. 대권이라는 글자를 머릿속에서 지우고, 3선 서울시장으로 올인하고 인정받을 때 역설적으로 기회가 올 수 있다."

박시장과 함께 했던 사람들 그리고 함께 하는 사람들에게 당부의 말을 남겼다. 세상은 박시장을 대권후보 반열에 올려놓고 저울질할 것이고, 그러기 위해선 주위 사람들이 더 안 보이고 더 자중해야 한다는 것이다. 박시장을 진정으로 아낀다면 박시장과 주변에 가까운 사람들이 더 잘해야 한다고 말이다.

끝으로 기동민은 이 책을 읽은 독자들에게 정치와 선거에 대해 더 많은 관심을 가져 주셨으면 좋겠다고 말했다.

"그놈이 그놈 같아서 내버려 두면 해먹는 놈이 맨날 한다. 최선이 안 되면 차선을, 차선이 안 되면 차악이라도 선택해 최악을 피해야 한다. 현실 기준으로 가장 나은 후보를 뽑는 것이 우리 아이들과 미래세대를 위한 길이다. 정치 혐오를 일으키는 문제들, 지역주의와 색깔론에 우리 국민이 단호하게 대응해야 한다. 선거 때만 되면 그런 경향을 유도하는 흐름 때문에 우리 정치가 더 피폐해진다. 높은 관심과 적극적인 참여가 있을 때 시민을 위한 정치, 내 삶을 바꾸는 개혁이 굳게 자리잡을 수 있다."

3선 서울시장 탄생은 역사가 만들어준 시민들의 몫

추경민 편

상황본부 상황실

2018 박원순 캠프의 실질적 핵심 멤버 중의 또 다른 한 명이 바로 상황본부의 추경민 상황실장이다. 그는 2012년 4월까지 한명숙 총리 보좌관이었다. 그해 7월, 서울시 정무수석실에 불려가 곧 정무비서관으로 채용된 케이스다. 이후 그는 업무능력을 인정받아 정무수석으로 일하다가 이번 선거를 앞두고 사직하고 캠프에 결합했다.

핵심중의 핵심, 상황실장

캠프에서 상황실장은 선거 캠페인을 관리하고 위기관리 업무를 책임지는 자리다. 또 주요 회의체계인 조간·야간 실무점검회의와 상황점검회의를 준비하고 운영하는 등 선거 전반을 살피는 역할을 했다. 캠프가 진행하는 선거업무를 관리하고 문제가 생기면 해결하고 마무리 하는 역할이다. 이 책의 앞부분에서 언급한 바 있는 것처럼 박원순 캠프의 회의체계는 상황점검회의가 중심이었다.

과거 2014년 선거 때에 박원순 캠프에는 두 명의 핵심이 있었다. 하승창과 임종석은 캠프입장에서 시민단체와 민주당이라는 상징성을 가진 두 사람이다. 이번 2018 선거는 캠프환경이 180도 바뀐 기분이다.

이 정도의 결과나 흐름들은 박원순 현상이다. 박원순만의 스타일을 구축했음을 보여준다. 이번 선거는 당 중심으로 지지자들과 시민단체 사람들이 결합하면서 기성정치권과 융합하고 있다. 아직도 캠프로서 부족한 점이 남아 있기도 하지만, 오히려 시너지 효과를 발휘할 수도 있는 여지가 남아 있기에 흐름상 좋은 방향으로 가고 있다고 생각한다.

선거를 되돌아보면, 경선 과정에서 준비는 오래 했다. 그러나 박원순 시장이 시정을 하면서도 당과의 접촉을 늘리기 위해 노력했지만 여전히 거리감이 존재했다. 당 쪽에서 "단물만 빼먹는다.", "접촉이 없다." 등의 비판들이 쏟아졌다.

그래서 캠프에서 후보자가 어디를 가고 뭘 할지를 자체적으로 판단했다. 경선준비는 조직적이고 차분했다. 당과의 접촉면을 늘리기 위해 더 많은 노력을 했다. 캠프 내부에서 자신감은 있었는데, 현실적인 근거는 없었다. 2011년은 야권후보 단일화 선거였기에 박원순 캠프는 사실 당내 경선이 처음이었다. 내부적으로 흔들리는 부분들이 많았지만 모두들 잘 이겨내 주었다.

추경민 상황실장은 이번 선거에서 사고가 나지 않도록 관리하는 것이 무엇보다 중요했다. 선거 국면이 좋은 국면이었고, 나쁘지 않을 때일수록 구설수에 오르지 않도록 하는 것이 최선이다. 추실장은 박원순 시장이 2011년 선거에 54%, 2014년 선거에 56%를 득표했으니 이번에는 약간 더 나오지 않을까 조심스레 예측했다. 그러나 개표결과 52.7%로 조금 실망스러운 결과를 얻었다.

선거 막바지에 김문수 후보가 TV토론 이후 꾸준히 제기하고 있는, 후보 부인 강난희 여사가 자동차세를 재산세로 잘못 신고한 것에 대해서는 법적으로 따져도 크게 문제될 내용이 아니라고 판단했다. 성실하게 빠짐 없이 신고하려고 한 것인데 충분히 그럴 수도 있지 않느냐고 반문했다.

박시장, 서울 도읍 이후 시장 중 최장수

추실장이 뽑은 2018 박원순 서울시장의 당선 주역은 누구일까? 그는 이번 선거의 주역은 단연코 민주당이라고 스스럼없이 말했다. 약 30여 명의 전현직 국회의원이 캠프에 참여해 주었고 비례대표인 박경미 의원, 이철희 의원도 합류했다. 박시장이 정당 기반이 없어서 취약한 부분이 많았는데 당내 인사들의 전격적인 결합으로 안정적인 선거가 가능했다고 보고 있다.

추경민 실장은 칭찬하고 싶은 캠프내 관계자로 조직팀의 문치웅 실장을 뽑았다. 가장 큰 성과를 냈다고 했다. 다음으로는 총무본부를 빼놓을 수 없다고 했다. 실무적인 일을 가장 많이 한 팀이다. 상황팀은 애초 예상처럼 처음에는 가장 바빴고, 선거 후반에는 가장 여유가 있는

팀으로 상황이 바뀌었다. 자동차는 바퀴가 빠지면 굴러가지 않듯이 모든 팀이 열심히 노력했기에 캠프가 톱니처럼 맞물려 돌아가 주는 덕분에 무난히 임무를 수행할 수 있었다고 했다.

3선 서울시장의 탄생은 대한민국 역사상 처음 있는 일이다. 조선 시대를 포함해도 매우 의미있는 수치다. 역사가 만들어준 시민들의 몫이 크다. 3선을 허락해주신 시민들의 선택에 매우 큰 의미가 있다고 했다. '10년 혁명'이 가능하도록 판단해준 시민들 덕분에 역사의 한 획을 긋게 되었다.

문득 서울시장과 관련된 몇가지 재미있는 통계가 궁금해졌다. 1394년 8월 조선시대 수도로 서울에 도읍한 후, 2018년 6월 말 현재까지 227,852일 약 624년 동안 2,070대(2,007명)의 시장(판윤)을 배출했다. 산술적으로 매년 3.3명이 평균수명 113일을 역임한 셈이다. 초대 성석린 판한성부사(1395년 8월 부임)를 시작으로 임기가 가장 짧은 시장은 1898년 고종 때 윤치호가 하루살이 판윤으로, 임기가 가장 긴 시장은 박원순 현 시장이 6년 7개월을 기록 중이다. 이 중 조선 시대에는 세조 때 106대부터 한성판윤 이석형이 3년 3개월을, 고건 전 서울시장이 6년 2개월을 재임했다. 숙종 때 강현이 7번(총 2년 2개월)을 역임했다. 명칭은 판한성부사, 한성부윤, 한성부판윤, (경기도)경성부윤, 서울특별자유시장, 서울특별시장으로 변천되었다.

캠프에서도 첫걸음 내딛는 성평등교육

장윤경 편
성평등인권위원회

단어 사용 하나하나에 민감하고 조심스럽게 말하는 장윤경 씨는 여성운동가다. 현재 갈등경영연구소 소장을 맡고 있다. 1991년 한국성폭력상담소에서 시작해 피해자 지원, 법률 제개정 운동을 하고, 성평등 문화를 만들고, 성평등 교육사업을 한다. 성희롱이 일어나지 않는 사회 문화를 만들기 위해 28년째 노력 중이다.

2000년 이후 공공기관에서 성관련 법정교육이 1시간씩 진행되고 있는 것도 그녀의 공이 크다. 현재 국내 성관련 분쟁 조정 기관은 회사 내부 상담소, 국가인권위위원회, 고용노동부 등에서 진행하고 있다.

성희롱 사건 공동변호인이었던 박시장 만나

박원순 시장과는 1993년 S대 신교수 사건을 통해 처음 알게 됐다. 당시 가해자인 신교수가 여성 피해자를 명예훼손으로 고소한 사건에서 출발한다. 당시 성희롱 관련법이 없었지만, 성희롱 민사소송을 시작한 게 94년이다. 피해자와 공동 변호인단, 가해자, S대 공동대책위원회 이렇게 3팀이 싸웠다. 94년부터 99년까지 이어진 길고 긴 법정싸움이었다.

공동 변호인단 중 한 명이 지금의 박시장이었다. 성희롱도 인권침해라는 것을 알리기 위해서 그들은 모두 열심히 했다. 일주일에 한 번 이상 회의를 진행했고, 99년 소송 종료 후 국내에도 성희롱 관련법이 처음 만들어지는 계기를 마련했다.

미투 운동이 시작되던 올해 2월 즈음, 2014년 캠프에서 일했던 한 여성이 페이스북에 글을 올렸다. 2014년 캠프에서 활동가들 사이에 있었던 성희롱 사건을 폭로했고, 박 시장은 책임의식을 느끼고 대책을 세우려고 했다. 피해자를 만나서 진상조사단을 꾸렸다. 이후 박원순 캠프에서 다시는 성관련 문제가 없기를 바라는 마음으로 성평등위원회를 후보 직속 기구로 만들게 됐다.

캠프 내에 성평등 본부가 있다는 것은 대한민국 최초의 사건이다. 박원순 시장은 성평등한 캠프에서 성평등한 서울을 만들어낼 수 있다고 말했다. 2018년 우리 사회의 성평등 문화가 박원순 시장 후보의 캠프에서부터 출발하고 있는 것이다.

위원회는 성평등한 서울을 만들어내는 것이 목표다. 사회의 모든 구성원들이 성차별 없이 일할 수 있는 사회를 만들고 싶다는 것. 그러기 위해 먼저 캠프 내 모든 관계자들에 대한 교육을 한다.

1차에서 7차에 걸친 1시간 30분의 성평등 교육(캠프의 모든 인원이 최소 한 번 이상)을 받고, 성평등 서약서를 읽고 서명한다. 해당 서약서를 작게 프린팅해서 이름 카드에 넣고 다닌다. 그리고 해당 서약서를 얼마나 잘 지켰는지 문자를 통해 설문조사를 했다. 성평등 선언에서 끝나는 것이 아니라 점검을 통한 마무리까지 하는 것이다.

다음은 스크리닝 작업이다. 모든 홍보물에 성평등하지 않는 문구나 동영상, 사진 등이 들어가 있지 않은지 검열한다.

마지막으로 성희롱·성폭력 신고센터를 운영한다. 성희롱, 성폭력과 같이 엄중한 성관련 문제를 다룬다. 성문제만 다루는 것이 아니라 성차별적인 것까지 자유롭게 이야기 할 수 있는 센터이다. 상담전화를 개설했고 원순 닷컴 내 신고센터를 운영 중이다.

성평등인권위원회 조직 유지 자체가 신뢰 심어줘

후보의 직속본부라 내용을 채우는 일이 매우 중요하다. '성희롱·성폭력 없는 서울, 위드유'를 만들기 위해 노력했다. 박시장이 말로만 성평등을 외치는 것이 아니라, 캠프에 이러한 조직이 있다는 것 자체가 진짜 성평등한 서울로 나아갈 수 있다는 것을 보여주고 증명하고 있는 것이다. 위원회의 존재가 성평등을 원하는 사람들에게 신뢰를 심어주는 곳이기도 하다.

우리나라에는 다양한 사람들이 있는 만큼 성인지 감수성을 지닌 정도도 다양하다. 박시장의 성인지 감수성이 높다 낮다로 평가하기는 어렵겠지만 94년 사건을 함께 해온 사람이라 본인의 위치가 어디든 성희롱 피해자를 대하는 자세가 남다른 사람이라고 여기고 있다. 인권을 침해받는 사람이 인권을 되찾아야 한다는 사명감이 있었던 사람이다. 피해자의 인권을 보호하기 위한 노력을임 끊이 노력했던 사람이다.

박시장의 성인지 감수성이 5였다고 한다면 다양한 사건들을 해결해 나가면서 6, 6.5가 되면서 성인지 감수성이 성장하고 있다. 박 시장은 변화 중인 사람이다. 장위원장이 알고 있는 박 시장의 성감수성은 매우 칭찬할 만하다고 했다.

기성세대 중에서는 성희롱·성폭력 관련한 젠더 감수성 교육을 못 받

은 사람들이 많다. 어린 시절에 이런 교육을 못 받았고, 전혀 몰랐었다고, 그럼 자기는 나쁜 사람이냐고 묻는 사람들이 많았다. 장위원장은 그들이 가진 원칙이 정답이 아니라는 것을 말하고 싶었다.

"현재 세대가 가지고 있는 평등한 시각을 기성세대도 가져야 한다. 기성세대도 인류가 가져야 되는 목표와 기준에 따라가는 노력이 필요하다. 이러한 차이가 줄어들 때 성평등한 사회로 더 빨리 도달할 수 있지 않을까?"

위원회에는 장위원장을 포함해서 성평등 전문가 5명이 모였다. 4월 두 명, 5월 두 명이 캠프 추천으로 모였다. 이들은 국회 파견 2명, 페미니스트 작가 등으로 구성되어 있다. 소위원회지만, 개별적인 능력이 뛰어난 사람들이었다.

위원회는 존재 자체가 도움이 되는 본부였다. 차츰 캠프 내 성차별, 성희롱과 관련하여 자유스럽게 질문할 수 있는 분위기가 형성됐다. 일을 하다가 약간 걸리는 언행이 있을 경우에 "아, 이것도 성희롱인가요?"라고 제3자가 물을 수 있는 상황이 만들어졌다. 성희롱이 무엇인가 생각하고 질문할 수 있는 분위기가 형성됐는데, 이것이 성평등인권위원회가 존재하는 이유가 아닐까 싶다. 이제 사전 점검이 가능해졌다.

세상을 바꾸려는 어느 서울 시민의 일상

양예희 체험수기
여성총괄본부 운영팀

쳇바퀴 돌듯 집과 회사를 오고 가며 세상이 어찌 돌아가는지 잊고 살았다. 2007년 12월 19일부터였나. 17대 대선은 예상된 패배였다.

2008년 2월 25일 일요일. 서울역 광장은 누군가를 환송하는 인파로 발 디딜 틈이 없었다. 쌀쌀했지만 쾌청했다. 퇴임하는 그는 고 노무현 대통령이다. 5년 근무를 마치고 귀향하며 환송객의 박수에 화답했고 미소와 여유가 있었다.

새 대통령이 취임한 후 30개월령 이상 미국소 수입을 반대하는 집회가 열렸다. 때때로 70만 명 넘게 참가하는 대규모 촛불집회였다. 시간이 허락하는 대로 다녔고 광화문에서 여의도까지 행진도 했다. 최초의 광화문 촛불집회는 뜨겁던 2002년 월드컵이 끝나고 시원한 바람이 불던 11월 어느 날이었다. 미선이·효순이의 참상에 두 소녀를 추모하고 책임자 처벌을 요구하는 어느 네티즌의 호소에 시민들이 종이컵에 촛불을 켜고 광화문에 등장한 것이 근래 촛불 시민의 탄생이었으리라. 우리가 월드컵만 기억하는 건 아니다.

가장 '도둑적'인 정부에 환멸 느껴

TV에 나오는 대통령은 전임 대통령과 달랐다. 민주정부 10년의 성과는 사회 곳곳에서 물적·정신적으로 무너지고 있었다. 대통령은 가장 '도덕적'인 정부라고 했다. 뇌물, 부패, 상납, 비리, 성폭행 등 가장 '도둑적'인 사건이 끊이지 않았다. 미쳐 돌아가는 권력은 사슴을 말이라 했고 언론도 마찬가지였다. 사슴을 보고 기꺼이 말이라고 할 종편이 대규모로 허용되자 시민들은 언론을 외면했고, 몸은 일상에 갇혔으나 마음은 온라인 세상에 활짝 열려 있었다.

2011년 8월 24일. 아이들 밥 가지고 부끄러운 정쟁을 시작한 오세훈은 주민투표 선거공보물에 투표하지 말자고 했다. 선거공보물로 투표 독려도 아니고 투표하지 말자고? 어처구니 없구만. 투표를 안 했다. 개표 투표율 33%에 훨씬 못 미치는 25.7%. 무상급식 주민투표에 패배한 오세훈은 8월 26일 시장직을 사퇴했다. 우리의 원순씨는 넉넉하게 승리, 취임 즉시 5, 6학년 무상급식 예산에 서명했다.

원순씨는 해진 신발에 덥수룩한 수염 차림으로 백두대간을 내려왔다. 아름다운재단, 희망제작소, 참여연대로 익히 알고 있던 활동가가 정치인이 되는 순간이었다. 엊그제 같은데 7년 전이라니. 가장 '도둑적'인 정권에 한숨 쉬던 국민들에게 숨통이 트일 기회는 그렇게 왔고 나는 쾌재를 불렀다.

2012년 12월 19일 박근혜 당선. 암담했지만 허망함에 정신줄 놓고 다니기에는 팍팍한 삶의 현실이 허락하지 않았다. 나는 폭음과 멍때리기로 며칠을 보내고 밤마다 석촌 호수를 돌며 일, 밥, 삶을 이어가야 했다.

2016년 10월 29일. 수 개월 동안 나라를 들썩였던 박근혜-최순실 게

이트에 시민들이 처음으로 탄핵촛불집회를 개최한 날이다. 첫 집회 소식을 늦게 들어 합류하지 못하고 두 번째 집회부터 참석했다. 언론은 기사를 쏟아냈고 집회와 관련하여 여러 프레임으로 옭아맸지만 민주 시민들은 세상에 없는 기적을 만들어 갔다.

서울시는 광화문 일대에 개방형·임시 화장실, 심야 시간대 전철 연장 운행, 응급차를 배치하고 각종 통계로 광화문 국민을 헤아리고 지원하며 언론의 폄하와 야당의 공세를 막아내고 시민들을 살펴줬다.

촛불 집회 후 전철 안내 멘트도 소중해

내가 탄 전철에서 들은 안내방송을 어느 시민이 SNS에 올렸다.

"이번 역은 촛불이 켜져 있는 광화문역입니다. 이번 역에서 내리시는 분들은 몸조심하시고 대한민국을 위해서 힘써 주시길 바랍니다."

집회를 마친 늦은 밤 광화문역과 안국역에서 탄 전철의 안내방송이다. 오늘 하루도 수고하셨습니다. 여러분들의 촛불이 새로운 대한민국을 만듭니다. 여러분들을 안전하게 모시기 위해 함께 하진 못하지만 열심히 응원하고 있습니다. 무사히 귀가하시도록 최선을 다하겠습니다. 감사합니다."

광화문에는 밤낮없이 시민을 걱정하는 우렁각시가 있었다. 나는 우렁각시에게 우렁각시처럼 소리없는 감사를 보냈다. 국정농단심판 박근혜 탄핵 촛불집회는 총 23회 진행되었고 마침내 박근혜는 국민의 준엄한 심판을 받아 탄핵되고 수감되었다. 박근혜가 위수령 또는 계엄령을 준비했다는 뉴스는 그 당시에도, 몇 개월 전에도 있었는데 이를 포기한 많은 이유 중에 박원순 시장이 있어 사전에 노출될 가능성이 높은 것도 포기이유 중 하나이지 않을까.

촛불은 혁명이었으나 미완이다. 진행형이다. 우리는 혁명 수행자가 되어야 한다. 적폐청산의 기회가 주어진 것이지 혁명을 완수한 것이 아니다. 실패한 혁명은 역사적으로 부지기수다. 우리 역사도 실패한 혁명을 기록하고 있다.

우리만 그렇다고? 프랑스 혁명은 지리멸렬과 암투, 아마추어의 열정이 낳은 불협화음, 소탐대실의 연속이었다. 프랑스 혁명은 수십 년이 걸렸다. 혁명은 열광하는 시작이 있고 멀어진 관심으로 흐지부지 되다 반동의 철퇴를 맞기도 했다.

촛불로 만들 나라다운 나라는 아직 요원하다. 반역의 무리들이 내뱉는 사실과 현실 왜곡의 추잡함과 권력 쟁취의 집요함이 세치 혀로 방송을 탈 때 채널을 돌리는 것만으로 달라지는 것은 없다. 저들이 집요하듯 우리도 질겨야 한다. 이번 지방선거의 의미가 이렇듯 중요하다. 혁명의 연속선상에 있어 반동의 기운을 막고 혁명의 기운을 이어가야 한다.

19대 대통령은 촛불 대통령이라 해도 과언이 아니다. 그러나 대통령을 둘러싼 정치·경제·사회적 환경은 끔찍하리만치 열악하다. 대통령은 남북문제와 외교분야의 성공적 수행으로 국민 지지가 높지만 국회와 지방정부 등 구조적 환경은 촛불 이전 그대로다. 정당도 비민주적인 한계 그대로 현재에 이르고 있다.

모든 사회구성체에 미치는 영향이 크므로 정당 민주화는 우리 사회의 본질적 의사결정 구조를 정상적으로 돌리기 위해 반드시 이뤄내야 할 과제다.

박시장이 3선을 해야 하는 이유

우리 내부의 의사결정방식은 여전히 80년대에, 20세기에 머물러 있다. 우리 미래에 '이명박·근혜'를 만나지 않으려면 아마추어를 넘고 온라인을 넘어 사회의 내부 민주화 등 본질적이고 근원적인 문제에 접근하고 대안을 모색하고 실천해야 한다.

대통령이 나라다운 나라를 만들겠다고 하지만 나라다운 나라는 시민들에 의한 지방정부부터 출발해야 한다. 풀뿌리 민주주의, 생활정치, 현장정치가 이뤄지는 지방정부부터 시민을 위한 행정서비스와 민간참여가 구조화되도록 만들어야 한다. 동원 대상이 아닌 주체로서 민관협치가 심화 · 발전해야 한다.

저들이 담당하는 지방정부는 부채와 이권 챙기기에 골병든다면, 박원순 시장으로 상징되는 민주지방정부는 내부 민주주의가 강화되고 시민 주도성이 심화되어 시민 위에 군림하는 권위적 자치가 아니라 보편적 서비스 제공 기관으로 의무를 다하는 행정기관이 되어야 한다. 시민의 적극적이고 광범위한 지방자치 · 민관협치 경험은 공무원도, 시민도 과거로 돌아갈 수 없도록 해야 한다.

갈등 해소와 합의 과정이 훈련되면 이해는 넓어지고 긴장은 완화된다. 집단지성의 힘을 키우는 촉매제고 버팀목이 된다. 하루 이틀에 될 일이 아니고 4년, 8년 만에 이뤄지는 것도 아니다. 축적이 이뤄져야 문화가 되고 일상이 된다. 민주적 의사결정방식이 뿌리내리려면 20년, 30년, 어쩌면 한 세대가 지나야 할지도 모른다.

박원순 시장이 3선을 해야 하는 이유고 민주세력이 연속집권을 해야 하는 이유이기도 하다. 내가 박원순을 지지하고 여성본부에 합류한 가장 큰 이유다. 민주주의 최후의 보루로서 서울 시민인 내가 할 일은 자명하지 않은가. 이제 민주적 중앙정부와 함께 시민들의 적극적 참여와 지지 속에 더 좋은 정책을 마음껏 펼치시라!

현재 우리사회는 미투(me too)운동을 통해 데이트폭력 등 평생 고통 속에 살던 여성들이 콘크리트처럼 단단한 관념을 뚫고 제목소리를 내기 시작했다. 차별 해소라는 보편적 인권에 다가가는 중이다. 시작에 불과하지만 미투 이전의 인식 틀에 갇힌 차별을 신속하게 폐지하고 성평등의 제도적 기반을 마련해 나가는 것이 중요하다. 이런 흐름을 거스르지 않고 박원순 캠프는 시대 흐름에 적극 호응, 선거 캠페인의 핵심 아젠다로 성평등을 수용, 성평등인권위원회를 설치했다.

여성총괄본부는 여성에 대한 실질적이고 현실적인 현안부터 접근했다. 운동의 완성은 제도화다. 서울시 여성일자리정책간담회에서 취업자 숫자가 아닌 양질의 일자리를 만들고, 고용안정효과를 높이는 방안, 공공일자리 플랫폼의 열악한 환경, 인프라 보강 대책 등을 심도 있게 논의했다. 결혼, 출산, 육아 대책도 시급하다. 서울의 출산율은 특히 심각하다. 올해 결혼을 앞둔 예비신부로서 관심을 가질 수밖에 없는 상황이기도 하다.

나란히, 나란히

마더투베이비특별위원회와 전문적 정보를 교류하며 출산 문제, 산모지원에 관한 대책을 논의하기도 했다. 한편으로 1인가구, 비혼 라이프를 꿈꾸는 여성들의 이야기를 듣는 간담회를 기획하여 소통의 자리도 마련했다.

이미 서울시에서는 1인가구 정책 연구를 했고 주거, 건강, 정책지원 등 구체적인 실행방안을 모색했다. 여성구청장후보와 여성으로 기호 1-나번을 받은 후보를 돕는 나벤저스후보 지원유세를 적극적으로 실천했다.

'박원순과 나란히! 여성과 나란히!'라는 캐치프레이즈 아래 '성평등 서울'을 바라는 여성들이 지지선언을 하는 사건도 만들었고, 캠프 1층에 어린이 놀이방을 설치하여 캠프에 합류한 엄마가 아이와 함께 할 수 있도록 했다.

장애인부모회에서 만든 장애어린이와 함께 하는 지침서가 홍보물로 제작되지 못해 아쉬움이 크지만 장애인가족특별위원회 3만여 명 지지 선언이 있었고, 앞으로 서울 시정에 장애인 정책이 더 많이 반영되기를 기대해본다. 그 외에도 한부모가족 정책제안간담회, 여성친화도시 정책간담회, 사전투표 독려 캠페인, 성평등대화 서울모임 등을 진행했다.

한편, 김문수 자유한국당 후보는 5월 30일 국회 정론관에서 출마 회견 중 도시 개발의 필요성을 여성에 빗대 "도시를 손보지 않으면, 어떤 아름다운 여성이 전혀 화장도 안 하고 씻지도 않냐. 매일 씻고 피트니스도 하고 자기를 다듬는다"고 말하고 31일 서울역 광장 선거출정식에서는 광화문 세월호 천막에 대해 "죽음의 굿판을 집어치워야 한다"며 여성과 세월호 유족을 비하하는 망언을 서슴지 않았다. 이에 즉각 규탄 성명서를 발표하였다. 혐오와 차별, 폭력을 뿌리 뽑고 품격 있는 보편 인권이 보장되는 건강한 서울로 변하기를 열망한다.

최고의 원팀

나는 박원순 캠프 여성총괄본부에서 특보로 활동했다. 직장인인 관계로 퇴근 후와 주말에 활동했다. 상근하는 분들에게는 고맙고 미안한 마음이 앞선다. 처음 여성본부를 방문했을 때 낯선 환경에 조심스러웠으나 하루 이틀 다니면서 깊이 빠져들었다. 엄청난 내공을 자랑하는 분들이 포진하고 있었다. 스승을 만나니 하산할 수가 없었다.

나는 학생이나 마찬가지였다. 여성본부에 한 가지 더 특별한 점이 있다. 여성인 나보다 페미니즘에 대해 더 해박하고, 여성인권에 열린 생각을 갖고 있는 청일점 '원생이' 님이 있기 때문이다. 거버넌스에 관심이 많은데 그것이 실제 어떻게 작동하는지 알고 싶어 합류했다고 다소 거창하게 학문적 접근을 하신 분이다. 후에 커피를 마시면서 나에게 고백하기를 '사실 박원순 시장님이 좋아서!'. 페미니즘에 관한 좋은 도서를 학습 수준에 맞춰 추천해줄 정도이다. 여성본부가 균형적 시각을 갖는 천칭 역할을 했다고 본다. 단언컨대 여성본부의 팀워크는 최고였다.

술의 힘은 위대했다. 적당히 마시는 술은 의기투합의 기폭제요 가슴 뛰는 열정으로 본부는 미친 듯이 작동했다. 단기간에 마음 맞추고 서로를 이해하고 어느 순간 편해진 환상의 케미는 서로에게 힘이 되어 주었다.

그러던 중 김혜미 실장 부친께서 소천하는 비보가 있었다. 소식을 들은 팀원들은 장례식장을 방문하여 고인을 추모했는데, 부친상임에도 의연한 김혜미 실장 얼굴에서 팀과 캠프에 대한 걱정을 읽을 수 있었다. 마음이 어떠했으랴. 장례식장에 모인 팀원들은 급한 대로 다음 행사에 관한 회의를 하고, 실장님은 발인 다음날 출근하여 담담히 업무를 챙기는 초연한 모습을 보여주었다. 다시 한번 삼가 고인의 명복을 빈다.

여성본부의 소중한 경험은 내 삶에 어떻게 작용할까. 아직은 낯설지만 여성이 정치하는 법은 어떤 것인지, 여성의 정치 참여가 세상을 바꾸는 강력한 동력임을 체험한 것도 소기의 성과다. 한 번도 겪어 보지 못한 단기간의 폭발적 케미와 중압감을 견디고 극복하며 엄청난 일을 해내는 초인적인 사람들, 조직과 매카니즘, 시스템 구성 등 세상을 보는 시각이 넓어지고 깊어진 나는 어디로 가게 될까. 정치와 철학이 동전의 양면일 수밖에 없음을 몸으로 체험한 나의 앞날이 여성본부 동지들과 함께 하기를 소망해본다.

우리 박시장은 시민에게 다가가고 귀중히 듣는 시장이다. 시민에 의한 시장이다. 나란히 있고, 나란히 가고, 나란히 서자. 서로의 상황과 형편은 달라도 우리는 서울시민이니까. 동지니까.

박시장이 서울 민주세력의 총아로서 세계에 내놓아도 손색없는 민주주의 한류를, 민주주의 서울을 만들어주길 기대한다. 소중한 기회를 주신 박원순 시장님, 송기호 본부장님, 송옥주 본부장님, 한명희 상임부본부장님, 김혜미 운영실장님, 조금득 팀장님, 손보경 님, 엄소영 비서님, 원생이 님과 그 외 여성본부에 많은 도움을 주신 모든 분들, 세대공감본부 관계자들께 감사드린다.

여성본부 실무자들

김혜미. 서대문구의원. 여성총괄본부 운영실장. 과거 성우였던 매력적 보이스의 소유자. 팀원들의 든든한 버팀목. 우리가 가족이라면 엄마 같은 분이다. 후레시한 이슬을 사랑하신다.

조금득. 여성총괄본부 운영팀장. 전(前)서울시청년명예부시장. 청년

유니온 활동가. 어마어마한 내공의 소유자. 모두 깊이 잠든 새벽에 솔선수범(!)하는 모범 사례. 빨간 이슬만 고집.

손보경. 송옥주의원 전(前)비서관. 여성총괄본부 운영팀장. 여성특보. 긍정적 에너지가 넘치고, 사람을 기분 좋게 만드는 힘을 가진 분. 서울국제여성영화제 상영작 등 여성영화라면 이분에게 물어보시라.

원생이. 페미니즘에 관한 웬만한 여성보다 해박한 지식을 자랑하는 남성. 여성본부의 자랑이다. 여성 정책을 남성과 함께 고민해보기는 처음이었다.

엄소영. 송옥주 의원 비서. 여성총괄본부 운영팀원. 나이는 가장 어리지만, 일만큼은 똑부러진 똑순이다. 틈틈이 대학원을 다니는 부지런함과 열정. 고개가 절로 숙여진다.

양예희. 직장인(회사는 노코멘트). 여성총괄본부 운영팀원. 여성특보 올해 결혼예정인 품절녀 → 경단녀 대책을 철저히 감시할 예정.

약자 지원은 편차 줄여야

김혜미 편
여성총괄본부 장애인부모연대 운영실

KBS 성우 출신인 김혜미(53살)씨는 서대문구의회 행정복지위원회 의원과 3만 5천명의 전국장애인부모연대 이사다. 2018 박원순 캠프에 딸 손서연 씨와 함께 자원봉사로 참가했다. 캠프의 공식 직함은 여성총괄본부 장애인부모연대 운영실장이다. 여성단체들과 관련된 지지를 이끌어내는 일이 주된 업무이지만, 여성총괄본부와 장애인연대의 일을 섞어서 했다.

선거운동이 한창이었던 6월 4일, '위드유 서울' 이라는 이름으로 박원순 후보 부인 강난희 여사와 함께 70여 명이 양재천 숲에서 도시락을 먹으며 담소를 나누는 시간도 가졌다. 각자 싸온 도시락을 캠프의 바른먹거리 팀들과 장애인 부모팀이 모여 토요일에 즐거운 시간을 보낸 것이다.

김실장은 박원순 시장과는 발달장애 부모로서 먼저 만났다. 당시 전국 장애인부모연대에서 40일 동안 시위를 벌였다. 2016년 5월 시청에서 농성할 때 삭발도 했다. 삭발 당시 단체의 요구사항은 지역사회 중심 주거모델 개발과 시범사업 운영, 발달장애인 소득보장을 위한 자산형성 지원사업 실시, 현장중심의 발달장애인 직업교육 지원체계 도입, 발달장애인 평생교육센터 확충, 관련 조례 개정, 발달장애인 가족지원

체계 구축 등이었다.

그 사실을 알고 박시장이 달려왔다. 같이 울어주고, 발달장애인에 대한 영화도 함께 봐주었다. 이후 서울 시청 내 발달장애인 전담팀이 구성됐다.

또 발달장애인을 가진 부모들이 아이와 함께 비행기를 타고 여행가는 하늘의 별따기 프로그램인 '효니 프로젝트'도 지원받았다. 아시아나 항공을 통해 전세기를 빌려 200여 명이 제주도 여행을 할 수 있도록 도움을 받았던 적도 있었다. 그래서 박혜미 실장은 이렇게 말한다. "서울에 있는 모든 발달장애인 부모들은 박시장을 지지한다. 우리는 시장님에게 각성된(중독된) 사람들이다."

성평등인권위원회는 여성총괄본부와 다르게 캠프 내에서 독자적인 존재다. 원래 여성총괄본부 안에 배치했는데, 박시장이 여성에 대한 부분을 워낙 강조해서 별도의 후보직속특별위원회로 구성되었다.

여성본부는 여성관련 정책을 홍보하고, 정책간담회를 통해 관련 단체의 의견을 수렴하는 역할을 한다. 2018년 공약이 이미 만들어졌기 때문에 여성총괄본부가 간담회를 통해 새롭게 공약할 수는 없지만 정책에 포함되지 않는 여성관련 문제도 후보가 수용해줄 것이라 믿고 있다.

여성총괄본부 장애인부모연대는 5월 30일 보수성향이 강한 서울지체장애인협회 지지선언, 6월 6일은 회원 2만여 명인 서울미협(미술인협회) 집행부와의 간담회를 주도했고, 임명장이 수여됐다. 마더투베이비특별위원회(임산부 관련 의료 법인-산부인과 조리원)도 지지선언을 했다. 김혜미 실장은 당시 마더투베이비위원회 임원으로부터 "지난 6년 동안 박시장을 지켜봤는데 정말 잘해주었다. 이제부터 지지하겠다."라는 답변을 듣기도 했다.

장애인부모연대는 5월에 만들어졌다. 캠프에서 일하는 인원은 총 6명이다. 처음에는 김혜미 실장 혼자였다. 총괄본부, 청년에서 합류해줬고, 송옥주 본부장(의원)의 비서관이 파견근무 중이다. 또 자원봉사자를 통해 멤버가 갖춰졌다. 팀이 아니라 가족이라고 불렀다.

점심도 같이 먹고, 저녁도 같이 먹었다. 분위가 좋았다. 본부 내에는 여성장애인팀을 비롯 안국빌딩 밖에서 활동하는 여성 무용인, 무용단체, 여성 연극인 등이 포함되어 있다.

정책에 소외되어 있는 사람들에게 박원순 후보가 당선되면 소외된 부분까지도 충분히 바라봐 주실 수 있다고 설득했다. 특히 정책간담회를 통해 많은 성과를 이뤘다.

여성계에서도 기득권, 비기득권 세력이 존재한다. 연대는 비기득권 세력하고 더 친한 팀이다. 한 명 한 명이 소중하다고 생각했다. 정책이 한쪽으로 편중되어서는 안 된다고 생각했다. 예를 들면 어린이집은 국공립 어린이집, 서울형 어린이집, 민간·가정 어린이집으로 나뉜다. 또 민간·가정 어린이집은 서울형과 비서울형으로 나뉜다. 각각 처우가 다르다. 결국 그 차이는 고스란히 어린이들에게 돌아간다. 아이들이 다른 대우를 받기 때문에 지원에 대한 격차를 줄여야 한다고 접근했다.

김실장은 박시장이 섬세한 남자여서 세심한 데까지 배려해준다고 했다. 공식적인 만남 이후 박시장으로부터 직접 전화도 받았다. "저 박원순입니다, 의원님 잘 계시죠?"

이런 사람인데 정말 안 모실 수가 없다. 많이 놀랐다고도 했다. 캠프 관계자를 인터뷰 하다 보면 박원순 시장은 사람을 잘 챙기는 사람이라는 말을 자주 듣는다. 김실장 어머니가 선거기간 돌아가셨을 때도 유세 일정상 거의 불가능한데도, 장례식장을 찾았다. 당시 삼오제가 있던 6월 6일, 서울미협의 박원순 후보 지지선언 때문에 그녀는 출근했다.

팀원이 여섯 명뿐이라 똘똘 뭉쳐서 생활하는 얘기며, 자원봉사자 예은씨가 곧 결혼하는 얘기며, 캠프에 참여하지 않은 지인과 함께 3층 전체를 빌려 40여 명 가량이 회를 먹었던 일 등은 생략하기로 한다. 김실장이 덧붙이고 싶은 말 하나.

"독자분들, 만일 다음에도 기회가 온다면, 원순씨 캠프에 합류하세요! 합류하게 되면 행복한 일이 빵빵 터져요. 이곳은 동지애가 생기는 곳으로 한 번 가족이 되면 평생 갈 수 있습니다."

지금 있는 곳에서 목숨을 바친다

강병욱 편
TV토론본부 토론실

강병욱(46살) TV토론실장은 국회의 천정배 의원실에서 8년 근무했고, 이후 CJ 그룹으로 옮겨 7년 차에 부장으로 퇴직했다. 그가 가장 잘 할 수 있는 일이 무엇일까 생각해보니 역시 정치였다고 한다. 김원이 조직본부장이 국회의원실에서 같이 일한 경험이 있어, 추천으로 캠프에 입성했다.

이기는 토론 말고 이미지 만드는 토론에 주력

TV토론본부는 캠프에서 TV토론과 관련된 모든 일을 하는 팀이다. 토론팀은 이번 선거에 후보의 이기는 토론을 목표로 하지 않았다. 토론은 전략이 필요하고, 이번 방송을 통해서 무엇을 이루겠다는 목표설정이 반드시 필요하다. TV토론팀은 단독으로 활동하지 않는다. 정책팀, 메시지팀 그리고 공보팀의 서포트가 필수적이다. 기자들의 요구사항도 맞춰야하기 때문에 일종의 TF팀이다.

캠페인의 기조, 후보의 포지션 그리고 캠프 전체의 요구를 받아서 토론 전략을 짠다. 해당 TV토론 룰에 맞춰서 큐시트와 시나리오를 작성한다. 시나리오는 각각의 이슈들에 대한 팩트 체크와 시청자에게 전달할 메시지로 구성한다.

사전 리허설도 필요하다. 경선 때는 리허설을 안 했지만 본선에는 두 번 정도 했다. 안국캠프 5층에 가설 스튜디오를 만들어서 진행했다. 사회는 SBS 출신의 종군기자로 유명한 이민주 홍보본부장이, 안철수 후보 역에는 김동현 공보실장이, 김문수 후보 역에는 이지백 전략실장이, 김종민 후보 역에는 박도은 부대변인이 각각 맡았다.

강병욱 실장이 직접 TV토론팀을 꾸렸다. 팀은 캠프 생활이 처음인 7명으로 구성되었다. 김성수 국회의원을 본부장으로, 홍택일(부동산 전문가), 유희경 작가(현직 방송작가), 이상규(서울대 대학원생), 조상호 변호사(대학토론대회 입상자), 주준영(메시지팀 비서관), 김승범 비서관(의원실 파견) 등이 함께 했다.

강병욱 실장은 3월 중순부터 시작했다. 팀은 4월부터 꾸려졌다. 개인적으로는 경선이 힘들었다. 박시장과의 만남도 처음이어서 호흡을 맞춰야 했고, 백데이터 모으는 데도 시간이 많이 걸렸다. 본선은 특히 중압감이 심했다. 글쓴이로서는 그래도 그를 아는 많은 사람들이 그를 칭찬한다는 소식을 전해주지 못해 아쉬웠다.

실수 안 한 것이 성공

굳이 후보의 당선에 기여한 점을 물었더니, 후보께서 TV토론에서 실수를 안 한 것이라고 했다. "사고를 안 치게 도운 것이 팀의 기여다. 물론 회자될 수 있는 명장면을 만드는 것도 중요하지만 그것은 인위적 연출로는 만들어질 수 없다.

"이 도시의 주인은 누구입니까? 서울시민 여러분입니다." 이 부분도

멋지지 않았나."

그는 이번토론을 200% 만족한다고 했다. 토론은 이기고 지는 것이 중요한 것이 아니다. 이미지를 만드는 것이 TV토론이다. 완성도 높은 토론을 만들기 위해 후보도 많은 노력을 했다. "후보께서 팀을 믿어주셨고, 토론전략을 잘 숙지하고 구현해 주셨다. 토론을 통해 이기고 싶은 욕망도 있으셨겠지만, 꾹 참고 승패에 연연하지 않으셨다."

강실장은 박시장의 어떤 부분이 특별히 좋다 나쁘다고 할 수는 없겠지만, 두 달 남짓인데, 장점을 많이 봤다고 하면서, 의견이 갈릴 때에도 본인이 납득하지 못하는 사안에 대해서도 누구보다 스태프의 의견을 존중해주는 후보였다고 했다. 이런 것이 굉장한 플레이어임을 보여주는 것이 아니냐고 했다.

또 "아주 작은 정치는 주변 사람들에게 밥 잘 사주고, 용돈을 잘 챙겨주는 일이다. 서울시장은 서울 시민을 아끼고, 시민들의 처지를 대변하고 챙겨주는 사람이다. 대통령은 우리 국민들을 그렇게 대하는 사람이다. 이런 측면에서 정치를 바라본다면 박원순 시장의 장점을 알아볼 것이다. 이보다 더 좋은 정치인은 없지 않을까."라고 말한다.

그는 일부에서 우려하는 박원순 시장의 시민운동가 이미지에 대해서는, 왜 시민운동가 이미지를 없애야 한다고 보느냐며, 사람들이 착각하고 있다고 했다. 이재명을 봐라. 성남시장 하나로 거기까지 갔다. '실력은 쌓인다'라는 캠프의 문구처럼 자기의 역사를 스스로 없앨 필요는 없다. 국민들이 평가할 것이라고 했다.

박원순은 '샤이'한 사람

강병욱 실장이 바라보는 인간 박원순은 어떤 사람일까. 박시장은 한마디로 '샤이한 사람'이라고 정의를 내렸다. 아주 가까운 사람이 아니면 싫은 소리를 잘 못하고 호기심이 많은 사람이다. 살아온 역사에 대해 부끄럽지 않은, 인생에 프라이드가 있는 사람이다.

강실장도 그렇게 살고 싶은데, 인생에 후회가 남는 점이 많다고 했다. 상대방이 네거티브 선거를 해도 사실 크게 대응할 게 없다고 했다. 그리고 물론 추천해준 김원이 본부장에 대한 신뢰가 있겠지만 처음 본 그에게도 매우 잘 대해주셨다고 했다.

강실장의 TV토론팀에는 갖가지 이야깃거리가 있다. 첫 번째 본선 토론을 앞두고, 김성수 본부장의 모친상이 있었다. 3일상의 장례를 치루고, 삼오제 4일째 되던 날에 김본부장과 후보가 가라고 해도 후보 리딩에 두 시간을 다 하고 갔다.

또 TV토론팀은 스스로를 외인부대라 불렀다. TV 토론 경험이 없는 사람들이 모였다는 것은 앞에서도 언급했다. 그럼에도 불구하고 최선을 다해준 팀원들이다. 나중에는 후보가 자신감이 생겨 몇 번 더 하자고도 했다. TV토론 마지막 날인 6월 7일, 강실장이 시장 공관에서 진돗개 '대박이' 똥을 밟았다.

역사에 만약은 없어

박원순 시장의 큰 그림을 위해 3선 출마하지 말고, 전국을 돌아다니면서 유세를 해야 한다는 주장도 일부 있었다. 강실장은 말한다.

"역사에 만약은 없다. 3선 서울시장은 후회할 필요성이 전혀 없는 결정이다. 점점 정치인 박원순에 가까워지고 있다. 우리나라는 정치를 상위에, 행정을 하위에 두는 시선이 있다. 그건 편견이다. 전환시대 최고의 행정가는 고건 시장이다. 문제를 일으키지 않는 사람, 신문에 나오지 않는 사람이 최고의 행정가이던 시절이 있었다. 하지만 박시장은 고전적인 예능에서의 행정가가 아니다. 행정가라고 평가절하하는 것은 외부의 규정일 뿐이다. 정치인으로서 아이덴티티를 가지고 있고, 정치인으로서 새롭게 탈피하고 있다. 정치인 박원순으로 완성형에 근접해 있다. 몇 년 전 대선 드롭하신 건 잘 하신 결정이다. 완벽히 준비가 되어 있을 때 대선에 나가는 게 맞다."

강병욱 실장의 어록 하나 더, 현존임명(現存任命)이다.

"일촉즉발에 현존임명하라(一觸卽發 現存任命) 이렇게 쓰죠? 내가 좋아하는 말이다. 내가 지금 있는 곳에서 나의 목숨을 바친다. 무엇인가 열심히 하다보면 반드시 그 다음 길이 열린다. 말로만 일하는 것이 아니라 120%를 다해 노력하다 보면 인생의 다음 장은 알아서 열린다. 최선을 다하면 그뿐이다. 시장님도 비슷한 생각을 가지신 것 같다."

함께여서 행복했던 100일간의 스케치

이선화 체험수기
홍보SNS본부

"누가 누가 밤샘 많이 했나? 별들에게 물어봐~"

"홍보SNS본부에서 일하는 그대, 다른 건 필요 없습니다. 밤샘을 밥 먹듯이 할 수 있는 강인한 체력과 센스 한 순갈, 그리고 기발한 아이디어만 있으면 됩니다."

각계각층 전천후 능력자들이 박원순 캠프의 홍보SNS본부에 다들 모였다.

4월 경선준비부터 6월13일 본선까지. 수많은 날들을 콘텐츠 기획과 촬영, 제작, 바이럴로 시간을 보냈다. 캠프에서 탈출하지 못해 갇혀서 밤샘한 날도 셀 수 없이 많았다.

석 달 넘게 박원순 시장 후보의 일거수일투족을 따라다니며 백여 편이 넘는 영상과 사진을 찍은 영상피디님들. 최기석 님, 김종호 님, 남보미 님, 김남익 님, 박소영 님, 서승현 님 그리고 사진작가 이준희까지! 언제나 충혈된 토끼눈을 하고 온몸에 무거운 영상장비를 주렁주렁 달고 있었던 모습이 떠오른다.

박 시장 영상메시지 20편, 유세영상 50편 제작

6년 동안 서울시장의 시정업적을 담아내는 것을 시작으로 6.13 지방선거에 참여하는 전국 각지 더불어민주당 후보들 개소식에 참여했다. 박원순 시장 영상메시지 20여 편을 만들었고, 50여 편 이상의 유세영상을 제작했다.

특히 광화문 플래시 몹 동영상은 2만5천 회, 문익환 목사 탄생 100주년 기념행사는 북미정상회담을 앞두고 대륙철도 연결의 염원이 반영된 듯 2만2천 회 이상의 높은 조회수를 보였다. 박원순 후보가 걸어온 6년간의 길을 때론 담담하게 때론 강렬하게 세련된 영상으로 담아내며 높은 조회수를 이끌었다.

홍보 SNS본부는 서울 25개 자치구를 뒤덮을 현수막과 피켓, 벽보, 유세차 현수막까지 서울을 파랗게 물들였다. 이를 시작으로 박원순 후보의 정책이 잘 드러나는 공보물, 선거 공약서, 정책발표회, 시민면접관과 함께 하는 플랫폼 기획, 1-나번 의원 구하기 캠페인, 콘텐츠 완성까지 크고 굵직한 일들을 했다.

거기에 시각장애인들을 위해 알기 쉬운 라디오공약 11편을 만들어 다양한 공약정보 제공에도 힘썼고, 수어영상까지 덧붙여 배려의 아이콘인 박원순 후보를 알려 높은 관심도를 이끌어내며 5~6천 회의 조회수를 이끌어 냈다.

경선에서 본선까지 일정 및 투표방법, 사전투표독려, 투표독려, 특별한 날 박원순 후보의 단독 메시지를 영상, 사진, 웹카드 등의 다양한 방법으로 수백 편이 넘는 게시물을 만들어 그날의 감동을 담아냈다.

박원순 캠프 홍보SNS본부의 야심찬 기획물이었던 온라인 플랫폼 '박원순 취업 사무소, 박취사'는 선거기간 동안 총 방문자수 10만 명 가량을 모았다. 플랫폼의 주요 캠페인이었던 '시민면접관'은 시민들의 호기심과 호응도를 높였다. 6월 1일 게시된 '김부장은 못 뽑아도 시장은 내가 뽑는다' 동영상은 1만4천 회, '면접전문가 취준생 여러분을 모십니다'는 2만6천 회, '사람 볼 줄 아는 사람, 시장 뽑고 싶은 사람 모여라'도 1만 4천 회 이상의 조회수를 기록했다. 젊은 층들의 적극적인 참여를 이끌어 낸 흥미로운 홍보전이었다.

매일 출근하면 머리에서부터 발끝까지 콘텐츠 생산과 할 일로 가득 찼다. 이일 하고 나면 저 일이, 저 일 하고 나면 또 다른 일이 언제나 소복소복 쌓이고 또 쌓여 있었다.

함께 한 100일간의 시간은 누구보다 치열했다

박용진 본부장님, 박무 본부장님, 이민주 본부장님 3명의 공동본부장님들과 김성욱 실장을 중심으로 기획에서 제작까지, 전체 홍보팀원들이 석 달간 미친 듯이 일하고 쓰러졌다 다시 일어나기를 무한 반복했다.

과로로 입원까지 한 플랫폼 기획 이훈경 님, 장염 걸려 울면서 모든 콘텐츠 원고 쓴 나와 예쁜 김계옥 작가님, 현수막에서 콘텐츠까지 모든 걸 만든 매직 금손들 디자이너 이현정 님, 이정인 님, 정책발표회를 멋지게 기획하신 김종필 님, 시민면접관으로 밤샘 많이 한 박경원 님, 데이터분석의 신은재 님, 김상우 님, 예쁜 웹툰과 캐릭터 만들어주신 김동석 님, 배민경 님

홍보SNS본부가 잘 돌아가게 뒤에서 세세하게 챙겨주신 서호성 총무님, 일정관리를 맡은 신진욱님을 포함해 홍보SNS본부의 온라인 커뮤

니티 분야 홍보를 맡아 불철주야 노력한 김대호 님, 송기호 님, 홍용기 님, 최재현 님, 고지훈 님까지 전부 다들 너무너무 고생 많이 하셨다.

함께 한 100일간의 시간들은 누구보다 치열했고 함께여서 우리는 행복했다.

선거는 여론이 아니라, 조직에 의해 움직인다

문치웅 편

조직총괄본부

박원순 서울시장 2018 선거 조직의 핵심은 문치웅(48세) 조직총괄본부 실장이다. 문실장은 3월까지 서울시청에서 대외협력 보좌관을 지냈다. 2011년부터 지방선거 세 번을 모두 박시장과 함께 했다.

2010년, 문실장이 마포구의원에 출마했을 당시 박원순 변호사가 그의 지지유세를 했다. 그래서 2011년 박시장의 첫 선거엔 품앗이로 참여했다. 그 전부터 시민단체의 일인 마을공동체 관계로 서로 연결되어 있었다.

박시장의 선거를 위해서 문실장은 서울시에서 3월 21일 퇴직했다. 경선 준비는 서울 49개 국회의원 지역구의 우호적인 당원들과 함께 시작했다. 더불어민주당 내 경선준비는 여론조사 준비도 필요하고, 여러 시민단체와 연결도 해야 했다.

우선 우호적인 당원들을 모았다. 연초만 해도 당내에서는 당세가 약하다는 우려가 있었다. 지역위원회, 국회의원, 활동가를 확보하는 것이 가장 첫 번째 과제였다. 박시장과 관계를 맺고 있는 노동단체 등 시민단체의 포스트를 묶었다.

선거 판세 등 정확히 예측해

경선 당시 캠프 회의를 하면서 65~70%를 득표하겠다고 예상했는데, 캠프 동료들이 그를 믿어주지 않는 눈치였다. 심지어 박원순 후보도 가능할까요? 라고 했는데, 모든 사람들의 우려를 불식시키고 그들을 비웃기라도 하듯 경선 결과 66.26%로 압승했다.

문실장은 지지해주신 그분들의 역할이 컸다며 공을 박시장의 지지자들에게 돌렸다(이 책을 읽은 독자라면 캠프의 핵심 관계자들이 당내경선 결과를 어떻게 예상했는지 이미 알고 있으리라).

6월 8~9일에 실시된 사전 투표에서도 그는 일주일 전 캠프회의에서 20%를 겨우 넘길 것이라고 예상했다. 전국 20.1%에 서울 19.1%의 결과가 나왔다. 거의 적중했다.

비결을 물었더니 그는 사전 선거는 당원들과 노동조합이 있어서 가능했다고 이번에도 공을 다른 사람들에게 돌렸다.

그리고 예전에는 많은 사람들의 자발적인 움직임으로 선거가 이루어진다고 생각했는데 이번 사전투표는 조직을 불리는 것에 대해 집중했다고 했다. 특별위원회 190개(2만 명 이상)와 특보단(1만 5천 명 이상)을 조직한 후 당원과 시민단체에 집중해서 홍보하면 사전투표율 20%를 만든다는 결론이 나온다고 생각해 구태스러운(?) 선거를 하기로 마음먹었다.

문치웅 실장은 2014년 지방선거의 박원순 캠프를 꿀벌캠프라 지칭했다. 캠프형태를 꿀벌의 집을 연상하면 쉽게 이해된다. 당시 당 쪽의 임종석, 시민단체 쪽의 하승창을 중심으로 캠프를 구성했다. 아시다시피 현재 임종석은 대통령비서실장, 하승창은 대통령 비서실 사회혁신

수석이다.

팀장급은 실무진 중심이었고, 현역 국회의원도 참여를 하지 않았으며 자원봉사자 위주였다. 그때의 꿀벌들이 지금은 단장이 되어 캠프를 꾸렸다고 진단했다.

그로서는 이번에 다양한 분야에서 캠프에 참여해 앞으로 지속적 관리의 문제, 소통의 문제가 고민스럽다며 조직가다운 미래 걱정을 미리 하고 있었다. 메머드 급 구성으로 계속해서 민원이 발생해서인지 피드백이 안돼서 아쉬움, 부담감과 미안함 등 소화할 수 없을 만큼 진행되고 있는 것은 아닌가 하는 생각이 든다고도 했다.

본 투표보다 사전투표가 큰 걱정

선거기간 내내 문실장의 가장 큰 걱정은 사전투표였다. 국민들의 집중적인 관심 속에서 진행되는 선거가 아니라 남북 및 북미 평화회담 정세 속에서 진행돼 국민들이 역사상 처음 경험하는 정치환경이라 어디로 튈지 아무도 예상할 수 없기 때문이다. 2018 지방선거는 야당에 대한 실망감에서 진행됐고, 판세가 고정된 상황에서 투표가 진행되기 때문에 6월 12일 싱가포르 북미회담이 나름대로 걱정도 됐었다. 그리고 과거 지방선거는 투표율도 낮았다. 2014년 사전투표율은 11.5%(서울 10%)였다.

그에게 박시장과의 관계를 물었다. "박원순 시장은 가치 동업자다. 시장이 꿈꾸는 세상과 가치관에 공감한다. 시장이 99.9% 나는 0.1% 그 정도의 지분으로 우리는 동업자다."

그에게 박원순 시장은 괜찮은 사람이다. 언론에 노출된 모습은 많이 왜곡되어 있다. 직접 대면한 사람들은 금새 마음이 바뀐다. 깐깐한 시민운동가, 진보적인 사람이라는 평가가 있지만 큰 그림 그리시는 분, 실용적이고 허술한 매력도 있는 사람이다. 그는 박시장과 더 많은 사람들이 소통하기 위한 장이 있었으면 좋겠다고 생각한다. 박원순 시장은 시민들이 지속가능한 삶을 살기 위한 고민으로 늘 사색한다고 했다.

문치웅 어록 하나

"많은 선거는 여론이 아니라, 조직에 의해 표가 움직인다. 핵심적인 그룹을 유기적으로 연결해서 좋은 에너지를 발산시켜야 한다. 소통될 수 있는 그룹에게 미션을 줘야 하고 책임감이 필요하다. 승리의 여신은 아무에게나 미소짓지 않는다. 반드시 준비된 자에게 찾아온다."

박원순 후보는 건물보다 사람에 투자

강정욱 편
조직총괄 더불어본부 조직상황팀

더불어본부 조직상황팀 소속 강정욱. 그는 현재 이훈 의원실의 비서로 이번 선거를 맞아 박원순 후보캠프에 파견을 나왔다. 서울 금천구가 지역구인 이훈 의원에게 박원순 후보는 서울시장 재임 시절부터 이미 중요한 사람일 수밖에 없었다. 서울시와 협력해 처리해야 할 지역사안이 한두 개가 아닌 만큼, 박원순 후보의 3선 연임은 그로서도 반드시 성공시켜야 할 일이었다.

이훈 의원실에서 후보캠프로 들어와

이훈 의원실을 대표해 유일하게 후보캠프로 들어온 그는 박원순 후보의 당선과 의원실에 누가 되지 않도록 맡은 바 최선을 다하기 위해 부단히 노력했다. 그는 정작 후보와 대면하거나 접촉할 기회는 거의 없어서 아쉬웠지만, 금천구에도 작으나마 조력한 그가 있었다는 점을 알아주면 한다고 했다.

더불어본부는 한 마디로 박원순 캠프의 멀티플레이어로 원활한 선거운동을 위한 조직관리는 물론 캠프 내 다른 팀의 역할수행에도 주요한 협력 대상이다. 그는 이 중 서울 49개 각 지역위원회의 유세차와 선

거운동원단의 운영에 대한 일일 체크리스트 파일을 취합하고, 특이사항에 대해서 조치하는 업무를 맡았다. 그리고 그는 더불어본부를 대표해 캠페인 기획단에도 참여했다. 회의 참석부터 캠페인 활동에 직접적인 참여까지 매우 바쁜 일과를 보냈다.

그는 더불어본부가 이번 지방선거 서울지역의 사전투표율 19.1% 달성에 크게 기여했다고 했다. 더불어본부는 20만 명의 사전투표 참여라는 목표를 설정해 당원과 시민단체 등을 통한 사전투표 참여를 적극 독려했다. 그 과정에서 온라인에서 유통할 수 있는 자료를 전달하고, 오프라인에서는 사전투표를 독려하는 각종 캠페인 활동에 참여해 사전투표 홍보에 기여한 것이다.

그는 개인적으로 지지선언에도 큰 역할을 했다. 지지선언의 경우 장소가 캠프일 때도 있지만, 국회 정론관을 빌려서 진행할 때도 많았다. 그는 이 중 4개 단체의 정론관 지지선언식을 위해 사전준비를 전담했다. 장소 섭외와 지지단체 담당자 연락 그리고 이훈 의원의 인사말 작성까지 전 과정에 참여했다.

그는 지난 7년간 서울시장으로서 박원순 후보는 건물보다 인물에 투자하고, 토지보다 복지에 투자하는 인간적인 시장이라고 했다. 어쭙잖은 개발논리와 자본논리에 현혹돼 공동체 사회의 가치를 후퇴시키던 과거 시정의 과오를 털어내고, 진정 사람이 사는 '서울 10년 혁명의 과업'을 완성시킬 수 있는 박원순 후보가 가장 좋은 시장감이라고 확신한다고 했다.

그는 항상 전동킥보드를 타고 출근했다. 그가 사는 금천구에서 안국동까지 약 20km를 달려서 왔다. 킥보드를 타며 오고가는 그를 보고, 노동본부의 이지환 씨는 보드의 이름을 짓자고 했다. 그는 처음에 메가바이크, 줄여서 MB라고 명명하려다 MB가 주는 어감 때문에 개념을 키워 TB(테라바이크)라고 지었다. 그는 팀원들의 재미나는 이야기도 들려주었다.

더불어본부 팀원들이 생각하는 박원순은?

도민호 팀장 : 꼭 당선시켜야 할 서울지킴이, 지속가능한 서울시 발전을 위해 꼭 필요한 이웃 아저씨, 더불어민주당에 반드시 필요한 소중한 인적자원이자 지도자 중 1인.

"서울시 도시재생사업의 일환인 빈집살리기 프로젝트에 많은 예산 지원 부탁드립니다. 일본, 독일 등 선진제도를 기반으로 서울시만의 특성을 잘 살려주셨으면 합니다. 우리의 서울지킴이 시장님 언제나 응원합니다. 저 결혼할 때 붓글씨 멋지게 부탁드립니다. 아시겠죠?"

정수빈 간사 : 나의 우울함 브레이커. "바쁜 업무와 스트레스로 우울

해질 때면, 페이스북의 '원순투순쓰리순' 페이지를 즐겨보는데, 후보를 소재로 한 재미있는 콘텐츠들을 보다보면 어느새 우울함은 물에 씻듯 날아갑니다. 지친 저에게 웃음을 주시는 박후보가 3선에 성공하셔서 서울시민들을 또 웃을 수 있게 해주시면 좋겠습니다."

강정욱 간사 : 정치계의 하정우! 믿고 보니까. "영화의 내용과 소재가 무엇이든 관계없이 출연만으로도 믿고 보는 배우들이 있습니다. 박원순 후보님은 서울시정에 있어 그런 분이라고 생각합니다. 박원순 후보님을 믿고 봅니다."

물론 박원순과 나란히

이정훈 편
조직총괄 직능1본부

이정훈 간사는 지난 5년 동안 청년활동을 해왔다. 청년허브에서 청정넷(서울청년정책 네트워크)과 함께 청년문제를 해결하기 위해 활동했다.

그 시간 동안 소중한 동료들을 만났다. 그들과 함께 서울시 청년정책을 만들었다. 서울시청년거버넌스, 청년기본조례, 청년수당, 뉴딜 일자리, 청년공간(무중력지대) 등 새로운 변화를 이뤄냈다.

행동하는 사람이 멋져

이 변화의 중심에는 청년의 주도적 참여가 자리하고 있었다. 청년시민이 시혜의 대상에서 권리의 주체가 되어가는 과정, 그는 동료들과 함께 그 결실을 만들었다. 기쁜 나날들이었지만 또 많은 시련을 겪기도 했다. 그 과정을 견디고 실체 있는 변화를 만들어낼 수 있었던 것은 동료들이 있었기에 가능했다. 지난 6년 동안 박원순 시장이 청년이 주체로 등장할 수 있는 공간(판)을 열어주었기에 가능한 일이었다고 생각했다.

그의 주변에는 서울시 (청년)정책을 화제 삼아 말하는 사람들이 많다. 그러나 직접 그 중심에서 문제를 해결해가기 위해 사람들을 만나고, 정책을 생산하는 사람은 드물었다. 그는 말만 하는 사람이 되고 싶진 않았다. 스스로에게 부끄럽지 않도록, 함께 한 동료들에게 미안하지 않도록 용기 있게 몸을 움직이는 삶을 살고 싶었다.

청년으로서 함께한 정치, 무척 어려워

그는 지난 연말, 2018 지방선거를 함께 해야겠다고 결심했다. 경복궁의 한 술집에서 유창복 씨(짱가님)을 만났을 때 그가 이렇게 얘기했다.

"우리는 그동안 박원순에게 너무 기대왔다. 제2의 박원순, 제3의 박원순이 등장해야 한다. 시장님께 요구만 할 게 아니라 스스로 정치적 주체로 등장해서 플레이어가 되는 것. 그게 시장님을 돕는 일이고, 우리 사회의 뿌리를 건강하게 하는 일이다. 함께하자."

1월부터 5월까지 경험해온 마포에서의 선거는, 마포구청장 선거의 흐름은, 거기에서 만난 지역 정치의 현실은, 정치 지형도는, 역학 관계는, 컷오프는, 재심은, 당의 최고위 회의는 속된 말로 장난이 아닌 새로운 세계였고, 정치가 무엇인지 조금은 알 수 있었지만 너무 어려웠다. 마포의 도전은 실패했지만, 그때의 경험은 함께했던 사람들의 내적 힘으로 남아 앞으로 한 단계 도약하는 에너지가 될 것이라 믿기로 했다.

직능본부는 박원순 시장의 모티브

마포 선거를 마무리하고 5월부터 안국동 박원순 캠프에 합류했다. 그는 조직총괄본부의 직능1본부로 배치되었다. 직능1본부 총괄 원창수 비서관(원비님)과 함께 직능본부 캠프 생활이 시작되었다.

'원비님'은 말보다는 행동으로 묵묵히 실체를 만들어나가는 사람이다. 무엇이 후보를 위한 일인지 체득하고 본능적으로 움직였다. 길지 않은 캠프 생활 동안 그를 보고 많이 배웠다.

직능1본부에서 했던 무수한 조직사업 이야기들을 풀어내고 싶지만 그것은 비밀로 간직해야 한다. 아시다시피 선거의 핵심은 조직이고, 그 수많은 직능조직들의 마음을 얻고 움직이게 만들었다는 말밖에는. 글로는 표현할 수 없는 질감의 이야기들이 있다. 그는 백서 밖 이야기들은 백서 밖에서 이야기하겠다고 했다. 직능1본부에서 해온 일들은 박원순 시장에게 앞으로 펼쳐질 멋진 시정의 모티브가 될 것이다.

"이제 곧 캠프는 해산하지만, 이게 끝이 아닐 거라 생각합니다. 지금 여기 함께하고 있는 사람들을 다시 만나게 될 거란 깊은 예감이 듭니다. 다양한 곳에서 실력을 쌓아 더욱 단단해져 있겠지요. 그때까지 모두들 건강하세요. 우리의 박원순 시장님도 물론."

청년 김창대의 '박원순과 나란히!'

김창대 편
조직총괄 조직혁신본부

김창대 씨는 사회복무요원 소집해제 후 5일 만에 아버지의 지인을 통해 캠프에 참여하게 되었다. 24개월의 군복무를 마치고, 쉬고 싶고 놀고 싶은 마음이 컸지만 평소에 정치에 관심이 있어 선거철마다 길가에 걸려 있는 현수막도 유심히 보고 우편으로 발송되는 후보자 공약이나 정보 등도 보던 때가 생각났다. 우연히 좋은 기회를 잡아 캠프에 참여해 여러 사람들을 만나고 많은 경험들을 할 수 있는 일인 것 같아 얼마 남지 않은 선거 기간이지만 참여하게 된 것이다.

제대하자마자 캠프에 합류

26살의 사회 경험도 없는 사회초년생이 선거운동을 돕는다는 것이 걱정 반, 기대 반이었단다. 많은 것을 얻고자 열심히 도와드려야겠다는 다짐뿐이었다.

창대씨는 혁신본부에서 일하게 되었는데 미리 와 있던 팀장과 선배들이 막내라고 잘 챙겨주셨단다. 많은 경험을 해보라며 국회 정론관 기자회견에도 데려가 주고 선거유세도 쫓아가보고 해서 많은 것을 보고 느끼는 시간이었다. 짧은 기간이지만 캠프의 일원이라 성평등 교육도

받고 명함도 나와 뜻깊고, 기분이 좋았다고 한다.

캠프에 상근하면서 유세현장을 쫓아다니다 보니 박시장을 직접 볼 기회가 많았다. TV에서만 보던 분을 직접 눈으로 보고 들을 수 있어서 영광이었고, 시장후보님께 다가가 사진을 찍어달라고 요청했을 때도 흔쾌히 허락해주셔서 감동이었다고.

시장이라는 자리가 매우 중요한 자리이기도 하지만 한 사람을 위해 이렇게 많은 사람이 자신의 일상을 포기하고 돕는다는 것에 창대씨는 애국심과 경이로움을 느꼈다. 선거기간 동안 서울시장 박원순 후보의 당선을 위해 발로 뛰었던 선배들과 함께 할 수 있어 영광이었다는 창대씨에게 캠프인의 삶은 좋은 추억으로 간직하게 될 것이다.

시대와 나란히
후보와 나란히

김주언 편
언론특별위원회

보도지침, 한국기자협회장 등 살아있는 한국 언론사로 통하는 김주언 언론특별위원회 위원장을 중심으로 28명의 언론특별위원회 위원들은 '시대와 나란히, 시민과 나란히' 대열에 동참하며 박원순 시장 후보의 당선을 위해 동참했다.

언론특위 위원들은 전·현직 신문, 방송, 인터넷, 언론학자들로 구성됐다. 캠프에서 주어진 공식 직함은 '언론 특별보좌관'. 김주언 위원장을 중심으로 언론특별위원회 위원들은 24시간 카톡방을 운영하며 실시간 의견을 교환했고 '신문방송 보도분석', '방송토론 분석', '서울시민 민심동향 요약' 보고서를 생산했다.

전·현직 언론인들로 구성된 탓에 시각과 인식, 주장이 다양할 수밖에 없었다. 그래서 수없이 토론하고 공통분모를 찾아내면서 가능한 즐겁고 의미 있게, 최종 분석요약해서 담당 위원은 위원장에게 보내고 위원장이 오케이 사인을 내면 카톡방을 거쳐 선거대책위원회와 후보에게 전달됐다.

보고서를 생산하는 이유와 목적은 단 하나. 민심은 천심이고 그 천심의 지렛대가 바로 미디어이기 때문이다. 미디어는 시대의 창이다. 민

심은 시나브로 변한다. 그래서 수시로 언론의 동향을 살피고 미디어 속에 비친 후보의 이미지, 미디어의 창에 비친 민심의 꿈틀거림을 잡아내는 역할이 중요하다.

짧은 선거 기간 동안 박 캠프 내에서 많은 분들이 위원회를 격려해주었다. 바쁜 와중에도 박 후보는 식사를 함께 하면서 위원회를 직접 챙겨주고 격려하며 보고서에 대한 피드백을 바로 전달해주었다. 언론특위 위원들이 이런 데서 힘을 얻고 보람을 찾고 다시 위원들끼리 격려하며 선거 막판까지 공동체 문화로 운영해올 수 있는 이유가 되었다.

특위 위원들은 사전선거 투표일부터 주변에 이를 권유하는 운동도 전개했다. 그리고 간담회를 통해 당선 이후에도 박 시장의 장기적인 항해를 위해 항로의 길라잡이, 즉 여론의 흐름을 좇고 여론을 주도하는 타이밍의 중요성을 인식하면서 이런 분석 작업을 지속적으로 전개해 나가기로 했다. 그래서 서울시장 선거가 끝이 아니라, 새로운 서울시, 대한민국의 길을 개척하는 출발선에 있다는 점을 모두가 공감했다. 나이스 언론특위, 브라보 박원순!!!

박원순의 섬세함은 서울 시민을 움직이는 원동력

김정순 편
언론특별위원회

김정순 씨는 신구대 미디어콘텐츠과 20년차 겸임교수로 발달장애 인식 개선을 돕는 시민단체 휴먼에이드의 미디어센터장이다. 중견 칼럼니스트인 그녀는 발달장애인 인식개선 관련 내용을 칼럼 주제로 다루기도 한다. 이런 그녀가 박원순 시장과 인연을 맺게 된 것은 옛 직장 상사인 언론특별위원회 김주언 위원장의 권유도 있었지만 박원순 시장의 사회적 약자에 대한 남다른 철학이 더 크게 작용했다.

어떤 공격과 역경에도 흔들리지 않을 '큰 사람'

발달장애인이 알아듣고 이해하면 세상 모두가 알 수 있다는 정신으로 '쉬운 말 뉴스 만들기 운동'에 주력하고 있는데 박 시장의 '쉬운 말 공약집'을 보고 망설일 필요 없이 언론특별위원회 언론특보로 적극적으로 동참했다.

언론특별위원회는 전 현직 언론인과 교수 등 언론 유관 분야의 전문가 28명으로 구성되었다. 주로 당시 후보의 TV 토론 분석, 후보와 관련된 언론의 보도동향 분석, 민심동향 분석 등 보고서를 만드는 일을 했다. 언론특위에서 만들어진 보고서는 본부의 언론 대응 자료로 구축되어 해당 분야에 반영했다.

대학에서 스피치를 가르치며 토론분석 경험이 많은 그녀는 토론방송 효과와 그 위력을 너무나 잘 알고 있다. 이 때문인지 박 시장의 TV 토론을 앞두고 걱정이 많았다. 그런데 박시장은 야당의 집중공격에도 여유를 잃지 않아 토론의 품격을 한층 높여 주었다. 당시 김문수 후보가 "박후보의 공약이 꿈같다."고 공격하자 박후보는 "네, 저는 꿈을 이루는 후보 맞습니다."라며 상대방의 공격을 칭찬으로 바꿔 긍정적인 답변을 보냈다. 상대의 공격 포인트를 찬스로 활용해 상황을 반전시키는 것을 보고 너무 잘 해주었다고 했다. 박시장의 방대한 독서량이 토론 실력의 기반이 된 것 같다며 스피치 전문가다운 분석까지 해주었다.

캠프 내에 별도의 전문적인 TV토론팀이 있지만 전직 아나운서 김희정 특보와 함께 열띤 논쟁을 벌이며 토론 분석에 많은 품과 공을 들였다. 특히 2차 TV토론을 본 뒤에 여유 있고 넉넉한 자세로 큰 이미지를 만들어야 한다는 취지의 보고서를 만들어 본부에 전달했다. 실제로 마지막 TV토론에서 박시장의 포용력 있고 안정적인 토론을 보면서 그간의 피로가 다 녹을 정도로 보람이 컸다. 어떤 공격과 역경에도 흔들리지 않을 '큰 사람, 넉넉한 이미지'로 보완을 요청했는데 그것이 제대로 반영된 것이었다.

박시장의 업적을 잘 모르겠다며 투덜대던 어느 특보가 있었다. 박시장과 단 한 번의 미팅으로 망설이던 마음이 오히려 한발 더 가까이 확신으로 바뀐 일이 있었다고 한다. 선거운동의 막바지여서 1분이 아쉬운 금쪽같은 시간에 회합에 모인 28명의 특보들이 쏟아내는 쓴 소리를 끝까지 경청하는 모습에 놀랐다고 한다. 너무나 소탈하고 친근하게 느껴져 '시민과 나란히' 라는 슬로건과 참 어울리는 분이라고 느꼈다는 막내 특보의 말처럼 박후보의 섬세함과 겸손함은 서울 시민을 움직이는 원동력일 것이라고 했다.

장애인 인식개선을 위한 기반구축 절실

하고 싶은 말을 부탁하자, 딱히 할 말이 없다고 하면서도 박시장을 향해 긴 말을 토해냈다. "사회적 약자에 대한 시장님의 따뜻한 마음이 느껴지는 정책으로 많은 부분이 달라지고 있다. 서울시가 복지기관도 많이 늘리고 한눈에 알아볼 수 있도록 한 것도 그중 하나라며 이제는 장애인의 사회적 인식 개선을 위한 기반 구축이 절실하다."고 했다.

장애인이 차별 없이 사는 세상을 만들기 위해서는 사회 구성원의 장애에 대한 인식 전환이 필요하고 이를 위해서는 일상생활 속에서 장애인의 인권보호가 구체적으로 실천될 수 있도록 해야 한다며 더 할 말이 많은 듯 했지만 한마디만 덧붙이겠다고 했다.

"지적장애인 축사 강제노역 사건의 경우, 가해자는 범행을 저지르고도 '딱한 처지에 있는 지적장애인을 거둬준 것'이라고 변명했다 우리 사회의 장애인에 대한 인식 개선이 얼마나 시급한지를 단적으로 보여준 사례인데, 이런 어처구니없는 일이 재발하지 않도록 장애인의 인식 개선을 위한 적극적인 정책이 필요하다."

결기 가득한 그녀의 목소리였다.

언론특보로 활동한 기간은 실제 길지 않았지만 긴 기간처럼 느껴지기도 한다며, 소중하고 보람된 경험으로 영원히 기억될 것 같다고 했다.

가난한 사람들 복지확대의 견인차 역할 기대

서정화 편
조직총괄 복지건강본부

서정화 복지건강본부장은 20여년 간 노숙인복지 분야에서 활동해온 사회복지사다. 2011년 보궐선거로 서울시장에 당선된 이후 가장 먼저 추운 겨울 거리에서 돌아가신 노숙인을 조문한 이래 각별하게 거리의 노숙인들을 챙긴 박원순 후보에 대해 존경과 감사의 마음을 늘 가지고 있다. 그리고 우리 사회 가난한 이들의 삶의 질이 나아지기를 소망하며 캠프에 참여했다.

SNS 통해 지원활동한 사회복지 전문가들

복지건강본부에는 서울시의 다양한 복지관련 직능단체와 건강분야 직능단체 사람들이 활동했다. 복지관련 분야는 장애인 복지, 노인복지, 아동청소년복지, 지역복지(사회복지관, 노숙인 등) 분야에서 활동하는 복지전문가들로 구성되어 서울시민의 복지증진을 위한 다양한 정책간담회, 사회복지정책토론회, 정책협약 활동을 했다. 또한 돌봄 분야 종사자인 요양보호사들의 돌봄 정책 발전을 위한 정책협약과 지지선언을 이끌어냈고 특히 한의사, 약사 등 의료계 종사자들의 지지선언을 끌어냈다.

복지건강본부는 박원순 후보의 당선과 함께 서울시민의 복지와 건강증진을 위한 정책 제안 및 정책 협약을 통해 향후 3기 시장 임기 내에 정책으로 실현될 수 있도록 지지 및 독려하는 활동을 지속적으로 전개할 것이라고 밝혔다.

복지건강본부는 4개 분야의 운영위원장과 25개 지역을 대표하는 복지전문가, 특별보좌관으로 구성되어 활동했으며, 5,132명의 지지선언을 이끌어냈다. 후보 초청 정책토론회와 복지전문가들과의 정책간담회, 정책협약을 통해 지지선언을 조직했고, 사회복지전문가들이 SNS를 통한 정책지지 활동, 사전투표 독려, 유세장 방문으로 박원순 후보가 당선될 수 있도록 지원활동을 했다.

'빈곤 ZERO 서울' 함께 만들길

서본부장은 박시장이 재임한 6년간의 시정에 대한 평가로 '서울형 기초보장제'를 통해 복지 사각지대를 줄이고 서울시 사회복지예산을 늘려주었기에 서울 시민의 복지증진 뿐 아니라 사회복지사의 처우 개선과 서비스의 질이 높아질 수 있었다고 했다. 부동산 개발에 투자하지 않고 복지와 사람에게 투자한 박원순 후보의 정치철학을 지지하지 않을 수 없었단다.

'빈곤 ZERO 서울'을 함께 만들어 가장 가난한 사람들의 복지가 확대되는 대한민국의 견인차 역할을 해주셨으면 더 좋겠다며 정리해 주었다.

'사람이 먼저'인 서울 만드시길

백경진 편
조직총괄 복지건강본부 운영팀

복지건강본부 백경진 운영팀장(사회복지사)이 박원순 시장을 처음 알게 된 것은 2002년 대학에서 사회복지를 공부하면서부터다. 여러 비영리 단체들에 대해 공부하면서 아름다운재단, 아름다운가게, 희망제작소에 대해 조사했고, 그 중심에 있는 박시장을 알게 되었다.

졸업을 하고 사회복지기관에서 사회복지사로 일하던 2011년, 서울시장 보궐선거에서 당시 무소속이었던 박원순 후보를 서울사회복지사협회 차원에서 공식 지지하는 것을 지켜보며 마음속으로 응원을 했다. 그 해 겨울 서울사회복지사협회 송년의 밤에 참석한 박시장과 기념사진도 찍었다. 이번 2018년엔 박시장을 지지하는 5,132명의 사회복지인을 대신해서 복지건강본부의 운영팀장을 맡아 그의 선거를 돕고 있으니 보통 인연은 아니다.

각종 직능단체의 지지선언 이끌어내

그는 복지건강본부 운영팀장으로 서울사회복지단체 연대회의와의 사회복지 정책협약과 박시장의 서울시장 3선 당선을 지지하는 사회복지인의 지지선언을 비롯하여 무예단체, 요양보호사, 안경사, 주택관리사 등 각종 직능단체의 지지선언을 돕는 역할을 맡았다.

그는 본인이 캠프에서 가장 잘 한 일은 유능한 팀원 2명을 직접 모셔온 일이 아닐까 자평한다. 학교사회복지사로, 찾아가는 동주민센터 사회복지사로, 각각 전문성을 갖춘 김성화, 곽혜림 사회복지사가 팀원으로 합류해주어 더욱 탄탄한 팀워크를 자랑할 수 있었다며 감사를 표했다.

그는 선거를 1달 가량 앞두고 캠프에 합류했다. 처음 경험해보는 캠프생활에서 혹시 누가 되지 않을까 잔뜩 긴장하며 첫 주를 보냈는데, 너그럽고 친절하게 반겨준 캠프 관계자들 덕분에 금세 적응해서 맡겨진 일에 열심히 몰두할 수 있었다.

캠프를 통해 그는 참 많은 단체들과 좋은 인연들을 만났다고 했다. 각자의 위치에서 '박원순 후보의 3선'이라는 공동의 목표를 달성하기 위해 서로 도우며 친분을 쌓았고, 선거 후에도 좋은 인연 이어갈 사람들로, 또 당선 후 서울의 변화를 위해 서로의 역할을 고민하고 노력하게 될 것이라 믿는다. 박시장의 당선을 위해 모였던 사람들은 당선 후 서울의 변화를 위해 또 다른 서로의 역할을 고민하고 노력할 것이라 했다.

"6년간 직접 체감했던 사회복지현장의 긍정적 변화, 탄탄한 복지철학을 갖춘 원순씨가 아니었다면 가능했을까요? 앞으로의 4년 역시 고민없이 사회복지사로서의 역할에만 충실할 수 있도록 해주실 거라 믿습니다. 사람을 먼저 생각하는 원순씨의 정책, 그렇게 '사람이 먼저'인 서울에서 사회복지사로서의 역할에 충실하겠습니다. 원순씨의 정책들로 만들어지는, 사람이 먼저인 서울에서 살고 싶습니다." 라며 활짝 웃었다.

함께 한 팀원들에게 진심으로 감사

얼마전 그는 머리를 아주 짧게 잘랐다. 특별한 이유가 있었던 것은 아니었는데, 헤어스타일의 변화는 캠프의 많은 분들에게 꽤나 충격을 주었나보다. 사회나 캠프 누군가에게 불만이 있는 것도 아니고, 군대에 가는 것도, 출가를 하는 것도 아니었지만, 캠프 식구들에게 큰 재미를 선사했다니 기뻤고, 관심 가져주어 고맙기도 했다. 한창 바쁜 와중에 외조모님상으로 잠시 자리를 비우게 되었는데, 마음 써주시고 빈자리 잘 채워주신 복지건강본부 팀원들께 다시 한 번 감사인사를 전해달라고 부탁했다.

기획과 전문성 부족해도 진정성으로 돌파

허윤정 편

조직총괄 시민참여본부

조직운영팀장 허윤정 씨는 박시장과 특별히 개인적인 인연은 없다. 다만 서울시민으로서, 환경단체회원으로서, 시립대 동문으로서 그녀가 기억하는 박원순 시장은 작고 사소한 일을 잘 챙기고 사람들을 소중히 여기는 시장이었다.

명칭 걸맞는 지지선언들 이끌어내

허팀장은 평소 박시장의 시정운영 소신을 지지하는 사람이었다. 그녀는 캠프 조직총괄 본부내 시민참여본부의 수석팀장으로서 특별위원회의 구성과 지지선언을 조직화하고 본부장, 특위위원장, 특보단에게 캠프 메시지를 전달하였고 실무팀을 구성해 운영했다.

조직총괄 본부내에 여러 팀들이 있었지만 기획과 전문성에 있어서 시민참여본부는 한참 부족했다며 그녀는 겸손하게 얘기했다. 그러나 국회 정론관에서의 지지선언 등 시민참여본부의 이름에 걸맞는 크고 작은 여러 개의 지지선언을 이루어내고 무엇보다 선거 이후에도 지속 가능한 특위의 연대를 만들어낸 시민참여본부의 저력은 이후에도 계속될 것이라 믿는다.

박시장의 뒤가 아닌 옆에서 함께 걷는다

구현정 편
조직총괄 더불어본부

조직총괄본부의 구현정(33세) 씨는 행사 · 광고기획 일을 한다. 학부시절, 사법시험을 준비하다 긴 방황의 시절을 겪는 중 '아름다운 가게'를 알게 되어 1년 동안 자원봉사 활동을 하게 되었다. 이를 계기로 박시장과 인연이 닿았다. 심신이 지쳐있던 그녀에게 아름다운 가게는 세상을 바꾸는 일이 사법시험 합격만이 아니라 다양한 방법으로 가능하다는 것을 알려준 고마운 단체였다.

직장 퇴사 다음날부터 캠프로 출근

박원순 시장이 앞서가는 멋진 어른, 따라갈 수 있는 듬직한 선배로, 좋아하기 시작한 것도 그때부터였다. 이후 다양한 직장을 경험하다가 행사기획 회사에서 서울시, SH공사 등 시민들과 함께 하는 다양한 행사를 기획했고, 시민들과 직접 호흡하는 현장을 보며 박원순 시장이 시장인 서울이기 때문에 가능한 일이라는 생각이 확고해졌다.

작년 말, 캠프에 합류할 수 있을 법한 기회가 주어졌지만 개인적인 사정으로 인해 뛰어들지 못했다. 아쉬운 마음으로 전전긍긍하던 차, 다니던 직장의 퇴사일자 바로 다음날부터 캠프로 출근했다.

조직총괄본부 팀원으로 각종 직능단체와 지역위의 특별위원회 리스트를 취합하고, 임명장 발급을 도왔다. 더불어 조직총괄본부의 잡일을 도맡아 하겠다는 각오로 캠프생활에 전념했다. 다른 본부들도 선거 기간 동안 고생이 많았지만, 정말 막판의 막판까지 수만 장의 임명장을 찍어냈던 팀원들이 고생 많았다고 했다.

선거가 한 달도 채 남지 않은 상황에 캠프에 합류하게 되어 아쉬운 점도 많았지만, 한편으로는 짧은 시간 동안에도 좋은 사람들을 많이 만나게 되어 고맙다고 했다. 20대 중후반에 당시의 꿈을 포기하고 사회생활을 하며 가장 힘들었던 것은 그녀의 미래일지도 모를 40, 50대 상사들을 옆에서 지켜보는 것이었다.

진로 고민, 캠프에서 답 찾아

더 나은 자신이 되고자 하는 마음과, 더 나은 사회로의 발전에 기여하고자 하는 마음을 어떻게 지킬 수 있을지 고민이 깊었는데 캠프에서 그 답을 찾았다. 이곳에서 만난 선배, 어르신들은 여전히 시들지 않은 눈빛과 본인만의 에너지를 가지고 있었다. 어떤 사람들과 함께해야 할 것인가, 어떤 사람들을 좇아야 할 것인가에 대한 답을 얻었고, 박원순 시장을 바라보며 만나게 된 인연에 더욱 고마워했다.

그녀는 '2017 NPO 파트너 페어'를 기획하며 서울시와 NGO, NPO에 박원순 시장이 기여한 바를 다시 한 번 체감할 수 있었다. 나와 내 가족이 살아갈 사회, 우리의 이웃이 살아갈 사회를 더 나은 방향으로 바꾸고자 하는 활동가들과 운동가들이 그녀와 같이 박원순 시장의 뒤가 아닌 옆에서 함께 걷고 있다.

서울시장 3선 당선은 또 다른 시작점이 되었다. 서울의 변화가 대한민국의 변화가 될 수 있는 그날까지 응원할 것이다. 박원순이 만드는 박원순다운 세상을 기대한다.

박후보 지킴이의 선봉에 서다

백선민 편
조직총괄 시민참여본부 수니선봉대

2017년 겨울, 수니선봉대 부단장 백선민 씨는 시민채널 김영대 대표로부터 "박원순 시장 선거를 돕자."는 제안을 받았다. 당시 거론되던 여러 예비후보들 중 경험이나 정책이 서울시장에 가장 적합하다 판단해 김영대 대표 제안을 수락했다.

문재인 캠프 활동 경험이 밑바탕

지난 19대 대선에 문재인 캠프 '바람개비 자원봉사단' 일원으로 활동한 경험들이 박원순 시장 선거에 도움을 줄 수 있을 거라 확신했고, 문재인 대통령과 정치적 · 정책적 조화가 잘 될 거라는 믿음이 캠프에 합류하게 된 가장 큰 이유였다.

자율적이고 자발적인 시민들을 하나로 묶어 박원순 시장을 지지하는 선거자원봉사자 모임으로 만들어 낸다면 선거에서 적지 않은 성과를 낼 수 있다 판단했고, 2017년 10월 박원순 선거자원봉사자 모임인 '수니선봉대 기획안'을 선거 준비팀 김영대 대표에게 제출했다.

시민참여본부에 소속된 '수니선봉대'는 박원순 시장을 지지하는 시민들의 자발적 참여로 조직되었으며, 약 600여 명 회원으로 구성돼 있다. 활동내용은 크게 온라인 활동과 오프라인 활동 그리고 영상제작 활동으로 구분할 수 있다.

온라인 활동은 25개 자치구별로 만들어진 단체 카톡방을 통해 각종 선거정보와 언론기사를 공유하고, 박원순 시장 일정과 공약들을 회원들의 SNS와 활동 커뮤니티에 전파하는 일들을 했다. 온라인 활동 시 좌표를 찍어 특정 기사에 집중 대응하는 등의 불법적, 비도덕적 행위들은 엄격히 금지했다.

오프 활동은 크게 선거운동과 투표독려운동으로 나뉘는데, 캠프 지역연락사무소나 민주당 지방선거 후보 선거사무원으로 등록하여 직접 선거운동을 하거나 투표독려운동을 통해 박원순 시장에 대한 지지를 호소했다. 자원봉사자도 공개장소에서 5인까지 무리지어 구호를 외치거나 행진을 할 수 있고, 정당명이나 후보자를 연상시키는 기호 이름등이 들어가지 않으면 단체복을 입거나 피켓을 사용할 수 있다는 선거법 조항 범위 내에서 합법적 활동을 했다.

또한 야권 후보단일화 등 불확실성에 대비하고 청장년층 투표율을 높이기 위해 사전투표 홍보 및 투표소 안내에 전력하여 6월 9일 서울역에서 125명이 참여하는 12시간 사전투표 홍보활동을 전개하기도 했다.

영상제작은 1~3분 분량의 박원순 시장 지지 동영상 '서울시민, 박원순을 말하다' 80편을 제작하여 유투브에 업로드하고, SNS와 참여네트워크, 문팬, 시민광장 등 여러 단체의 단체 카톡방에 공유했다.

선거법 때문에 공개적 회원 모집 불가능

당초 수니선봉대는 25개 자치구별로 평균 50명, 총 1,250명의 회원을 모집할 예정이었다. 그러나 박원순 시장이 시장직을 유지하면서 경선을 치르는 바람에 공개적 회원 모집이 불가능했다. 공무원 신분인 박원순 시장은 선거운동을 할 수 없었고 아울러 '박원순 시장을 돕기 위한 선거자원봉사자를 공개 모집한다'는 것이 공직선거법에 저촉될 우려가 컸기 때문이다.

예비후보 등록 이후 회원 공개모집에 들어가 처음 계획대로의 규모와 동력을 만들어내진 못했다. 그럼에도 불구하고 600 수니선봉대는 페이스북이나 트위터를 통해박원순 시장의 일정과 홍보물 등을 유통시켰고, 각자의 활동 커뮤니티에서 미세먼지 대책이나 박주신 씨의 왜곡된 정보들에 대응하는 등 나름대로의 활약을 펼쳤다.

자원봉사자들 활동, 계량화 어려워

평범한 시민들의 박원순 시장 지지 이유를 담은 동영상 '서울시민, 박원순을 말하다'는 많은 공감을 얻어 짧은 기간에도 불구하고 평균 조회수가 150회에 이르렀다. 박원순 시장의 지역 방문이나 집중유세에 합류하거나 유세차에서 지지연설을 하고 투표독려 운동을 했다. 직장인이 많았지만 지지를 호소하는 오프라인 활동 또한 적극적이었다. 자발적 자원봉사자들의 선거참여 활동은 본질적으로 계량화하기가 쉽지 않다. 당선에 얼마나 기여했는지 수치로 정량화하는 것도 불가능하다. 그러나 선거가 조직과 바람으로 치러진다면 그 바람을 담당하고 후보의 확장성을 극대화시킬 사람들이 바로 선거자원봉사자들이다.

결론적으로 수니선봉대가 박원순 시장 당선에 기여한 점은 우선 '친노친문'에게 오해를 불식시키고 박원순 시장이 시민단체가 아닌 시민과 가까워지는 데 작지만 교량 역할을 했다는 것이다.

선거자원봉사단은 선거 때 만들어지고 선거 후 해산되는 특수성이 있다 보니 수니선봉대에 내세울 만한 재미있는 에피소드는 별로 없다.

그러나 소개하고 싶은 일화가 있단다. 회원 중에 이런 저런 모임에서 열정적으로 활동하시는 전순미라는 분이 있다. 문재인 캠프 바람개비 봉사단에서도 대단한 활동을 보여주신 터라 수니선봉대 공동단장 역할을 제안드렸다.

그러나 그녀는 직책은 부담된다며 직책이 없더라도 박원순 시장 당선을 위해 언더에서 최선을 다하겠다고 약속했다. 약속대로 그녀는 크고 작은 결정들을 실행에 옮기면서 처음부터 끝까지 수니선봉대 실무를 총괄했다.

자원봉사단은 조직부서보다 후보 직속이 더 이상적

"직무보다 직위에 더 관심을 갖고, 실천적 행동보다 허명을 더 좇는 요즘 세태에 자신이 한 일을 드러내지 않고 온갖 궂은 일을 도맡아온 전순미 님께 이 기회를 빌어 감사를 표합니다. 혹 이름 밝혔다고 야단맞으려나?"

그녀의 말처럼 캠프 재정이 어렵기도 하고, 일부 공직선거법 위반소지도 있고, 선거자원봉사단에 대한 이해가 부족하고 뭐 이러다 보니 선거자원봉사단 활동에 대한 재정 지원은 없었다. 활동을 위해 필요한 최소한의 비용도 십시일반해서 스스로 충당한 회원들에게 너무 고맙기만 하다고 했다.

선거캠프에는 다양한 재능을 가진 사람들이 참으로 다양한 부서에서 다양한 일들을 한다. 최근에는 '시민참여' 혹은 '국민참여'라는 이름으로 기존의 이해관계 중심 시민사회단체와는 다른 성격으로, 조직되지 않은 시민들과 연대하고 지지를 구하려는 부서가 선거캠프마다 만들어지고 있다.

조직되지 않거나 비록 어떤 단체에 가입돼 있더라도 조직적 활동을 하지 않는 시민들을 모아내고 선거에 참여시키는 조직이 바로 선거자원봉사단이다. 후보를 돕고 싶은데 방법을 잘 모르는 지지자 또는 잠재적 지지자를 조직화하고 교육시켜 선거에 참여시킬 수 있다면 그보다 더 충성도 높은 선거 조직은 없을 것이다.

선거자원봉사단은 기존의 조직부서가 하는 일, 활동방법, 조직운영 방식이 많이 다르다. 자율과 자유에 의해 조직되고 작동되는 선거자원봉사단은 조직부서에 소속시키는 것보다 후보 직속으로 하는 것이 더 이상적이라고 본다. 선거규모가 더 커질수록 선거자원봉사단 역할 또한 더 중요해질 것이다.

'바른 시정'이 논공행상입니다.
수니선봉대에서 보내는 편지

박현아 체험수기
조직총괄 시민참여본부 수니선봉대

저는 박원순의 '악성민원인', 저는 박원순의 자원봉사자 수니선봉대, 저는 박원순의 동작선거사무소에서에서 파란옷을 입고 기호1번 박원순을 외치는 '선거사무원' 그리고 저는 (주)젤리투어의 대표 박현아입니다.

작년 10월 서울시의회 앞에서 "박원순은 나와라!! 박원순은 시민의 이야기를 들어라!!"라며 외치던 제가 당신의 '수니선봉대'가 되어 있습니다. 저는 대방동 한국개나리아파트 주민으로 '신림선 노선변경'을 위한 투쟁 때 앞에 서 있었습니다. 서울시 좋은 행사에서, 촛불이 타오르던 광화문광장에서, 광주 5 · 18묘역에서, 너무도 쉽게 만나고 악수할 수 있던 서울시장님을 아파트 민원문제로는 감히 다가갈 수도, 만날 수도 없었습니다.

76살 엄마를 '공사중지를 시키기 위한 시위' 장소에 내려드리고 출근을 하는 아침마다 저는 가슴에서 울분이 터졌습니다. 날씨가 화창해서 더우면 사무실에서 나오는 에어컨조차 땡볕에서 서서 시위하는 엄마의 얼굴이 떠올라 슬펐고, 비가 오면 노인네 미끄러지지는 않을까? 빗물에 길바닥에 앉아 있지도 못하시겠네!! 사무실에서조차 가시방석이 되어 불안했던 그 수 개월!! 어렵게, 어렵게 성사되었던 시장님과의 면담에서 시장님은 우리에게 상식적이고 공정한 선물을 주셨습니다.

아파트 밑으로 뚫린다는 터널을 어렵게시리 공무원들을 설득해서 상식적인 노선변경을 해주셔서 우리 아파트 주민들의 환호와 박수를 받으셨습니다. 일흔의 어머니는 이젠 아파트 나무 그늘 아래서 평범한 수다를 떠시는 일상으로 돌아왔습니다. 시장님!! 박원순 시장님 덕분입니다.

시장실에서 뵌 박원순 시장님은 제가 믿던 '박원순'이었습니다. 시민이 먼저고 약자의 앞에 서 주시는 그 모습이었습니다. 혹자들은 "박원순이 시장이 된 뒤 변했어!"라고 했지만 그렇지 않았습니다. 박원순은 그대로 박원순이었습니다. 변하지 않은 박원순을 확인하고 저는 그날 바로 수니선봉대를 시작했습니다.

남부지역의 리더들을 모으고 민선 7기 서울시장님을 박원순으로 지지하며 함께 갈 동지들을 찾아 나섰습니다. 같은 지역에서 박원순을 지지하는 사람들을 수니선봉대라는 이름으로 모아 함께 박원순의 서울시정을 함께 공부하고 나누고 "왜 박원순이냐?"는 질문을 받았을 때 막힘없이 "이래서 박원순이다!"를 말할 수 있게 당신을 더 공부했습니다.

매일 '수니모닝'으로 시작하는 인사와 시장님의 기사나 일정, 미담 등을 퍼 나르고 나르면서 박원순 시장님의3 선을 믿었습니다.

지난 19대 대선 때 문재인과 함께하는 '바람개비' 자원봉사를 하면서, 규제가 많은 선거법에 불편함이 많았던 터라, 이번에는 직접 선거사무원으로 등록하여 원 없이 박원순이 되어 "기호 1번 박원순입니

다!"를 외쳤습니다. 최대한 낮은 자세로 90도 인사를 하며 유권자들과 눈을 맞추고 방긋방긋 웃고, 영혼없이 걸어가는 시민들과 최저시급을 받는 선거운동원들이 지쳐 기운 없어 하면 활력이 되려고 춤도 추고 재롱도 피우며 운동원들의 기를 살려주었습니다.

새벽에 집을 나설 때면 발바닥에 두 장의 파스를 붙이고 나옵니다. 그렇게 하지 않으면 발이 아파서 도저히 버틸 수 없기에. 그리고 또 활짝 웃으며 "기호 1번 박원순입니다!"를 외칩니다. 행복한 것은 많은 시민들이 박원순에게 '엄지 척'을 하고 운동원들에게 격려를 해주셨습니다. 시장님이 그동안 서울시를 잘 꾸리셨기에 그 믿음과 반가움을 저희 운동원들에게 표하는 것이라 생각합니다.

유세차에서 연설을 하며 돌아다니다 보면, 유세차를 보고 반가워하는 아이들뿐만 아니라, 허리가 완전히 굽은 노구의 어르신이 짚고 있던 지팡이도 내팽겨 치시고 양손을 반갑게 흔들어도 주셨습니다. 감사했습니다. 파란 옷을 입고 마음껏 '박원순'을 외친 2018년을 영원히 기억할 겁니다.

시장님!! 박원순 시장님!! 우리 시장님!! 부디 지금처럼 따뜻하고 공정한 시장님이 되어주세요!!

논공행상(論功行賞)! 이 글을 쓰는 매 순간에 논공행상을 머리에서 떨칠 수가 없습니다. 저는, 우리는, 시장님께 요구할 것이 없습니다. 우리가 요구하는 것은 바른 시정!! 공약이 이루어지는 행정입니다.

수니선봉대가 구석구석에서 사람들을 모으고 스피커가 되어 박원순을 지지하고 SNS캠페인, 박원순 후원금 홍보, 사전투표 독려운동 등, 진심을 담아 박원순에게 보낸 시민 한 명 한 명의 마음은 이런 백서에서 '시민의 염원을 담아'라는 한 줄 처리가 될 가능성이 농후하겠지만, 그래도 잊지 말아 주십시오. 댓가를 바라지 않는 순수한 자원봉사의 힘!! 자원봉사자들이 당신, 박원순입니다. 박원순을 위하여 바치는 자원봉사자들의 순결한 가치를 꼭 지켜주시기를 바랍니다. 건강하십시오!!

촛불혁명도 서울광장 내준 박시장 덕이 커

임세은 편
조직총괄 시민참여본부 시민공감대변인단

캠프의 특이한 조직 하나가 바로 시민공감대변인단이다. 대변인실 소속이 아니라 시민참여본부 소속인 것도 특이하고, 명칭만 들어도 호기심이 가는 조직이다. 단장인 임세은(81년생) 씨는 성공회대 사회과학부 교수다. 그녀는 증권사에서 12년을 근무했고, 현재 민생경제연구소를 설립 · 운영 중이다.

시민 정책 모니터링 위해 만든 팀

박 시장과의 인연은 지난 2014년 지방선거 때 부대변인으로 봉사하면서 시작됐다. 올해 봄쯤 캐주얼한 자리에서 차를 마시면서 박시장이 직접 제안했다. 시민정책을 모니터링을 하고 싶다고 했다. 그동안 만들지 못하다가, 이번 캠프부터 시작됐다. 이번 캠프에서 대변인실 쪽에서도 제안이 들어왔지만, 그의 선택은 시민공감대변인단이었다.

이 조직은 시민들의 정책을 모니터링하기 위해 만든 팀이다. 각계각층의 목소리를 듣는다. 워킹맘, 예비 신혼부부, 야시장 상인, 실버 구직자, 수공업자 등의 다양한 목소리를 듣고 있는데, 핵심은 박 시장의 정책에 참여했거나, 수혜를 봤거나, 의견이 있는 사람들이었다.

임단장은 2012년에 첫째 아기를 임신한 상태에서 노약자석에 앉은 적이 있었다. 그런데 노약자분들이 싫어했다. 그때 답답한 마음에 늦은 밤 임산부석에 대한 생각을 써 박시장 트위터에 올렸는데, 담당자들이 답을 달아줬다.

따릉이(보조바퀴 두발자전거)도 두발 자전거를 못타는 성인들을 위해서 만들어졌는데 호평을 많이 받았다.

사실 이 시민공감대변인단은 선거를 위한 캠프조직이라기보다 시정에 필요한 조직이다. 구성원들의 소통은 실제 오프라인 미팅보다는 카톡으로 많이 주고받는다. 발대식 이후에 팀원들 간에 얼굴을 본적이 거의 없다. 팀원은 현재 3명(4명이 시작했다 1명이 빠졌다.)이다. 5월 초에 그녀는 캠프에 합류했고, 5월 20일에 팀이 만들어졌다.

부드러운 카리스마로 각인된 박시장

박원순 시장은 그녀에게 부드러운 카리스마로 각인되어 있다. 정책결정을 할 때는 날카롭고 결단력 있게 한다. 또 디테일 끝판왕, 메모왕이다. 예컨대 사람 번호를 폰에 저장할 때 임세은(경제전문가/ 문재인 펀드 1호/ 경실련 위원회) + 사진 추가… 이런 식이다. 그녀는 박시장의 인간에 대한 배려심도 좋다. 전화를 먼저 걸어서 "어떻게 지내세요?" 라고 물어보고 약력까지 기억해주는 분이다.

그녀는 워킹맘이라 주말에 여섯 살 아들을 캠프에 데려왔다. 주말에 7017에도 같이 갔다. 박시장이 안아주려고 들어올렸는데, 아이가 과체중이어서 힘들어 했다.

워킹맘에게는 국공립 어린이집이 생기는 게 제일 중요하다. 첫째 아이를 국공립 유치원 보낼 때 3년을 기다렸다. 이후 이사를 갔는데 6개월 만에 국공립 유치원에 들어갈 수 있었다. 박 시장이 부임하고 국공립 어린이집이 2,000곳 정도 더 만들어졌다. 그녀는 이런 부분들을 직접 보고 느꼈던 터라, 엄청난 신뢰를 가지고 있다고 했다.

"내일 모레 선거가 끝난다.(이글은 투표일 이틀 전에 작성된 글이다.) 내일은 북미 정상회담. 박시장은 우리나라의 평화체제와 문재인 성공에 중요한 역할을 하실 분이다. 문대통령 당선과 촛불혁명도 서울광장을 내주신 시장님 덕이 컸다. 시민 여러분께서도 시장님의 시정 활동을 지지하고, 비판하고 견제해주셨으면 좋겠다. 3선 이후의 행보에 대해서는 긍정적으로 바라봐주셨으면 좋겠다." 라고 덧붙였다.

그녀의 판단에 의하면, 박원순 시장은 행정의 달인이 맞다. 처음에는 어리숙해 보였지만, 지금은 당 쪽에 완전히 소속되어서 누가 봐도 지금의 박시장은 정치인으로서도 아주 많이 각인됐다.

그 전에는 '샤이'했다. 시민을 대하는 태도도 달라졌다. 이화여대에서 사전투표 독려할 때 '저랑 사진 찍으세요.' 라고 하면서 하이파이브를 먼저 했다. 그녀에게는 벌써부터 4년 후의 박원순이 기대된다고 했다.

대선을 포기하고 시민과 광장을 지킨 시장님

박은숙 체험수기
조직총괄본부

2016년 가을이었다. 제 은사님께서 "박원순 시장님의 대선을 좀 돕는 게 어떠냐."라고 말씀을 하셨다. 평소 존경하던 분이라 주저없이 "그러겠다."고 대답했다.

촛불시위가 농익어가던 그 해 늦가을 때는 모 대학 학생회와 함께 시장님을 초청하려 했다. 겨우 초정 일정을 잡았지만 박시장님은 어떤 사정인지 오시지 못했다.

이후 부산의 시민단체, 노동단체들도 대선후보 초청토론에 박시장님을 모시려 했다. 그때에도 박시장은 흔쾌히 제안을 수락했다. 하지만 그 일정 역시 개최 직전에 취소되었다.

다른 분들이 전국 투어하며 대선후보 반열로 올라갈 때였다.

'왜? 도대체 왜?'

박시장님께 이유를 여쭸다.

"도저히 서울을 비울 수 없어요. 광장을 두고 갈 수가 없습니다."

박시장님의 답변이었다.

쓰나미처럼 큰 소용돌이가 몰아친 대선 정국에 그렇게 자기 정치를 포기하셨다.

지켜보는 지지자 입장에선 좀 답답했다. 또 정무적 결단이 약하신 것이 아닌가 하는 생각이 들기도 했다. 처음엔 그렇게 갸웃했었다. 그런데 많은 시간이 흐른 후 시장님이 옳았다는 걸 알게 됐다. 지난 촛불혁명은 역사에 남을 명예혁명, 무혈혁명이었다. 그 이면엔 본인의 대선 행보보다 촛불광장과 시민들의 안위를 지켰던 박원순 시장님의 집념이 있었다. 한 대선주자로서의 결단으로 보면 안타까운 장면이지만 자기 정치를 버리고 광장을 지켜낸 박원순 시장님에게 우리 모두는 빚을 졌다는 생각이다. 시민들도 다르지 않을 것이다.

그 마음으로 힘을 냈다. 봄부터 10여 개의 다양한 직능조직을 준비했다. 위원회 결성과 여론 주도층 영입, 지지층 저변 확대와 크고 작은 심리전까지. 내가 선 자리에서 해야 할 크고 작은 일과 메시지를 챙겼다. SNS상의 모든 대응까지도. 따지고 보면 어느 선거인들 전쟁 아닌 선거가 있으랴. 전쟁을 치르는 동안 후보든, 참모든 다들 제 자신의 한계와도 싸우게 된다. 쉽지 않은 순간들이 왜 없었겠냐만은…….

그럼에도 불구하고 우리에겐 최고의 후보가 있었고, 각자의 자리에서 묵묵히 제 몫을 다 한 동지들이 있었다. 그들과 함께였기에 의미가 있었다. 또 생각할수록 행복한 시간이었다.

수시로 조직총괄본부, 대변인실 등을 찾아와 격려해주신 박시장님! 당선 직후엔 늦은 밤에 찾아와 캠프원들에게 꽃다발을 걸어주며 사진을 찍자 하셨던 두 분 덕분에 더 행복한 기억으로 남을 것 같다.

4장

263.86km의 기록들

유세본부
특별위원회

“

유세를 통해 율동을 하고, 시민과 직접 소통하는 일은 시정을 만드는 일만큼 중요하다. 유세단은 유권자와 후보를 연결하는 연결고리다. 어려울 수 있는 공약과 정책용어를 그들의 몸짓으로 표현하는 것은 유권자들이 보다 쉽고 가볍게 후보를 접할 수 있도록 하는 것이다.

유세단의 든든한 버팀목

한승주 편
유세본부 유세지원단

그는 더불어민주당 당원이다. 이번 지방선거에서 서울시의원 청년비례대표에 도전했다가 탈락했다. 가슴이 아팠지만, 평소 존경하던 박원순 시장을 위해 봉사를 하고 싶었고, 지난 19대 대선에서 서울시당 유세팀장을 한 경험을 바탕으로 유세단장이 되었다.

축제 현장 위해 숨은 노력 필요

한승주 단장은 유세단원이 단순히 춤에 맞추어 율동을 하는 사람들이 아니라고 말한다. 중앙유세단인 '나란히' 유세단원들은 시민들에게 선거는 축제이고 신나는 활동이라는 이미지를 심어주는 중요한 역할을 가진 직책이라고 설명했다. 이를 통해 시민들의 지친 일상에 활기를 불어넣어주고, 선거운동원들에게 웃음과 에너지를 전하는 것도 그들의 역할이라고 했다.

시민과 함께하는 축제의 현장을 위해서는 숨은 노력들이 필요하다. 유세송에 맞추어 안무를 만들고, 피나는 연습을 통해 체계화된 모습을 구축한다. 또 거리에 나가 사전투표독려 및 후보 홍보피케팅을 하는 것도 유세팀의 주된 일이었다.

30도를 육박하는 불볕더위 속에 진행된 유세가 힘들지 않았냐는 물음에 그는 뜨거운 태양이 내리쬐지만 목소리 높여 투표를 권유하고 즐겁게 공연하는 유세단의 모습을 보면 부동층인 시민들도 박시장에 대한 관심이 생겼을 것이라고 했다. 또 각 지역의 선거운동원들도 중앙유세단의 모습을 보고 힘이 불끈 솟았을 것이라고 했다.

가장 기억에 남는 팀원이 있냐는 질문에는 난색을 표하며 팀원 한 명 한 명을 읊기 시작했다. 유세는 혼자 한 것이 아니므로 많은 사람들의 이름이 언급되었으면 좋겠다고 한다.

"우리 팀은 파파소미(파도 파도 끝없이 나오는 미담)가 정말 많아요. 뜨거운 태양 아래서 활동하는 단원들이지만, 모두들 시원한 물 한 모금도 서로 먼저 마시라고 양보하는 모습은 기본이고, 굳이 시키지 않아도 서로 안마를 해주며 결의를 다지는 모습도 늘 볼 수 있습니다. 개개인 한 명 한 명이 최선을 다하는 모습도 아름다웠고, 혹시 대열에서 낙오되는 사람은 없는지 서로 챙기는 모습도 감동스러웠습니다. 집이 용인이라 출퇴근 시간이 평균 두 시간은 걸리지만 한 번도 지각하지 않은 영범씨, 할 일 많은 단장을 너무도 잘 보좌해주고 단원들을 살뜰히 챙기는 부단장 은영씨, 아무리 피곤해도 자료 취합 등 추가 역할도 나서서 맡아주는 수호씨, 동작이 마음만큼 잘 되지는 않지만 늘 쾌활하게 웃으며 최선을 다하는 혜수씨, 교통사고로 아직 다리가 불편함에도 적극적으로 참여하는 정언씨, 햇빛 알러지까지 있지만 한 번도 게으름 피우지

않은 진영씨, 막내임에도 막내 같지 않게 소품도 항상 잘 챙기는 의젓한 의겸씨, 어디서든 단원들의 연습 영상과 순간순간 추억 셀카를 챙기는 은수씨, 어두운 골목길 늦은 시간 귀가하는 여성 동료를 위해 자체 안심귀가서비스를 해준 효섭씨, 재훈씨, 은성씨 모두 모두 칭찬하고 싶습니다. 마지막으로 아쉽게 유세단을 함께 하지는 못했지만 안무구성에 큰 도움 주신 서울시립대 생활체육학과 김규현 선생님, 진심으로 감사합니다. 저 혼자 안무를 구성했을 생각만 해도 진땀이 납니다. 마지막으로 선거가 끝나도 박원순 시장님을 응원하는 마음과 우리가 가진 유세의 추억으로 하나 되어 오래 함께 하는 나란히 유세단이고 싶습니다."

유세지원도 화끈하게! 뜨겁게!

이은영 편
유세본부 유세지원단

그녀는 중앙유세단이 시민과 소통하며 그들의 마음을 훔치고, 표도 훔친 사람들이라고 말했다. '훔쳤다'라는 단어가 다소 거칠기는 하지만 그녀는 소탈한 표현들이 좋다고 했다. 옆집 아저씨 같은 박원순 시장이 좋았고, '반려견 놀이터'와 같은 생활밀착형 공약들이 마음에 들어 시작한 일이라고 했다.

유세는 선거를 향한 시민들의 생각을 변화시키는 일이기도 하지만, 우리의 삶도 변화된 사건이라고 말한다. 정치에 크게 관심이 없었던 팀원이 어느덧 후보의 이름을 크게 연호하며 박수를 치는 변화된 모습도 기억에 남는다고 했다.

유세현장으로 이동하는 버스 안에서 8090년대 노래와 최근가요가 들릴 때면 모두가 흥얼거리면서 노래를 따라 불렀던 세대공감의 현장도 잊지 못할 것이라고 했다.

유세는 몸으로 표현하는 쉬운 공약집

이수호 편
유세본부 중앙유세단

청년시민단체에서 활동하는 수호씨는 서울시의 청년정책 결정 및 실행 과정에 참여할 기회가 몇 번 있었다고 했다. 서울청년의회를 통하여 당사자들이 직접 의견을 모아 정책과 관련한 아이디어를 내고, 시정에 참여하는 것이 인상적이었다고 했다. 보다 많은 청년들이 서울시에 관심을 갖고 정책을 제안해서, 청년들이 참여하는 시정으로 자리잡기를 바라는 마음으로 이번 유세에 참여했다.

유세를 통해 율동을 하고, 시민과 직접 소통하는 일은 시정을 만드는 일만큼 중요하다. 유세단은 유권자와 후보를 연결하는 연결고리이다. 어려울 수 있는 공약과 정책용어를 그들의 몸짓으로 표현하는 것은 유권자들이 보다 쉽고 가볍게 접할 수 있도록 하는, 이번 캠프에서 발간한 쉬운 공약집과 일맥상통하는 일이라고 했다. 몸짓을 통해 박원순 후보의 소통의 메신저로서 후보자와 유권자를 잇는 역할을 했다고 자부한다.

왜 박시장을 좋아하느냐는 물음에 그는 박시장이 시민에게 문제의 답이 있음을 알고 권한을 부여하기를 주저하지 않는 정치인이어서 좋다고 했다. 결국 우리가 살아가는 서울시가 가진 문제의 해답은 시민에게 있다는 것이다.

유세단원에서 당원으로

조재훈 편
유세본부 중앙유세단

그는 정치에 대해 잘 모른다. 그러나 유세 활동 속에서 팀원 모두가 상대방을 배려하며, 최선을 다하는 모습에 전우애를 느껴 민주당원으로 가입했다.

유세현장에 나가면서 당에 대한 자부심과 믿음이 생겼다. 유세기간 동안 발에 물집이 잡히고, 무더위에 지쳐 땀을 비처럼 흘려도 싫은 소리를 하는 사람들이 없었기 때문이다. 단원들과 함께했던 매 순간들은 잊지 못할 영화의 한 장면이 되었다고 했다.

"서울시는 도시경쟁력 6위의 세계적인 도시입니다. 그러나 박시장님은 만족하지 않으십니다. 세계 1위를 갈망하는 시장님의 열망이 젊은 저의 마음에 파란 불씨를 지피셨습니다."라고 말하는 그는 뼛속까지 민주당원이었다.

사람이 먼저다

서영범 편
유세본부 중앙유세단

그는 처음에 여행에 필요한 몫돈을 마련하기 위해 유세단에 지원했다. 하지만 식비와 의상비는 개인사비라는 말에 생각보다 돈이 안 될 것 같아 아쉬웠다. 아쉬움을 가지고 시작한 유세는 큰 기쁨으로 끝이 났다. 이곳에서 평생을 함께 하고 싶은 소중한 인연들을 얻었다. 모두가 친절하고 화기애애한 분위기 속에서 진행되는 유세현장을 보며 '아 역시 돈보다 소중한 건 사람이구나' 하는 생각이 들었다고 했다. 귀한 인연을 만날 수 있도록 3선에 도전해준 박시장에게 고맙다고 했다.

그는 유세 이전에는 박원순 시장을 단 한 번도 실제로 본 적이 없었다. 이번 유세 활동을 하면서 처음 봤는데 생각보다 정겹고, 귀여웠고, 행복한 서울을 만들 수 있다는 확신을 가진 정치인처럼 보였다고 했다. '3선 서울시장이 되면 국민을 위해 할 일이 무엇인지 아는 사람'이라는 것이 그의 표현이다.

서영범 씨는 유세에 참여하기 전에는 정치에 관심 없었다고 고백했다. 정치는 자신의 일이 아니었기 때문에 무관심했다고 했다. 그러나 이제는 아니다. 본인을 포함한 다수의 국민들도 정치에 관심을 가지고 좀 더 나은 대한민국을 만들기 위해 정치에 관심을 가지고 투표장으로 이어져야 한다고 강조했다.

그가 마지막으로 당부했다. "저는 박원순 시장님을 믿습니다. 이 믿음을 저버리지 않게, 다른 정치인들처럼 거짓말은 하지 않으셨으면 좋겠습니다."

중앙유세단의 에너자이저

김혜수 편
유세본부 중앙유세단

그녀는 민주당을 지지하는 대학생이다. 친구의 권유로 중앙유세단 면접을 보게 되었다고 한다. 면접 당일 너무 떨려 횡설수설했지만, 끝까지 웃는 모습을 보였다. 그녀는 '에너자이저'라는 별명답게 인터뷰를 하는 내내 활짝 웃고 있었다.

그녀는 인간 박원순보다 정치가 박원순이 더 좋다고 했다. 박시장의 공약을 믿기 때문이다. 특히 '차별없는 여성임금제'가 그녀의 마음을 동하게 만들었다는 것이다. 페미니즘이 이슈가 되기 전부터 꾸준하게 신경을 쓰고 여성관련 정책을 만드는 박시장이 너무 좋다고 했다.

가장 기억에 남는 유세로 광진구 중곡동 제일시장을 꼽았다. 오랜 시간 피켓을 들고 서 있어서 팔다리가 너무 아팠던 차에 아주머니 한 분이 지나가며 이렇게 말을 했다고 한다. "나는 멀리서 파란 것만 봐도 좋아. 우리 파란색 민주당이 제일이야. 젊은 친구들이 이렇게 지지해주니까 내가 주위 사람들한테 꼭 말해서 뽑게 할게~" 아주머니의 지지와 응원 덕에 그녀는 아픈 발도 낫는 기분이었다고 했다.

그녀는 마지막으로 TV에 나오는 아이돌이 정말 대단하다고 치켜세웠다. 격한 안무를 하며 표정관리하기가 이렇게 힘들 거라고는 상상도 못했다는 그녀는 무엇보다 이번 유세 활동을 통해 살이 빠져서 기쁘다고 했다. 끝까지 귀여운 여대생이었다.

랩과 정치는 일맥상통

오은성 편
유세본부 중앙유세단

그는 랩을 하기 위해 중앙유세단에 들어왔다고 했다. 래퍼로서 다양한 무대경험을 쌓고 싶다는 가벼운 마음으로 참여한 유세가 자신의 인생을 바꾸는 계기가 되었다고 말한다.

그는 유세 활동을 하기 전에 박시장에 대해 자세히 아는 바가 없었다. 그저 이름과 직책이 그가 알고 있는 전부였다. 은성씨는 유세단에 와서 정치에 얼마나 무관심했는지 여실히 느꼈다고 했다. 팀원들과의 정치에 관한 대화를 나누며 정치가 우리 삶을 바꾸는 데 얼마나 지대한 영향을 미치는지 깨달았다고 한다.

그는 또 정치와 랩은 본인의 의사를 적극적으로 표현함에 있어 유사한 부분이 많다고 했다. 래퍼도 자신의 팬과 소통하고 싶어하듯이 정치인도 유권자와 소통하고 싶어할 것 같다며 앞으로는 정치인과의 대화를 회피하지 않는 시민이 되겠다고 다짐했다.

땀으로 얻어낸 승리

유세본부 중앙유세단

여기까지가 그들의 표현을 통해 담은 유세의 기록들이다. 중복되는 내용은 지우고, 다듬었기에 모두의 이야기를 담지 못한 것이 아쉽기만 하다. 유세단은 직접 발로 뛰며 치열하게 승리의 기록을 써나간 사람들이다.

직접 유세현장을 나간 것은 13일이었지만, 이전부터 모여 안무 연습을 하고 동선을 정하는 등의 만남을 가졌다. 응원하느라 아침에 발이 너무 아파서 땅을 디딜 수도 없었지만, 고통의 크기만큼 보람된 일이었다는 것이 바로 유세라고 말하는 그들에게서 선거의 진한 열기가 느껴졌다.

모든 팀원들의 입에서 나온 공통된 말이 있었다. 바로 유세단장인 한승주를 향한 감사함이다. 많은 본부의 이야기를 담았지만 모두가 단장의 고마움을 언급한 것은 유세단이 유일무이하다. 글쓴이도 그에게서 팀원을 아끼고 사랑하는 포용의 리더십을 배웠다. 유세단원들의 말처럼 모두가 원팀이 되어 오래토록 함께 하는 정치적 동지이자 친구로 남기를 기대해 본다.

'UC 남북 경제협력포럼' 100인 지지선언

김민현 편
특별위원회

조직총괄본부는 지지선언 단체와 특보임명업무로 일이 넘쳐났다. 지지선언 업무만 103건에 486,110명이었다. 특별위원회는 222개가 설치되었고, 29,672명의 임명장을 발급했다. 특별위원회 소속 3,706명 특보와 지역위원회 소속 특보 301명, 위원장 등 총 15,864명의 임명장을 발급했다. 또 21개 지역위원회에서는 1,334명의 임명장 발급과 682개의 특별위원회 설치를 별도로 주도했다. 아래는 지지선언 단체의 실례를 보여준다.

특별위원회의 두드러진 활동

'남북한 경제협력과 평화 정착'을 위해 우리 사회의 각계 각층에서 모인 'UC 남북 경제협력 포럼' 회원 100인이 2018년 6월 8일 오후 1시 박원순 후보 캠프 3층에서 박원순 더불어민주당 서울시장 후보 지지 선언식을 가졌다.

포럼은 자료를 통해 "남북평화와

교류, 통일을 위한 사업에 지방정부도 적극적으로 참여하여야 한다"라고 주장하면서, "'UC 남북 경제협력포럼 100인'은 이러한 일에 서울시장으로 박원순 후보자가 가장 적합한 후보라고 확신하고, 압도적 당선을 위하여 적극 지지하고 당선을 위해 회원 모두가 함께 노력할 것"이라고 밝혔다.

이 책의 제목 『W캠프의 비밀』에서 W는 무엇일까?

W는 박원순의 영문 이니셜 WS의 W이다. 고로 W캠프는 박원순 캠프다. 2018년 박원순 서울시장 후보의 선거 캠프 공식 명칭은 박원순 캠프였고, 캠프 내부적으로 W캠프라고 불렀다. 이제 이 책을 읽은 당신은 조만간 진행될 온라인 이벤트에 응모할 자격을 획득했다.

Congratulation!

2018년 8월 31일까지 독자 본인의 인스타그램에 책 인증샷과 #W캠프의 비밀을 올려 주신 분들을 대상으로 진행합니다. 1등 제주도 왕복 항공권 등 10명에게 **소정의 상품을 드립니다.**

박원순 서울시장 후보 100인 지지 선언문

「UC 남북경제협력 포럼 100인」은 오는 6.13 지방선거에 출마한 박원순 서울시장 후보를 지지합니다. 박원순 후보를 지지하는 이유는 다음과 같습니다.

첫째, 박원순 서울시장 후보자는 이명박 박근혜 정권 8년간 중앙정부와의 갈등 속에서도 지방자치의 민주적 가치 실현을 위해 끊임없이 노력해왔습니다.

둘째, 온 국민이 주말마다 촛불을 들고 탄핵과 정권교체를 외치던 2016년의 추운 겨울에도 박원순 서울시장은 광화문 주변 화장실 개방과 질서유지로 세계사에 유래 없는 평화시위를 보장하였으며, 촛불혁명으로 정권교체의 밑거름이 되었습니다.

셋째, 이명박 박근혜 정부는 남북한 관계에서 파괴와 불신의 역사를 만들었습니다. 통일 대박의 환상은 쪽박이 났고, 남북경제 협력의 물꼬인 개성공단도 가동을 멈춘 채 민족의 숨통을 조였습니다. 문재인 정부가 되어서야 평화무드가 봄처럼 찾아 왔습니다. 앞으로 '2019전국체전 서울-평양 공동개최', '서울과 평양의 도시협력추진', '문화예술교류와 경평축구부활' 등 위대한 한반도 시대를 열기 위한 다방면의 교류가 더욱 촉진되어야 합니다.

이에 우리 'UC 남북경제협력 포럼 100인'은 박원순 후보 지지를 확실히 표명하는 것입니다.

「UC 남북경제협력 포럼」은 시민 및 민간단체 차원의 통일 분위기 조성사업에 적극적으로 참여하기 위해 전국적 회원이 참여한 온라인 단체로 박원순 시장후보는 물론 뜻을 같이하는 모든 국민과 함께 북한 나무심기 사업 등 민간교류에 참여할 예정입니다.

남북평화와 교류, 통일을 위한 사업에 지방정부도 적극적으로 참여하여야 하며, 「UC 남북경제협력 포럼 100인」은 이러한 일에 박원순 서울시장 후보자가 가장 적합한 후보라고 확신합니다. 압도적 당선을 위하여 적극 지지하고 당선을 위해 모두 함께 노력할 것입니다.

2018년 6월 8일

UC 남북 경제 협력포럼 정재안 김민현 이경섭 김예균 김명섭 등 100인

박원순 후보 뜨는 곳에 장애인부모연대도 뜬다

전국장애인부모연대 서울지부 편

지난 6월 8일 8시 40분경 문재인 대통령 내외가 사전투표를 위해 삼청동주민센터에 방문했을 때 시위대가 "대통령님 저도 봐주세요."라고 소리쳤다. 문대통령은 사전투표를 마치고 소리쳤던 시위대를 만나 일일이 악수를 하고 인사를 나눴다.

시위대는 전국에서 모인 발달장애인부모들로 '발달장애인 국가책임제'를 요구하며 지난 4월6일부터 청와대 인근 삼청동에서 농성중인 '전국장애인부모연대' 소속 가족들이다.

국가 수준 발달장애인지원종합계획 수립 요구

발달장애인 회원들은 6.13 지방선거를 맞아 장애인들의 참정권 보장을 요구하고 이날 사전투표하는 대통령을 만나기 위해 시위를 했다. 발달장애인들이 지역사회에서 최소한의 기본적인 삶을 살아 갈 수 있는 직업 · 주거서비스, 소득보장, 중증장애인지원, 당사자 결정권보장, 법적제도개선 등을 외치면 209명의 부모들이 삭발하고 60여 일 넘게 삼청동 주민센터 건너편에서 노숙천막농성을 했다.

부모연대는 '발당장애 국가책임제'는 '발달장애인을 책임져야 하는 가족들의 짐을 국가도 함께 나눠 갖자'라는 의미로 국가적 수준에서 발달장애인지원종합계획 수립을 요구해 왔다.

전국에는 약 20만 명의 발달장애인이 있으며, 이 중 15%인 3만 명이 서울에 거주하고 있다. 박원순 후보는 장애인에 대한 서울시의 지원정책이 절실하다며 선거캠프에 후보직속 '장애인특별위원회'를 만들도록 했다. 우창윤 서울시의원이 위원장을 맡고 있다.

박원순 후보의 공약은 '장애인의 생활편의 서비스 지원 확대', '장애인 주거 지원 강화', '장애인과 함께하는 기술 에이블테크 서울' 등이다. 구체적 공약은 다음과 같았다.

- 탈시설 고령장애인활동지원 서비스 확대
- 장애유형별 의사소통 원활화를 위한 맞춤형 지원책 강화
- 장애인 이동권 보장강화
- 장애인전환서비스지원센터 역할 및 기능강화
- 장애인 자립생활주택 확대
- 장애인 지원주택 및 주거서비스 확대
- 사회적 약자를 위한 기술, '에이블테크(Able tech)' 개발 소셜벤처 100개 육성
- 빅데이터분석으로 택시 장애인콜택시 대기시간 현재 37에서 15분으로 단축하고 대기장소 최적화
- 휠체어전용 카셰어링시스템 시범 도입 후 전 지역으로 시행

가장 역동적인 지지 그룹 중 하나

전국장애인부모연대 서울지부는 이번 선거에서 가장 역동적인 지지 그룹 중의 하나였다. 연대는 이미 전국 3만 가족회원이 조직되어 있고, 그중 더민주 권리당원도 1만 이상인 큰 조직인데다가 언제나 뜨겁게 움직이는 조직이다. 세상을 바꾸는 일에 가장 열정적이고 역동적인 이 이 그룹은 이번 선거에서 박원순 후보의 지지를 공식 선언하고 후보의 당선을 위해 뛰었다.

서울지부는 윤종술 전국장애인부모연대 회장이 선대위 상임위원장으로, 김남연 서울지부 대표는 여성총괄본부 상임부본부장으로, 부대표들은 부본부장으로 캠프에 참여하였다. 지지그룹을 조직하고 후보 홍보에 나서는 한편 장애인부모연대는 장애인가족특별위원회를 구성하여 6월 4일, 국회 정론관에서 장애인가족특별위원회 3만여 명 지지 선언 기자회견을 열었다.

사실 선거기간 동안 전국부모연대는 청와대 앞에서 '발달장애 국가

책임제 선포'를 요구하며 장기간 천막농성 중이었지만(6월 8일, 68일간의 농성을 마쳤다.), 우리 삶을 바꾸는 매우 중요한 일인 선거에서 우리의 뜻을 받아줄 수 있는 후보를 응원하는 일에 소홀할 수 없다고 판단했다. 더구나 박원순 후보는 지난 2016년 서울시청 농성 이후 단체와는 각별한 공감, 특별한 정책파트너로서 서로에게 가장 든든한 지지와 힘을 보태주는 관계였으니, 이번 선거에서 열망과 자부심을 담아 즐겁고 신나게 움직일 수 있었다.

후보가 방문하는 곳마다 서울 25개 지회 회원들이 나가서 반기며 인증사진을 찍는 미션은 단체 회원도 즐겁고 후보도 즐거운 행사였다. 매일 후보가 가는 곳마다 어김없이 부모연대 회원들이 나타나서 후보에게 마음을 담은 힘을 팍팍 넣어드렸으니 마치 연대는 함께 움직이는 아름답고 센 한 팀 같았다.

단톡방에는 흥미진진한 인증사진과 사연들 풍성

서울부모연대 단톡방에는 인증사진과 사연들이 매일매일 올라와서 선거본부의 상황실인 듯 흥미진진했다. 덕분에 회원 모두는 선거운동에 직접 참여하는 듯 선거를 즐겼다. 사연 몇 개를 소개하자면 이렇다.

"이른 아침 팅팅 부은 눈으로 후보님 오시는 곳으로 갔습니다. 머리카락(삭발농성으로 머리가 짧은 상태)이 얼른 자라야할 텐데 라며 걱정도 해주시는 바람에 붓기가 다 달아나는 듯~"

"후보에게 달려가니, 옆에 있던 구청장 후보에게 발달장애 많이 신경써달라 당부하십니다. 엄지척~"

"이른 아침 인증사진 서둘러 찍어놓고 보니 찍사의 엄지 뒤에 시장님이 가려서 옷자락 끝에 '순'자만 보입니다. ㅎㅎ"

"구청장 후보 선거 사무실 개소식 때 지지 방문오신 후보님께 인증샷 부탁하려는데 비서관이 막아서며 얼른 가셔야한다고 재촉합니다. 우리는 "아니요, 후보님은 저희랑 인증샷 찍고 가실 거에요~."라고 씩씩하게 말하고 인증사진 찍었습니다. 든든하고 감사합니다."

"주말 신도림역에서 수도권 광역단체장 후보들 다 모이고 엄청 사람들이 많았어요. 들어오실 때 길목에서 지키다가 사진 못찍고 기다렸는데 나가실 때쯤 반대쪽으로 퇴장하시려고 해서, 당황해서 급히 달려가서 손목을 꽉 붙잡고 '시장님, 부모연대 미션, 미션~!'하고 외쳤어요. 그러니까 후보께서 가시던 길 멈추고 '어어~~!'하면서 뒤돌아서 사진을 찍어주셨어요. (우리도 나란히 서서 찍고 싶었다구요 ㅠㅠ)"

"후보님하고 사진을 찍는데, 키가 큰 지회장님 자제분이 후보님을 가리는 거에요. 다같이 '수그리, 수그리!'를 외치며 사진을 찍었어요."

"아무 때나 막 들이대진 않아요. 우리가 사진을 막 찍으려는데 아이를 안은 엄마가 후보님께 꼭 아이와 함께 사진을 찍어달라고 간청했어요. 얼른 양보해서 후보님이 아기를 안고 우리는 들러리를 서서 찍은 사진이랍니다."

중소벤처기업인도 함께 뛴다!

한종관 편
굿모닝중소벤처위원회

4월 18일 저녁식사를 마치고 한위원장이 세면 중일때 아내가 전화를 들고 놀란 표정으로 달려왔다. 박원순 시장의 전화였다.
"한종관 원장님이시죠. 저 박원순입니다. 문치웅 보좌관과 박은숙 이사로부터 이야기 들었습니다. 이번 시장 선거에 다시 출마하게 되는데 자주 만나도록 하고 많은 협조바랍니다."

한종관 씨는 박시장께 답했다.

"시장님의 봉사하는 숭고한 삶을 잘 알고 있습니다. 이렇게 직접 전화까지 주셔서 감사합니다."

짧은 통화였지만 진정성이 느껴지는 박시장의 말에 이미 매료되었다.

황금알 낳는 중소벤처기업인이 모이다!

한위원장은 통화 후 어떻게 박시장을 도울 수 있을까 고민했다. 그가 평생 일한 곳이 중소기업지원기관인 신용보증기금과 한국경영혁신중소기업협회이니 중소기업인들과 소통해서 지지를 얻도록 하는 것이 좋겠다고 생각했다.

이에 순수 자원봉사 형태로 굿모닝중소벤처위원회를 결성했다. 위원장 한종관 씨, 수석부위원장 박준수 씨, 사무총장 김창화 씨가 맡기로 하고 전문분야 별로 21명의 부위원장을 인선한 후 3,000명의 중소벤처기업인을 모으기로 결의했다.

이는 기존 경제단체에서 회원수를 이용하여 지지선언하는 것과 달리 SNS를 통해 중소벤처기업인들이 직접 참여의사를 밝히고 전파하는 방식이었다.

한종관 위원장은 5월 20일 박원순 시장후보로부터 임명장 1호를 부여받은 후 5월 26일부터 '황금알을 낳는 중소벤처기업이 함께 뛴다!'는 슬로건을 내걸고 2주 동안 3,000명의 참여자 확보를 위해 노력했다. 여기서 황금알은 일자리를 의미한다.

박원순 시장은 어려운 이웃을 돕는 사회운동가이므로 중소기업인들이 경제부문을 보충할 필요가 있다는 데 의견이 모아졌다. 황금알을 낳는 중소벤처기업의 이미지는 그렇게 탄생되었다.

두 차례의 지지선언과 후원활동

박원순을 지지하는 중소벤처기업인 모집을 시작한지 1주일이 되는 5월 31일에 1,237명의 지지자를 확보했다. 6월 1일 안국동 캠프 3층에서 35명의 업종별 대표자들이 모인 가운데 지지선언을 했다. 이어 6월 10일에는 목표인원 3,000명을 초과하자 늦게 참여한 분들의 열화와 같은 요청으로 이날 오후 6시에 2차 지지선언을 했다.

굿모닝중소벤처위원회가 박원순 후보를 지지한 이유로는 첫째, 글로벌 수준의 스마트시티 혁신생태계 조성을 통한 4차산업혁명 선도 및 신성장동력 확충, 다음으로 중소벤처기업 육성을 통한 좋은 일자리 창

출 및 삶의 질 향상, 마지막으로 남북정상회담 및 북미정상회담 등 세계사적 격변기에 중앙정부와 정치철학 및 경제정책의 공조 필요성이라는 3가지로 요약된다.

싱크탱크와 옴브즈맨 정책기구으로의 비전

굿모닝중소벤처위원회는 한종관 위원장을 중심으로 참여기업의 산업특성을 고려하여 30여개의 전문위원회를 운영하게 된다. 특히 현장중심의 정책싱크탱크, 낡은 제도와 관행의 개혁을 위한 옴부즈만, 성공적 사업수행을 돕기 위한 비즈니스플랫폼 역할을 수행하는 정책기구로 성장·발전시킨다는 꿈과 비전을 갖고 활동할 예정이다.

회색콘크리트 도시 서울을 녹색도시와 사람중심 도시로 만들 우리의 서울시장 박원순 파이팅! 중소벤처기업과 나란히!

북한과 평양시에 전수할 수 있는 콘텐츠를 준비하자

윤영석 목사 편
남북문화교류협력특별위원회

어느 날 윤영석 목사에게 지인으로부터 전화가 왔다. 이번 박원순 시장후보를 당선시키는 데 함께 하자고. 윤목사는 '재단법인 가자통일로' 이사장으로 북한 어린이들에게 빵 보내기 운동을 2년째 하고 있다. 매주 목요일 오후 7시 기도회를 인도하고 있다.

박원순 시장이야말로 남북의 역사적인 평화를 위한 문재인 정부의 철학과 대북 정책을 같이하면서 그 뒷받침을 할 수 있는 유일한 후보라고 생각해 돕기로 했다.

남북문화교류협력특별위원회는 5월 7일 박원순 서울시장 후보 당선을 위한 간담회 및 친목 단합대회를 했다. 이날 목사와 교수 등 76명이 함께 자리를 가졌다. 이어 6월 6일, 캠프 3층에서 50여 명이 (사)대한예수교장로회연합회 이사장 및 회원 목사들과 한국미술협회 이사장, 회원들이 함께 지지선언을 할 수 있도록 했다.

그들에게는 사설 정책연구소인 희망제작소가 일구어낸 노하우와 서울시의 행정 경험을 통해 선진화된 정책과 행정시스템을, 북한과 평양시에 전수할 수 있는 콘텐츠를 준비한 박원순 후보야말로 남북평화와

조국통일에 기여할 지도자이기 때문이다.

박원순 후보가 아름다운 가게를 통해 시민들의 자발적인 참여를 전국에 뿌리내릴 수 있게 했듯 위원회는 북녘 삶의 질을 높이기 위해 민간에 의한 '생필품 나르기운동', '한반도 평화구상과 남북문화교류', 기독교 복음을 전할 수 있는 탁월한 지도력을 가졌다고 의견을 모았다. 서울시를 넘어 대한민국의 미래혁명을 선도하고 남북의 평화적 통일, 나아가 세계평화를 위해 준비된 지도자로 성장해주길 믿고 있다.

도시농업 공부하는 특보단 가동

백혜숙 편
도시농수산식품유통특별위원회

백혜숙 사회적기업 '에코11' 대표는 박원순 후보의 백그라운드를 자처하는 사람이다. 박원순 후보의 도시농업정책을 사회적 경제와 융합하여 일자리 창출에 기여하고 도시농업의 다원적 가치를 알려 왔다. 2018 지방선거에 서울시의원으로 출마해서 박원순 후보의 시정 파트너가 되려고 했으나 공천을 받지 못했다. 그러나 낙담하지 않고 캠프에 합류했다.

도시농수산식품유통특별위원회는 2018년 5월 14일 닻을 올렸다. 10년 혁명 완수, 융합의 시대, 지속가능한 먹거리 플랜! 3박자 시대 상황을 고려하여 도시를 혁신하는 농부, 농수산유통, 식품 3분야의 전문가 및 활동가, 시민들로 특보단을 구성했다. 특위 명칭은 다소 길지만 도시농업+농수산식품+유통=도시농수산식품유통 특별위원회이다.

2018년 5월 17일부터 29일까지 박원순 후보 지지선언 참여자를 모집, 2018년 5월 30일(수)에 기자회견을 했다. (6월 13일) 선거일을 상징하고자 613명을 모집하였는데, 조기 마감이 될 정도로 호응도가 좋았다. 또한 열혈특보단, 방탄특보단을 지향하며 공부하는 특보단을 가동했다.

위원회는 또 무엇이든 '나란히'로 시작해 '나란히'로 마무리하며 4년 후 '나란히'를 다짐했다.

그녀에게 있어 박원순 시장은 시나브로 중독성 강한 부드러운 혁명가 이미지로 거듭난 인물이다. 기쁠 때 함께 기뻐해주고, 슬플 때 함께 슬퍼해주는 모나리자 미소처럼 '웃픈미소'가 참 좋다고 한다.

출산은 국가의 희망이다

한정열 편
마더투베이비위원회

마더투베이비위원회의 한정열 위원장은 우리나라 출산 관련 대표 병원인 충무로 제일병원(구 삼성제일병원)에 25년째 근무하는 산부인과 의사이다. 그는 박시장의 소탈한 분위기를 좋아한다. 서울 공무원들이 인간적으로 박시장을 존경하는 모습에 감명을 받아 스스로도 소탈하고 직장 내 분위기를 조성하기 위해 노력하고 있다.

마더투베이비와 서울시의 인연은 박원순 3선 캠프 이전에 시작되었다. 서울시의 초저출산 문제 해결과 안전한 출산환경 조성을 위한 정부와 서울시의 정책에 참여하고 있었다. 하지만 캠프 참여를 권유했을 때 적지 않은 인원이 참여를 원하지 않거나 침묵해 합류까지는 어려움이 있었다고 한다.

본래의 인원 중에서도 적극적인 출산환경의 인식개선과 제도적인 변화를 외치는 43명의 교수, 간호사, 연구원 등의 의료인들이 모여 박시장의 캠프에 참여하게 되었다.

마더투베이비의 해법은?

문제 해결을 위해 마더투베이비에서는 다음과 같은 해법을 제시한다. 우선 저소득 층 및 취약계층 뜨금이 임신 부모를 대상으로 임신 1기에 정부에서 일정금액을 지원하여 훈련된 뜨금이 상담원(간호사)에 의한 건강정보와 효율적 정부지원정보제공 및 상담을 제공하는 것이다.

정보제공 내용에는 건강정보, 임신관리검사, 질병 및 약물상담, 영양제 및 영양상담, 가족계획, 모유수유, 육아 등이 포함된다. 이는 서울시뿐만 아니라 각 지자체의 협력도 필요한 상황이다.

마지막으로 서울아기 건강 첫걸음 사업의 안정 및 확대를 위한 지원의 필요성이다. 서울아기 건강 첫걸음 사업은 각 지자체에서 교육받은 전문간호사들이 직접 임신부 및 산후 출산 산모 및 아이를 2세까지 찾아가는 사업으로 현재 호평을 받고 성과를 내고 있는 것으로 알려져 있지만 현실적으로 전문간호사들의 급여 등의 처우가 낮아 가장 큰 걸림돌이 되고 있다. 이를 해소해야만 이 사업이 장기적으로 안정되고 추가적인 성과를 낼 것으로 판단된다.

건강한 임신과 출산을 위한 사회안전망 구축 시급해

위의 희망정책들로 초저출산 환경에서 건강한 임신과 출산을 위한 사회안전망구축을 이룰 수 있다. 결과적으로 임신 및 출산으로 인한 걱정을 줄여 좋은 출산 환경을 조성해 출산율 증가로 이어질 것이다. 거기에 임신·출산 전문 상담사들의 배출을 통해 서울시의 일자리 창출에 기여할 수 있다.

마더투베이비팀은 박원순 시장의 당선에 큰 역할을 하지는 않았다고 생각한다. 관련 의료인들에게 투표를 독려한 것이 전부였기 때문이다. 그러나 박시장의 10년 혁명을 이루기 위해서는 당선이 된 지금부터가 시작이라고 생각한다. 10년 혁명의 완수에는 마더투베이비와 같이 각 분야의 전문성을 가진 그룹의 목소리도 필요할 것이다. 그는 의료정책과는 상관없이 박시장에게 부탁하고 싶은 것이 있다고 했다. 바로, 한반도의 통일과 번영을 이루는데 박시장이 앞장서주길 바라는 마음이다. 10년 혁명에는 우리 민족을 하나로 묶는 인구정책이 담겨 있길 기대해본다.

문화예술도시 서울의 꿈

진관스님 · 이강렬 편
문화예술도시서울특별위원회

문화예술도시서울 특별위원회는 진관스님(70. 시인 · 스님, 불교인권위원회 대표)과 이강렬(66. 극작가 · 연극평론가, 한국극작가협회) 회장이 공동위원장이었다.

이웃이자 동지인 공동위원장

박원순 시장이 불교인권위원회에서 제정한 2009년 '제15회 불교인권상'을 수상하면서 인연을 맺게 되어 지금껏 함께 인권의 사각지대에 놓인 많은 분들에게 희망의 도움을 주고 있는 관계다. 두 공동위원장은 오랫동안 함께 문화운동을 함께해온 이웃이자 동지다. 지난 30년간 함께 〈선객(禪客)〉 등의 인권과 관련된 수편의 연극작품을 창작하여 공연하고 있다.

우리 민족은 이미 천여 년 전부터 마을 사람들이 모두 모여 신바람을 돋우면서 신명을 창출했다고 『삼국유사』는 기록하고 있다. 그 신명을 만드는 원천이 우리 공연문화의 힘이자 동력이다.

문화예술도시서울특별위원회는 서울시민의 질 높은 문화향수권 증대를 위한 후보의 문화예술도시 서울을 향한 원대한 꿈에 동참하고자 출발했다. 그러한 뜻에 동참하는 서울시에 거주하는 각 분야 80여 명의 중견 문화예술인들이 자발적인 참여로 당면한 문제를 숙고하며, 서울시의 더 나은 문화발전을 위해 힘을 모았다.

따라서 80여 명의 부위원장을 포함한 고정 멤버들이 일심하여 25개 자치구에 분포된 작은 문화예술 관련 소모임들에게도 위원회의 뜻을 전하고 함께 동참시킴으로써 명실상부한 문화예술계의 힘을 하나로 모을 수 있게 되었다.

문화향수권의 지속적 신장 이뤄져야

무엇보다도 박후보의 지난 7년간의 서울 시정은 시민 중심의 정책이었다는 데 많은 부분 공감했다. 사실 문화향수권의 신장 중에서도 고급문화를 향한 시민들의 향수권을 보장해 주어야 하는 것은 지방자치단체에 주어진 책무 중의 하나다. 하지만 현실은 평생 수준 높은 오페라나 제대로 된 공연예술 작품 한 편 접할 수 없는 경우가 대부분이다. 당연히 정부나 지방자치단체가 시민들의 문화 향수권을 충분히 보장해 주지 못했기 때문이다. 이런 현실적인 모순을 감안한다면 시민 중심의 정책이라는 연장선상에서 문화예술도시 서울의 꿈은 시사하는 바가 매우 크다.

진관스님과 개인적 친분이 있는 미용과 관련된 여러 협회의 다양한 분들까지 적극적으로 동참하게 되었다. 또한 소설가 이외수가 신설동에 소재한 '남예종'의 학장으로 취임하여 앞으로 문화예술분야의 다양한 특강을 통해 학생들을 만날 계획이다. 앞으로 예술분야에 진출할 학생들의 멘토링을 직접 진행한다는 방침이다.

시민들이 갈망하는 문화의 향수권을 신장하기 위해서는 공연장의 개념이 꼭 철근과 벽돌로 만들어진 건물 안에만 국한되어서는 안 된다. 공연하는 사람들과 구경하는 사람들의 마음이 교류되기 위해서는 먼저 신명이 교차되어야 한다. 연희자와 관람자의 신명이 교차되는 다양한 형태의 문화 이벤트는 삶의 활력소가 되어서 되돌아오기 때문이다. 위원회는 앞으로도 계속 박원순 시장의 서울 문화정책을 뒷받침하게 될 것이다.

"시대와 함께가는 예술을 만들고 싶어!"

서춘기 편

문화혁신특별위원회

"우리 위원회는 전 캠프를 통틀어서 나이 차이가 가장 많이 나는 팀원들로 구성되어 있습니다. 하하하. 그야말로 세대융합팀이죠."

문화혁신특별위원회 서춘기 위원장이 온화한 미소와 웃음 띤 얼굴로 글쓴이를 대했다.

시대와 함께하는 예술의 방향성에 대해 고민

신예 무용가인 20대 초반의 팀원들과 서춘기 위원장의 나이차는 마흔 살 가까이 된다. 위원회는 한국무용의 원로와 신예 한국무용가, 국악인, 화가, 작곡가, 지휘자, CF감독, 연출가, 대중음악 기획자, 인디가수, 영화제작자, PD, 무대음향과 무대조명 디자이너, 무대 분장사 등 대한민국의 문화를 만들고 기획하는 각계각층의 문화 인사들로 구성되어 있다.

그가 박원순을 지지하는 이유는 박시장의 문화정책을 통해 많은 예술인들과 함께 진솔하게 이야기하고, 시대가 요구하는 예술이 무엇인지 성찰하고 싶었기 때문이다. 그는 시대와 함께하는 예술의 방향성에 대해 고민하고, 뜨거운 마음을 가진 젊은 세대의 문화인들과 나란히 하고자 하는 의지가 강했다.

위원회는 예술계의 종사자들이 모여 문화예술인으로서 서울시에 기여할 수 있는 세부 실천방안에 대하여 토론하기도 했다. 이후 박원순 후보의 압도적 승리를 위하여 주변의 예술인들과 직접 얼굴을 대면해 박시장의 감성적인 면을 알리기도 하고, SNS 등을 통해 정책홍보활동을 벌여 나갔다.

때로는 유세에 참여하여 시민들과 함께 이야기를 나누기도 했다. 박시장의 이름을 이용해 즉석에서 노래를 만들어 현장에서 부르는 등 예술가다운 선거운동을 펼치기도 했다. 십시일반 후원금 모금에도 동참했다.

예술은 내면의 행복을 발견하도록 도와주는 힐링제

어느 날 서춘기 위원장이 시청 근처를 지나는데, 무심코 바라본 서울시의 캐치프래이즈, '나란히 서울'이란 단어가 가슴에 와 닿았다. 서울시의 정책은 매우 체계적이어서 스마트한 느낌을 주지만, '나란히'라는 말은 그에게 아날로그의 향수를 불러일으켰다. 서울시민과 나란히 어깨동무를 하고자 하는 박시장의 마음이 고스란히 느껴져 가슴이 뭉클했다. 서울 시민과 공감하고 소통하는 박시장의 마음이 예술의 본질과 맞닿아 있지 않을까 추측했다고 한다.

또 그는 서울문화예술교육센터에서 진행하는 양질의 예술교육 프로그램을 매우 칭찬했다. 도예, 가야금, 그림 등 다양한 문화예술을 배우고 싶어하는 시민들이 돈 걱정 없이 문화교육을 향유할 수 있도록 돕고 있는 이 도시가 좋다고도 했다. 시민과 어깨를 나란히 하는 다양한 문화 정책이 더 많이 만들어지기를 희망한다고도 했다. 이를 통해 지역의

예술가들이 일자리를 얻고, 문화생활을 통해 삶에 대한 태도가 변화하고, 건전한 시민문화와 소통하는 공동체를 만들어갈 것이다.

그가 말하는 예술이란 삶 그 자체다. 한편의 연극이나 그림을 통해 인생을 반추해 볼 수 있다. 그 안에는 슬픔과 고뇌 그리고 삶을 향한 희망이 담겨 있다.

예술은 지친 일상 속, 삶의 풍요로움을 더해주고, 내면의 행복을 발견하도록 도와주는 힐링제다. 지난 정권에서 예술가들의 삶은 어려웠다. 권력과 예술, 시민이 계층화되어 있다고 생각했기 때문에 예술가들을 그토록 탄압했다고 생각한다. 그는 이제, 계단 없는 마음으로 예술의 가치를 공유하고 본질을 바라 볼 수 있는 대한민국이 되리라 믿는다. 박시장은 공유의 가치를 누구보다 잘 알고 실천해온 사람이기 때문이다.

민족 정체성 바로 세워야

고석정 편
민족정기바로세우기특별위원회

고석정(61세) 느림보학교 교장은 박원순 캠프에 민족정기바로세우기특별위원회 소속 사무처장 역할을 했다. 그의 말에 의하면, 박원순 후보는 혁신적 마인드와 발상전환으로 비빔밥보다 더 맛있는 지식산업의 가치를 만들기 위하여 지금 서울을 한참 비비고 있다. 쉽지 않은 이 융합의 결실에 3선이 절실히 필요하다고 한다.

'놓친 것들을 찾아드립니다'

그는 '놓친 것들을 찾아드립니다'란 슬로건으로 천천히 함께 가면 찾을 수 있는 힐링과 충전의 에코학교가 있다고 자랑했다. 느림보 자연학교를 서울의 숲 공원에 확산하고 싶다.

민족정기바로세우기는 우리 민족의 정체성을 바로 세우기 위하여 소외되었던 독립유공자와 유족들의 헌신의 가치를 찾아주고, 비뚫어진 역사관, 한민족의 화합과 평화를 위하여 실천하는 단체다. 200여 명의 특별위원과 1,200여 명의 회원들은 3선의 필연성을 알리기 위하여 시민단체와 시민 3만여 명에게 SNS를 통한 홍보활동을 적극적으로 펼쳤다.

현수막이 가방으로

김주연 편
사회적경제기업특별위원회

김주연 씨는 일반시민이다. 사회적경제기업이 박원순 후보의 지지선언을 함께 만들어가면서 참여하게 되었고, 프리마켓(임시시장)을 개설해서 운영하고 있다. 주변 사람들에게 사회적경제의 영역에서 서울의 정책을 실어 나르는 역할을 하자는 내용으로 지지선언을 했다.

그녀는 시민들을 위한 가장 낮은 그곳에 원순씨가 있는 것 같다고 했다. 시장이라는 자리보다는 서울시장의 '역할'만을 계속 생각하는 마음이 정말 훌륭한 정치인의 표상이라고 생각한다.

이번 사회적경제 지지선언에는 1,207명이 대표로 참여했는데, 현수막에 일일이 각자의 이름을 넣자고 의견을 모았다. 그런데 작은 현수막에 이름을 넣다보니 정말 작게 출력이 되었다. 그런데 각자가 그 작은 본인의 이름이 어디 있는지 하나하나 찾아내며 좋아했다. 원순씨를 지지한다는 걸 자랑스러워하고 있다는 게 뿌듯했다.

이름이 하나하나 새겨진 현수막은 서울시의 '일회용품 안쓰기' 캠페인과 더불어 다시 가방으로 재탄생할 예정이다. 2014년에도 캠프의 모든 현수막을 가방으로 재가공했다. 이것은 박원순 시장의 평소의 생각들이 담겨 있는 것이다.

"정치는 더 이상 서울 시민들에게 어려운 이야기가 아닌 시대가 온 것 같다. 학습된 선거의 정치 공학, 전략, 스피치보다는 낮은 자리도 마다하지 않는 정말 일꾼 정치인들이 대한민국에 많아져야 한다. 이제 서울은 서울시장과 함께 정책과 시정을 즐길 준비가 되어 있다. 앞으로 달리면 되는 순간을 충분히 즐기면 좋겠다. 넘어지면 함께 일으키고, 뒤돌아보며, 발맞추고 흥겹게 나란히 달리는 민선 7기 파이팅!!"

서울에는 제주 사람도 산다

강대성 편
서울·제주 균형발전특별위원회

강대성(63세) 씨는 증권회사에서 금융컨설턴트로 근무했다. 박시장과는 6년 전 보궐선거 캠프에 참여하면서 알게 되었고, 이번에는 박시장과 문치웅 조직총괄본부 실장의 권유로 합류했다. 서울제주도민회의 의전섭외 부회장으로 왕성한 사회활동을 하고 있다.

위원회의 진로, 다각적 방법 모색

서울 · 제주균형발전위원회는 재경제주도민으로 이뤄져 있으며 임명장을 받은 핵심위원은 60여 명이다. 그 구성을 보면 읍면의 총무, 도민회 청년회장, 도민회 직능부회장, 기업경영자, 장군 등 군 출신, 교수단, 여성부 등으로 제주도를 위해서 봉사했거나 지금도 봉사 중인 사람들 중심으로 이루어져 있다. 특히나 진보세력의 취약점이라 할 수 있는 50~70대를 중심으로 구축돼 있다. 위원회의 중심은 2011 시장선거 보선 때 조직된 인원이며, 이번 6.13지방 선거를 맞아 캠프에서 명명해준 조직이다. 향후, 위원회의 진로나 방향에 대해서 다각적인 방법들을 모색하고 있다.

서울·제주균형발전위원회가 이번 선거에 기여한 점은 전 위원이 정말 열심히 뛰었다는 것이다. 사전투표 독려를 위해 지지자 명부와 투표 여부를 확인하고 권유했다. 박 시장의 인기에 비해서 유세 현장이 너무 초라해, 유세 시간과 장소를 미리 파악하여 참여 가능한 위원들이 응원하도록 하였다.

지인들에게 메시지나 카톡으로 명함을 보내게 하여, 만나지 않아도 지지권유를 할 수 있도록 하였고, 특히 자체 제작한 현수막을 유세현장에 펼침으로서 일반 유권자들에게 제주 출신들도 박시장님을 응원하고 있다는 선전효과를 보였다.

제2의 황희 정승을 보는 듯

"박시장님에 대한 평가는 다양할 수가 있습니다만, 단점보다는 장점을 많이 갖고 계신 분입니다. 일단 권력과 부를 점유하지 하지 않으려는 청빈한 정치가나 행정가는 보기 드문데, 제2의 황희 정승을 보는 듯해서 뿌듯했습니다. 소탈한 성격과 권위의식이 전혀 없는 모습에서 반하지 않을 수 없었습니다."

다만 강위원장은 '만기친람이니', '너무 디테일 하다느니' 하는 일부 여론에 대해서는 매우 아쉬운 대목이라고 했다.

위원회는 유세현장 방문만이 아니라 자주 만나서 위원회가 해야 할 일에 대해서 격하게 토론도 했다. 짧은 기간이라 큰 에피소드는 없었지만 앞으로 많은 에피소드가 있을 듯 하다고 했다.

이번에 박시장이 시민혁명가의 이미지를 탈색하는 데 좋은 계기가 되었다고 정리했다. 지지여론과 인기만을 등에 업고 치른 선거가 아니라 조직을 구성하고 그 조직이 베이직을 이뤘다는 것은 시민단체의 선거가 아닌 정치인으로서의 변모를 나타내는 훌륭한 선거였다고 평가를 내렸다.

향후 대한민국의 지도자가 되려면 지금보다 더 치밀하고 담대한 구상을 해 나가야 한다고도 했다. 현재 구성된 조직을 선거가 끝난 뒤에도 어떻게 관리하고 다듬어 나가야 할 것인가에 대해서도 상당한 고민이 필요하다고 조언했다.

가정경제를 책임지는 여성들의 모임

정남희 편
여성경제인특별위원회

"서울시장 박원순 후보와의 인연은 많이 알지도, 그렇다고 모르지도 않은, 그렇지만, 서로 주민을 사랑하는 마음은 같은 사이?! ㅎㅎ. 박시장님이 그래도 강남에 오면 저의 얼굴을 보고 또 한 번 보면서 기억해 주는 사이라고 하면 말이 될지요? 저를 인상깊게 생각하시는 박원순 후보는 모 국회의원의 초대로 강남에 와서 많은 주민의 질문을 받았을 때 유독 저의 질문에만 대답을 못하고 진땀을 빼셨었습니다. 지역 발전 가능성에 대한 고견과 장애인의 복지 정책 등에 대해서였지요. 지금은 만나면 반가워 해주십니다. 아마 이름을 기억하진 못 하시겠지만요. 그래도 만나면 아주 반갑고 또 보고 싶은 분입니다."

여성경제인특별위원회 위원장 정남희(48세) 씨는 그렇게 말을 이어나갔다.

그녀가 캠프의 여러 위원회 중에 여성경제인특별위원회를 선택하게 된 이유는 그녀가 속한 협회와도 일맥상통하는 부분이 있기 때문이다. 장애인협회에서 활동하고 있지만 장애인은 아니다. 정위원장을 잘 알고 그녀와 이야기를 나누는 협회 회원들은 대부분 나이가 많다. 그녀의 애교를 좋아하고 웃는 모습을 좋아한다. 물론 순수 자원봉사자로서 사단법인 국제장애인문화교류 강남구협회장이다.

경제활동 하는 여성으로 애환 느껴

그녀가 캠프에 자원봉사를 하게 된 경위는 여성으로서 대한민국에 살면서 여성경제인으로 살아야 하는 애환을 박원순 서울시장에게 전달하고 싶었기 때문이다. 일찍 홀로 되어 어린 자녀를 키워야 했던 여성, 남편의 경제활동이 원활하지 못하거나, 학습지 선생을 하며 가정경제를 책임져야 하는 여성 등의 어려움을 돌봐줄 정책에 관심이 많았다.

여성으로서 한 가정을 책임지려면 여성에게는 이중 삼중의 고통이 되지만 어디에도 그녀들의 답답함을 잘 들어주지 않으려 했다.

그래서 그녀들끼리 모인 위원회에서 일년에 한두 번씩 음악회와 예술제를 해왔다. 그녀들끼리라도 최소한의 문화적 환경을 누리기 위해서다.

"경제 활동을 하다보면 정서적으로 많이 힘이 듭니다. 사람들과의 관계에서 서로 다투고 관계가 소원해지기도 합니다. 그럴 때 무엇보다 정서적 안정을 위해 봄, 가을로 음악회를 하고 예술제를 준비하다보면 너무들 좋아하십니다. 서로 사이도 좋아지고 맛난 음식도 먹고 그 안에서 사랑이 싹트기 때문이지요."

여성경제특별위원회는 가정경제를 책임지는 여성들의 모임이다. 지역의 각기 다른 분야에 종사하고 있다. 동네세탁소, 슈퍼아주머니, 노상 과일점, 떡볶이 집, 치킨 집, 학습지 선생 등. 동네의 구석구석 이모저모를 잘 알기도 하지만 가정경제를 책임져야 하는 부담감을 안고 사는 여성들의 애환이 있는 위원회이다.

경제 잡는 사람이 서울을 책임질 적임자

위원회 소속 회원들은 하나같이 자원봉사자로 참여해 주었다. 박원순 시장이 서울시의 빚을 줄이는 것을 보고 더욱 더 믿음과 신뢰가 갔고, 이런 사람이라면 서울을 맡겨도 되겠구나 하고 생각했었다는 회원이 있다. 이번 선거와 관련해 지역에서 더 많은 사람들과 박시장 이야기로 인사를 나누다보니 그들의 어려운 점을 쉽게 파악하게 되었고, 더 좋은 관계로 발전했다.

경제를 잡아줄 수 있는 사람이야말로 서울을 책임질 적임자라고들 했다. 그래서 입에서 입으로 서울시장을 칭찬하는 릴레이를 이어갔다. '경제를 잡을 수 있는 단 한 사람 박원순'을 응원하자는 메세지를 아는 사람들에게 매일 5~10명씩 남기는 것을 했다. 오직 박원순 시장을 위한 퍼포먼스였다.

박원순 시장이 여성 경제인을 위한 정책을 많이 고민해 주고 젊은 여성들도 직장 다니면서 여성 경제인으로 서울에 기여하고 있는 '공' 이 크다는 것도 알면 좋겠다. 흔한 표현으로 '먹고 살기 힘들다' 라는 말이 안 나오게 해 주길 바란다.

정남희 위원장은 덧붙이고 싶은 말이 있다며, 저출산이 정말 여성의 문제인지부터 고민해 봐주셨으면 한다고 했다. "아기를 낳아서 여자가 좋은 점이 뭐가 있느냐는 것입니다. 왜 힘든 고통으로 아이를 낳아야 하는지 그 이유를 모르겠다는 것입니다. 자본주의 사회에서 돈 많이 벌고 잘 살면 되지만 아이는 고통의 연속이라고들 합니다. 신경 써야 할 것이 너무 많다는 것입니다. 저는 이제 아이를 다 키웠지만 돌이켜 보면 아이를 낳아서 행복했었나? 하는 의문도 듭니다. 이제까지 돈을 벌고 살아야 하는 민생고에 지쳐서 잊고 살았습니다." 아이를 낳고 다시 일선에 나와도 차별받지 않고 경제활동을 하는 데 아무 장애가 없었으면 하는 말도 전해 달라고 했다."

계획하지 않았던 위원회, 그러나 꼭 필요한 위원회

정진립 편
통일안보특별위원회

50대 후반의 퇴직한 군 예비역이며, 현재는 대학에서 초빙교수로 있는 정진립 위원장이 박시장을 알게 된 것은 작년 대통령선거에 국방안보포럼 활동에서 알게 된 박은숙 서울복지재단 비상임이사를 만나면서부터다. 박이사는 박시장의 행사에 그를 초대하고 소개했다.

기본적으로 국방, 외교, 통일 분야는 국가적인 업무분야이고 지방자체단체장의 권한이 작용하지 않지만, 현재의 남북한 관계개선과 평화

적인 정책구상이 실현되기 위해서는 대한민국의 심장부인 서울시의 실천적인 역할이 필요할 것으로 생각되어 통일안보특별위원회를 구성하여 참여하게 되었다.

위원회는 군출신답게, 비교적 최근에 전역한 젊은 예비역 고위급 인사들을 중심으로 대표진을 구성했으며, 예하 조직은 비록 단기복무를 했지만 통일안보 분야에 관심이 많고 사회곳곳에서 지도자급으로 활동하고 있는 사람들로 임원진을 구성했다.

실행 가능한 정책과제 발굴

위원회가 앞으로 하고 싶은 일은 서울시 차원의 평화적인 통일안보 정책개발, 서울시와 관련된 군부대와 발전적인 협조체제 유지, 재난에 대비한 정책개발 등 중앙정부의 정책적인 틀 내에서 실행 가능한 정책과제를 발굴하는 것이다.

위원회는 민족의 숙원사업인 남북통일시대에 대비하여, 박시장이 미래비전을 가지고 있으며, 서울시민들에게 꿈과 희망을 줄 수 있는 지도자였다고 평가했다.

정위원장은 박원순 시장의 좋은 점은 시민들에게 매우 친절하고 권위의식을 갖지 않으면서 거대한 서울시 조직을 리드하는 지도자라는 것이다.

이번 짧은 선거준비기간 동안 사전에 기획하지 않았던 위원회를 구성하면서, 위원회의 특성상 '잘 될까'라는 의구심을 가진 것도 사실이지만, 앞으로 위원회가 지속적으로 활동한다면 보다 역동적인 조직이 될 것이라 생각한다고 말했다.

작은 조직, 큰 발걸음

장영승 편
화교특별위원회

장영승(49세) 위원장은 무역업에 종사한다. 그는 서울시 추신강 명예부시장의 소개로 캠프에 들어갔다. 위원회는 화교인 중심으로 활동했다.

위원회가 박시장의 당선에 기여한 점은 서울에 있는 화교뿐만 아니라 남편이나 부인 등 한국인 가족과 친지에게 많은 홍보를 했다고 자부했다. 김영호 국회의원과 늘 함께 했다.

"우리는 화교특별위원회입니다. 주로 화교위주로 특보단을 운영하고 있습니다. 일명 순화회(淳華會 ; 朴元淳과 同行하는 華僑인)라고 합니다. 아주 작은 조직이지만 열심히 뛰고 있습니다. 박시장님의 당선과 향후 정치적 장도에도 적극적으로 도울 생각을 가지고 있습니다.^^"

'민주당 선거는 처음이라서'

유창복 편
분권자치특별위원회

유창복 씨는 그동안 유권자로서 민주당을 선택해왔지만, 민주당 당원으로서 선거에 참여해보기는 처음인 사람이다. 그것도 공동선거대책본부장이라는 중책을 맡아 구체적인 미션을 수행한다는 것은 생소한 일이었다. 하지만 박원순 후보 캠프에 합류하기 전에 이미 민주당 마포구청장 예비후보로 뛰어본 터라 그런대로 자연스러웠다. 게다가 분권자치특별위원회의 상임위원장직을 맡게 되다보니, 생소하고 자시고 할 틈도 없었다.

서울시 협치자문관 역임해

유위원장이 박원순 후보를 알고 인연을 맺게 된 것은 2011년 서울시장 보궐선거 즈음이다. 박원순 후보가 처음 서울시장에 당선되던 그해 10월 26일 선거 바로 이튿날, 박원순 후보는 그를 불러 마을공동체 정책을 입안하고 실행까지 맡아달라고 했다. 관이 나서서 마을을 만드는 것이 가능할까 의구심이 들었지만, 그 부작용을 알고 덤비면 괜찮다싶어 시작했다.

그 후 그는 마을공동체종합지원센터장을 거쳐 서울시 협치자문관을 역임했다. 그의 말처럼 급기야는 구청장 도전을 한 후 선대본에 참여기까지 그 인연의 꼬리가 물려 이어지게 되었다.

그가 생각하는 박원순 후보의 민선 5, 6기 6년간의 시정은 '혁신과 협치'로 요약된다. 이는 박원순 후보가 시장 재직 시에 항상 주장하던 말이다. 박후보는 4년 동안 '10년 혁명'을 제대로 완수하기 위한 시정방향으로 '분권과 자치'를 내세웠다.

2016~2017년 겨울, 광장에서 나라를 구했다면 이제 일상에서 살아가는 '우리' 문제를 해결해야 한다. 중앙 중심에서 지역으로 권한을 나누고(분권), 다시 지역에서 살아가는 주민에게 다시 권한을 이양(자치)할 때 비로소 문제가 해결된다. 혁신과 협치를 분권과 자치로까지 밀어부쳐야 하는 이유다.

당과의 화학적 결합도 성공적

이번 선거는 민주당에 대한 지지도가 워낙 높았고, 수준 이하로 야당이 부진해서 긴장감이 비교적 덜한 선거였다. 또한 25개구 전역의 승리를 목표로 구청장과 시·구의원들의 당선을 위한 지원역할에 중점을 둔 탓에 시장 선거에 걸맞는 바람을 일으키는 데는 다소 미흡했다.

그렇지만 다행스러운 것은 그도 박후보도 민주당 선거는 처음이라 당과의 만남이 어색할 수도 있었지만, 잘 녹아 들어갔던 것 같다. 25개 각 구별로 정치에 관심을 가진 주민들이 확인되었고, 앞으로 함께 할 일이 무엇인지에 대한 공감을 가지게 되었다. 선거는 무사히 잘 끝났지만, 이제 새로운 시작이 아닌가 싶다며 미소로 대신했다.

5장
캠프를 떠받치는 기둥

정책총괄본부
클린선거운동본부
후원회
대변인실
비서실

"

이번 박원순 선거 캠프를 두고 매머드급이라 했다. 그러나 처음부터 매머드급으로 출발한 것은 아니다. 박원순의 뜻을 따르는 한 사람, 한 사람이 모여 이뤄진 것이다. 혼자로는 미약한 개인들이 모여 군단을 이루다보니 매머드급이 된 것이다.

악몽처럼 되살아나는 '안정망'의 공포

김홍길 편
정책총괄본부 미래비전실

김홍길(42세) 씨는 박원순 서울시장이 아닌 서울은 상상할 수 없어 자원봉사에 나섰다. 평소 사회혁신과 생활정치에 관심이 많았고, 박원순이 시장이 되기 전 함께 일한 적도 있어 이번 선거에 작은 힘이라도 보태기로 한 것이다.

'쉬운 글 공약집' 등 제작으로 공약 사각지대 없애

그가 속한 곳은 캠프 내 정책총괄본부 미래비전실. 다양한 경험을 가진 팀원들이 모여 후보의 공약을 만들고 다듬었다. 66개의 핵심공약을 개발하고 이를 정리해서 선관위와 메니페스토운동본부 등에 보냈다.

미래비전실은 공약을 통해 서울 시민의 다양한 눈높이에 맞춰 대상별, 영역별로 정책을 개발하고 후보자가 유권자에게 발표할 수 있도록 준비했다. 안철수, 김문수 등 다른 후보의 지속적인 네거티브 공세에 맞대응을 자제하고 후보의 정치철학을 담은 공약발표에 힘을 쏟게 한 것도 미래비전실의 공이다.

TV토론에 필요한 해당 정책의 메시지 카드를 작성해서 후보에게 전달하고, 토론 중에 발생한 내용들을 팩트 체크한 후 이에 대응하는 일도

맡았다. 정책공약 발표회, 남북교류, 균형발전, 자영업 등 주요 공약과 연결된 행사준비도 기획하고 진행했다.

특기할 것은 미래의 유권자를 위한 '쉬운 글 공약집', 장애인을 위한 '읽어주는 공약집'을 제작했다. 이는 공약의 사각지대를 없애고 후보의 공약이 널리 알려지도록 하는 데 크게 기여했다.

김홍길 씨는 서울시가 박원순을 택해야 하는 이유를 명쾌하게 설명한다. "후보님은 지난 6년간 서울의 혁신을 위한 플랫폼이 되어 스스로 몸을 낮추고, 현장 중심의 행정, 시민의 삶 속으로 다가선 생활정치를 해왔습니다. 박원순식 '서울 10년의 혁명' 완성과 더 많은 변화를 만들어 내기 위해 박원순 시장이 꼭 필요합니다."

이름 대신 별명으로 더 가까워져

미래비전실의 하루하루는 그야말로 전쟁터였다. 그러면서도 작은 실수 하나에 함께 울고 함께 웃는 동지들이 되어갔다.

대표적인 에피소드 하나. 공약 제목 중 폐업자의 회생을 돕는 '서울형 자영업자 실직 안전망 구축'이라는 것이 있다. 그런데 이 '안전망'이

'안정망'으로 잘못 표기된 자료가 있었다. 수차례 발견하여 고쳤음에도 각종 인쇄자료, 보고자료, 일정 캘린더 등에 '안정망'으로 부활하여 다시 등장했다. 심지어는 생방송으로 진행된 KBS TV토론 때 후보 PPT 장면에도 등장하여 모두가 경악했다. 한마디로 '안정망'의 부활은 미래비전실에는 엄청난 공포였다.

미래비전실 사람들은 이름보다는 각자 지은 별명을 불렀다. 조댕, 나디아, 율킴, 이상무, 혜발, 영박, 양군, 낢, 정아리, 새벽, 영이, 홍반장, 김사장, 민트초코, 땡땡이 등으로 서로를 부르며 더 가까워지고 하나가 되었다.

대부분의 캠프 상근자가 그렇듯이 팀 특성상 미래비전실은 특히 야근이 많았다. 종종 마감이 정해진 팀내 중대사인 TV토론 준비, 공약서 제출, 행사 준비 등을 하다보면 종종 밤을 새기도 하고, 새벽이 돼서야 퇴근하는 경우도 많았다.

팀원 중에는 캠프 일 하랴, 자녀 돌보랴 몸이 열 개라도 모자라는 이들도 있었다. 그런 가운데서도 '박원순과 함께하는 미래시민의 날'(6월2일) 행사와 같이 미래 시민인 아이와 엄마가 같이 시간을 보낼 수 있는 행운도 있었다. 그 자원봉사자 엄마는 모처럼 가족에게 후한 점수를 땄다.

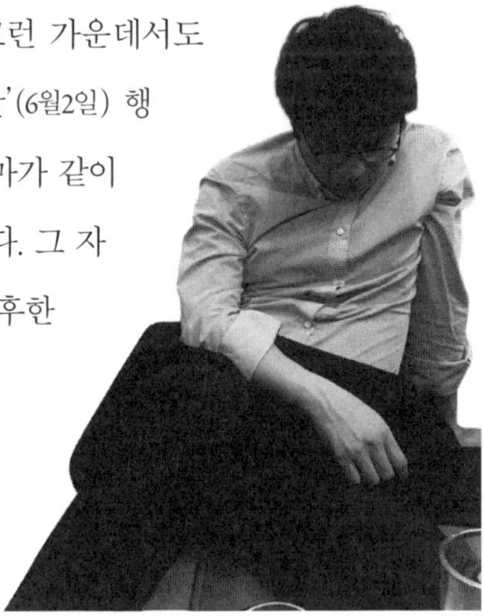

선거운동 기간 중에 박영선 미래비전실장의 생일이 겹쳤다. 생일을 기억한 팀원들이 늦

은 시간에 깜짝 파티를 열어줘 가족들과 함께 하지 못하는 아쉬움을 대신하기도 했다.

이제 돌아보면 미래비전실이라는 울타리 안에서 이리 뛰고 저리 뛰며 머리를 맞대고 정책과 공약을 개발하던 일이 김홍길 씨는 꿈만 같다. 캠프에서 처음 만난 사람들이 대부분이지만 한마음으로 똘똘 뭉쳐 닥친 과제들을 해결하던 시간들은 무엇과도 바꿀 수 없는 소중한 추억으로 남을 것이다. 벌써 그 사람들이 그리워진다.

법 앞에 장사 '있다'

박준모 편
클린선거운동본부

박준모 변호사는 고등학생 시절, 시사교양 증진 목적으로 한겨레21과 시사저널 같은 격주간지, 신문을 같은 반 친구들과 함께 구독했다. 그러다 우연히 '참여연대'란 시민단체를 알게 되었고, 대학에 가면 꼭 한 번 참여해보고 싶다는 마음을 가지고 있었다.

대학에 합격하고 신입생 오리엔테이션에서 캠퍼스를 구경하던 중, 사회복지학과 대학원에서 운영하던 '이웃사랑실천본부'에 걸어둔 현수막에서 자원봉사자를 모집하는 광고를 봤다. 그리고는 곧바로 '사법감시센터'에서 잡일을 도와주는 봉사활동을 시작할 수 있었다. 그렇게 안국역 안국빌딩(캠프사무실이 있던 바로 그곳) 4층 구석에서 한국법조인 데이터베이스 작업을 하던 어느 날, 박준모 변호사는 대학 후배라며 반갑게 맞아주시는 박시장을 처음 만났다.

고등학교 시절 알게 된 참여연대

부끄럽기도 했지만 당시 유행하던 대중문화에 별 관심이 없던 20대의 그에게는 활동가 박원순이 롤모델이자 아이돌 같은 존재였다. 그렇지만, 아이돌은 추억 속에 남듯 그 역시 박시장처럼 될 수 없는 나약한 소시민에 불과했다.

시간이 흘러 제법 나이를 먹었다고 느껴질 즈음, 문득 돌아보니 어두운 시대를 묵묵히 걸어온 분들과 함께 하지 못한 부채감이 그의 마음 한 구석에 큼지막하게 매달려 있었다. 민변에서 활동은 했지만, 권력이 무섭고 가족들이 눈에 밟히고 무엇보다 스스로 겁이 많아 함께 하지 못했었다. 그러다 우연히 민변 사무처를 통해 선거 캠프에 대한 이야기를 듣게 되었고 이번에 함께 하게 되었다.

누구나 아시다시피 박원순 시장은 한국 시민운동의 큰 물줄기를 바꾸고 또 새로 만든 사람이다. 전태일 열사의 희생을 보며 고(故) 조영래 변호사의 인생이 바뀌었고, 그분의 삶과 말 속에서 박원순 시장도 영향을 받았다.

이제 그 영향 아래 수많은 후배들이 새로운 세상을 열기 위해 정진하고 있다. 5.18 광주의 희생이 87년 혁명으로, 다시 촛불혁명으로 이어지며 역사를 열어가는 이 시대, 이 땅에서 밀알이 되어주는 박시장의 모습이 좋다고 했다.

상근 간사, 팀장을 제외하고 클린선거본부 변호사들은 대부분 본업과 캠프를 병행했다. 오전엔 각자의 법률사무소로, 오후엔 캠프로 출근하거나, 하루는 캠프, 하루는 사무실, 하루는 재판을 다니며 보따리상의 삶을 살았다. 그 와중에 상근을 결의한 분들이 있었으니, 강주미 간사와 박정환 간사다.

강주미 선거본 결성식거행 예정

강주미 간사는 주 7일(!!)을 캠프에 출근하며 모든 일정을 책임진 일꾼이다. 더구나 강철체력(강씨답게)을 자랑하며 다른 팀 언니들과 끈끈

한 '음주애'를 자랑하기도 했다. 그 체력과 인덕과 업무능력을 모든 팀원들이 인정하여 '강주미 캠프'를 차리게 됐다.

2020 또는 2022를 목표로 팀원 모두 강주미 후보를 물심양면 지원하기로 결의할 예정이고, 그 초석으로 강주미 선거본(준)결성식을 1박 2일간 거행할 예정이다.

워라밸은 어디로? '워주밸'은 여기서

선거는 민주주의의 꽃이다. 그리고 선거는 많은 분들의 뜨거운 에너지가 결합되어 용광로처럼 불타는 곳인 것 같다. 경선 초반, '워라밸'을 외치던 분들은 간 데 없고 '워주밸'(워킹-음주 밸런스)이 주요 관심사로 떠올랐다.

4월 경선을 대비해 꾸려진 법률지원팀의 초기 멤버는 정석윤 실장, 정성재 변호사, 박정환 변호사, 박준모 변호사, 장호식 변호사, 강주미 변호사였다. 공선법의 복잡다기함과 유권해석 및 판례의 복잡미묘한(?) 어려움, 그리고 각기 다른 곳에서 활동하던 팀원들이 만나 다양한 개성을 뿜어내다보니 멤버들 사이에 불협화음이 있기도 했다.

박준모 변호사가 오전 재판을 마치고 캠프로 온 어느날, 강주미 변호사가 넌지시 얘기를 건넸다. "회식할까요?" "그럽시다!" 그렇게 팀장을 제외하고(팀장은 외부 일정) 박정환·박준모·장호식·강주미 변호사는 느닷없는 첫 팀원 번개 회식을 했다.

인사동 어느 식당에서 식사와 반주를 겸해 막걸리를 마시다가 어느덧 막걸리만 마시며 각자의 살아온 이야기를 조금씩 풀어놓으며 마음을 열었다.

서울장애인인권센터에서 팀장으로 일하던 박정환 변호사는 자유로운 개인주의자이고, 생물학 전공의 장호식 변호사는 선량한 동네변호사를 주창하는 열성적인 남자이고, 국어교육학을 전공한 강주미 변호사는 진주 강씨로 강씨 고집 강철체력의 강단있는 2년차 변호사였다. 살아온 길도 다르고 성격도 다르니 불협화음이 생길 수밖에 없었다. 그러나 이들은 막걸리로 대동단결한 그 날 이후 가장 탁월한 팀워크란 평가를 듣게 되었다. 후에 합류한 정석윤 실장, 박민제 팀장, 김도형 팀장 모두 공히 같은 평가를 내렸다.

개성만점의 캐릭터들

과학고 출신답게, 정석윤 변호사는 예리하고 스마트한 모습을 보여준 데다가 자상하고 적절한 팀 관리로 '아빠미소'의 진정한 모습을 보여줬다.

휴일없이 전일출근한 '진주 강씨' 강주미 변호사는 경선 참여 직후 바쁜 일정에 남자친구와 결별을 감행했는데, 캠프 내에서 소개팅 공약만 남발당하고 아직 아무도 소개를 해주지 않았다고 했다.

10년치 술을 다마신 '차도남' 박정환 변호사는 1년에 한 번만 술을 마신다고 했다. 그러나 캠프에 몸담으며 '사회성 발전 프로젝트'로 회식을 통해 미래가 뒤바뀐 남자가 되었다. 캠프 마지막 날 다음과 같은 말을 남겼다.

"저도 개인적으로 2개월 사회성향상 속성코스 무사히 끝낸 기분입니다. 정석윤 교수님 이하 모든분들께 감사드립니다~~~ ㅋㅋ"

마냥 즐겁지만 스트레스 최고 장호식 변호사는 호치님(호식이두마리

치킨)이란 별명을 얻었지만, 강렬한 의지의 사나이다. 자녀들에게 자신의 가난을 물려주지 않기 위해 남부지법 앞 동네변호사로 오늘도 열일 중이다.

최용문 변호사는 북촌에 사무실을 내고픈 특전사 출신이다. 유머는 포기해도 조끼(베스트)는 포기할 수 없다는 남자, 영상 25도 미만이면 어김없이 베스트까지 완벽한 정장과 포마드로 발라 넘긴 올백 머리를 셋팅하고 사무실에 나타난다. 그 성과로 해단식에서 베스트드레서 상을 받았다.

김종휘 변호사는 신화라 불리는 '부산싸나이'다. 어릴 적 가세가 기울자 돈을 벌기 위해 진학을 포기하고 불철주야 사업에 매진하다가, 20대 후반 늦깎이로 검정고시를 통해 대학에 진학하고 여세를 몰아 사법시험에 합격했다. 인권에 깊은 관심을 가져 사법연수원 44기 인권법학회장을 역임했다.

'모든 공선법은 내 손 안에' 있는 이창선 교수. 선거관리위원회 출신답게 이창선 교수는 즉문즉답의 내공을 발휘했다. 애매하고 오묘한 공선법의 씨줄과 날줄 위에서 줄타기 신공을 보여주었고, 실무지원팀의 무수한 질의에 곧바로 정답을 알려주었다.

풍채 좋은 정웅채 변호사는 늘 여유 있는 입담과 풍채(?), 그리고 보기보다 훨씬 어린 실제 나이(!)로 주변을 놀라게 하는 사람이다. 그리고 해박한 선거 관련 지식으로 또 한 번 주변을 놀라게 하는 능력자였다.

백전의 용장 이슈대응팀

이슈대응팀은 말 그대로 법적 이슈가 발생했을 때 긴급 대응하는 팀

이다. 미국의 SWAT팀처럼 선거 기간 중 각종 고소고발 사건, 선관위 이의제기 사건 등등을 긴급하게 확인하고 처리했다.

박후보에게 지난 선거 때부터 문제를 제기하고 형사재판 1심에서 유죄를 선고받아 아직도 항소심을 계속 중인 사람이 있다. 그 사람의 행위에 대해 이슈대응팀은 가처분 신청을 제기했고, 통상적으로 아주 빠른 경우라 해도 2주 정도의 기간이 걸리는 접근금지 가처분결정을 역대급 전광석화 속도로 받아냈다. 그만큼 긴급한 상황이라는 법원의 판단을 이끌어낸 이슈대응팀 정성재·김학웅 변호사의 깊은 노하우에 탄복할 수밖에 없었다.

송무지원팀

클린선거본부는 캠프에서 공직선거법 및 정치자금법 등 법률 자문을 했다. 예비후보 등록이전(5월 13일)까지 123건, 예비후보(5월 14일~5월30일) 기간 동안 179건, 선거운동기간(5월 31일~6월13일)에 105건, 6월 13일 현재 총 질의에 대한 답변 수 407건, 국내 선거사상 유래없는 '전 질의 서면 답변'이라는 쾌거를 올렸다.

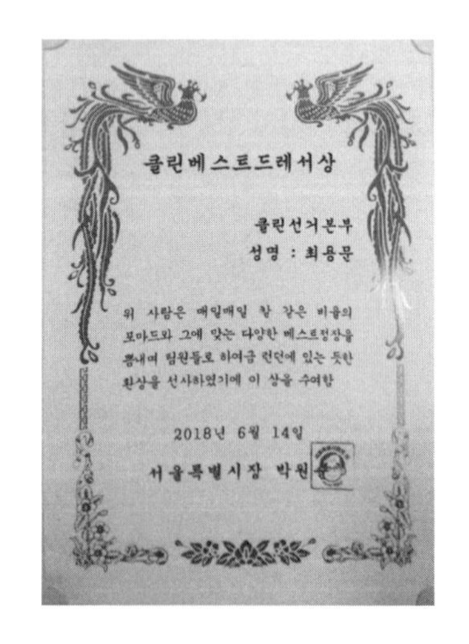

클린베스트드레서상

클린선거본부
성명 : 최용문

위 사람은 매일매일 칼 같은 비율의 포마드와 그에 맞는 다양한 베스트정장을 뽐내며 팀원들로 하여금 런던에 있는 듯한 환상을 선사하였기에 이 상을 수여함

2018년 6월 14일

서울특별시장 박원

가짜뉴스 신고센터

가짜뉴스 신고센터는 152건을 접수하여 선관위에 141건을 신고했다. 이슈별로 보면 아들병역 76건, 종북 14건, 서울시예산 11건, 아름다운 재단 8건, 부친 위안부 관련 8건, 기타유형 등이다.

진정한 모금은 '돈'이 아니라 '마음'을 모으는 것

이선희 편
후원회

이선희 씨는 후원회 실장이다. 영리 기업이 주도하는 시장의 영역(영리섹터 또는 제2섹터)에서 마케팅일을 하다가 우연한 기회에 박원순 변호사를 만나면서 비영리섹터(제3섹터)와 모금에 대해 알게 되었다. 희망제작소에서 함께 일하면서 모금에 대한 다양한 경험과 노하우를 갖게 되고 이를 통해 모금교육과 컨설팅 전문회사 휴먼트리를 설립했다.

2011년 보궐선거, 2014년 재선 그리고 2018년 3선까지 박원순 펀드와 후원회의 총괄 책임자였던 이선희 씨는 박시장으로부터 모금에 대한 모든 것을 배웠기 때문에 선거자금 모금을 통해 돌려줄 기회를 얻게 되어 무엇보다 기뻤다.

사람에 대한 애정이 박후보 팬 만들어

선희씨는 후원회 총괄 책임자로 후보자가 깨끗하고 공정한 선거를 치를 수 있도록 선거자금 모금을 위해 전략수립 및 실행계획을 세우는 일을 했다. 또한, 세운 전략이 가장 효율적이고 효과적으로 현실화되도록 적재적소에 스태프를 배치, 그들이 창의적이고 효과적으로 일할 수

있도록 서포트해주는 역할도 했다.

진정한 모금의 의미는 '돈'이 아니라 '마음'을 모으는 것으로 유권자 마음을 모으는 것은 결국 후보자의 가치이며, 그것이 핵심일 수밖에 없다. 후원회는 후보자의 가치를 잘 전달하고 후원에 참여하도록 열정을 다해 알리면서 유권자의 마음과 돈, 모두를 얻어내는 데 큰 기여를 했다고 자부했다.

박원순 시장은 '아이디어 공유'의 아이콘이다. 좋은 아이디어나 사업 아이템이 있으면 '내 것!'이라고 경계를 긋기보다는 널리 전파했다. 내가 하든 다른 사람이 하든 누군가가 그 일을 실현한다면 우리 사회가 더불어 성장하는 것 아니냐는 것이다. 일상처럼 시민사회의 성장에 대한 갈망이 간절했다.

사람에 대한 집중력도 빼놓을 수 없다. 그는 한번 만난 사람은 웬만해서는 다 기억을 한다. 너무 미안할 정도로 기억을 해준다. 그것은 사람에 대한 애정이 밑받침되어 있기에 가능한 것이다.

3선 후 연기처럼 사라져 각자 일터로 돌아가

이선희 실장을 감동시킨 사연이 있다.

"어느 날 제주도에 사시는 어르신께서 후원회에 찾아오셨습니다. 서울시장후보자를 위한 후원금을 내기 위해서 말이죠. 2000년 초반에 제주도에서 억울한 일이 있으셨는데 어디에도 하소연할 때가 없어 그 당시 희망제작소 상임이사셨던 후보자를 찾아오시면서 인연을 맺으신 분입니다. 후원회에 잠시 머물다 가시는 그 어르신께, 먼 거리를 직접 오셔서 후원하시는 이유를 물었습니다. '존경하니까요!'라는, 여든이 넘은 어르신의 짧은 대답이 아직도 기억 속에 있습니다."

2011년 보궐선거 운동이 한창이던 어느날, 박원순 후보의 유세에 참여한 10여 명의 지지자들이 모여 이야기하던 중 한 어르신이 제안했다.

"그럴 일은 없겠지만 만약 박원순 후보가 선거에서 당선이 안 된다면 이미 낸 후원금의 2배씩 더 내서 다시 도전하게 하자. 그가 꿈꾸는

사회를 만들어가도록 밀어주자. 당선된다면 그 순간 우리는 그의 옆에서 사라져야 한다."

어르신의 제안에 모두 박수를 쳤다. 이선희 실장은 말했다.

"7년이 지난 2018년 6월 13일 늦은 밤, 박원순 후보가 서울시장 3선에 당선이 된다면 우리는 연기처럼 사라져 각자 일터로 돌아갈 것입니다. 그리고 각자의 자리에서 원순씨표 정책이 잘 실행되길 바라고 응원할 것입니다."

박시장이 3선에 당선되었다. 더 이상 안국동엔 이선희 실장의 모습이 보이지 않았다.

스스로를 응원하는 '이상한' 후원회

윤다혜 편
후원회

윤다혜 씨는 4년 전 지방선거 때, 박원순후원회에서 자원봉사를 했었다. 그때 이십대 초반이었는데 어느덧 이십대 후반이 되었다. 광장시장에서의 추억과, 만났던 분들과의 인연을 기억하며 이번에도 후원회에서 일하게 된 것이다.

후원회는 크게 회계팀, TM팀 그리고 온라인팀으로 나뉜다. TM팀은 지지자분들께 전화로 후원을 안내하는 일을 한다. 매일 수많은 전화통화를 하면서 후보자에 대한 응원과 때로는 질타를 직접 받아야 하는 어렵고도 중요한 일이다.

온라인팀은 후원회를 온라인 홈페이지와 SNS 등 다양한 채널에서 홍보하는 일을 맡고 있다. 디자인에 이어 영상까지 편집하는 금손을 지닌 지혜씨가 있어서 후원회는 든든하다.

회계팀은 4층 후원회 사무실의 안락한 구석자리에 있다. 카리스마 넘치는 회계책임자 윤정씨와 함께 박원순 후보를 지지하는 분들이 보내주신 소중한 후원금을 관리하는 일을 한다.

말할 것도 없이 후원회는 선거 활동에 들어가는 비용을 모으는, 아주 아주 매우 중요한 일을 담당하고 있다. 만약 후원회가 없다면 원순씨는

선거운동을 하실 때 큰 어려움을 겪지 않을까? *^^*

다혜씨는 다양한 배경을 가진 시민들이 살기 좋은 도시를 만들고자 노력하는 것이 좋다. 또한 캠프 내부적으로는 평등한 성문화를 만들고자 노력하는 것도 좋다. 캠프에서 받는 성평등 교육도 인상적이었다.

다혜씨는 말한다.

"제 생각에 우리 후원회는 캠프에서 가장 흥이 넘치는 팀인 것 같아요. (아니면 말고요…) 심각한 일도 재미있게 소화하는 신묘한 재주를 가진 선생님들 덕분에 매일 웃음이 끊이지 않습니다. 벌써 선거 끝나고 헤어질 생각을 하니 매우 아쉽습니다.

매일 출근하는 것이 힘들었지만 캠프 생활은 배움의 연속이었어요. 아 참, 원순님, 후원회 사무실에 놀러오신다는 약속 5일 남았습니다. 기다리고 있겠습니다. 하하하 후원회 선생님들 고생 많으셨어요. 사랑해요!"

후원회 콜센터팀

이지윤 씨, 오민재 씨, 정두리 씨는 정치모금에 관심이 있어서(+박원순 후보를 지지해서) 참여했다. 콜센터팀은 유직상태로 들어왔으나, 나갈 때는 무직으로 나간다. 스스로 일을 매우 잘하고 팀워크도 이미 엄청나게 맞춰 놓았다.

이 팀의 구성원들은 위 세 사람 말고도 참여하게 된 동기가 모두 달랐다. 김설화 씨는 순수하게 박원순 시장님에 대해 더 알고 싶어서 자원봉사를 신청했고, 김유리 씨는 원래 친구가 오기로 했는데, 일이 생겼다고 해서 대신 오게 된 것이란다.

김윤정 씨는 평범한 주부의 일상에서 벗어나 캠프에 참여하며 다양한 경험을 체험해 보고 싶어서 자원봉사 신청을 했으며, 신성자 씨는 평소 하는 일과 연관성이 전혀 없는 업무지만 후원회 일원이 되어 조금이나마 힘이 되었으면 하는 바람에서 참여하게 된 것이다.

이들은 말한다.

"단언컨대 우리를 빼놓고 당선을 말할 수는 없을 거예요. 선거캠프 운영에 필요한 자금을 마련하는 우리는 '후원회'이기 때문! 에어컨도 안 나왔던 일요일에도 어김없이 애써왔어요."

선거 기간 동안 이들은 정말 목에 핏대가 터져 나가도록 일에 매달렸다. 김설화 씨나 김유리 씨는 열심히 최선을 다해서 박원순 후원회를 알리고 많은 사람과 통화하면서 박원순 후보를 응원할 수 있도록 시민들의 마음을 모았다.

김윤정 씨도 홍보하는 매 순간마다 최대한 상냥하고 친절하고 스피드 있게 안내하느라 진을 뺐고, 신성자 씨는 미처 잊거나 후원방법을 모르고 계시는 분들에게 후원금 안내를 해드림으로써 선거준비에 없어서는 안 될 중요 부분에 작게나마 도움을 드렸다고 생각한다.

박후보에 대한 소감에 대해 이들은 각기 특색있는 답변을 쏟아냈다. 신성자 씨의 답변은 이렇다.

"후보님은 소소한 약속도 잘 지키시는 것 같아요. 지나가다가 1층에서 만났는데 '후보님! 언제 올라오세요? 같이 할 게 많은데… 라고 말씀드렸더니 이틀 뒤, 오전 8시에 올라오셨어요. 우리가 아무도 없었던 게 함정! 그래도 약속은 꼭 지키심! 소소한 약속도 잘 지키시는 후보님. 공약도 잘 지키실 거라 믿어요."

김설화 씨는 박후보가 이웃집 아저씨 같은 모습과 얼굴이 참 좋다고

답했고, 김유리 씨는 형언할 수 없는 친근함이 좋단다. 김윤정 씨는 학부모여서인지 아이들을 위한 무상급식, 무상치과진료, 심리상담가 배치 등에서 감동을 받았다고.

류태림 씨는 시민단체 출신이자 핀테크 기술인 서울페이 도입을 공약으로 세우는 등 기술과 정책을 결합시킨 점이 마음에 들었고, 박정숙 씨는 야인시절 턱수염 사진이 매우 인상적이었단다.

신성자 씨는 정치인이라면 멀게만 느껴지고 권위적으로 느껴지는데 박원순 시장님은 소탈함이 묻어나는 진솔함이 느껴져 좋다며, 일련의 정책 또한 시민을 우선으로 생각해 메르스 같은 응급상황에 빠르게 대응해주는 점도 존경스럽다고 덧붙였다.

후원회의 3시 정각은 '다함께 요가타임!'이다. 각자 하던 일을 멈추고 다 같이 일어나 전직 트레이너의 구호에 맞춰 스트레칭을 한다.

첫날엔 다들 "어구구구구구" 소리만 냈지만, 선거를 6일 앞둔 시점에서는 트레이너가 순서를 틀리면 가만두지 않는다. 매일 새로운 동작으로 뭉친 몸과 굳어가는 머리를 프레쉬하게 만들어주는 것이다. 누구든 참여할 수 있지만 주의할 점이 있다. 참가하면 무조건 사진 100장이 찍힌단다. 동영상 촬영 역시 5개는 기본이다.

이렇게 소확행(소소하지만 확실한 행복)을 1분마다 찾는 후원회는 웃음이 끊이지 않는다.

김설화 씨는 후원 콜을 하는 도중 '조인성'이라는 이름이 나왔단다. 콩닥콩닥 설레는 맘으로 콜을 했으나 부재중. 혹시 하는 생각으로 다시 한번 더 전화를 했으나 역시나 부재중 신호만 울렸단다. 그러나 잠시 설레는 생각으로 피로를 날리는 시간이었다고. 이런 에피소드는 김유리 씨에게도 있었다. '강동원'이라는 이름을 보고 설레어서 전화했었는데, '역시는 역시'. 아니더란다.

김윤정 씨는 좀더 특별한 기억이 있다. 후원요청 전화를 드렸는데, 본인도 후보님의 후원을 기다리고 있다는 한용흠 씨!

'다큐멘터리 3일'에 출연했던 한용흠 씨는 수제구두 장인으로 장애인을 위한 구두 제작과 관련해서 시장님이 함께해 주시겠다는 제안을 받고 연락을 기다리고 있었단다.

박정숙 씨는 콜센터 팀 자체가 재미난 에피소드라고 말했다. 여기서 처음 만났지만, 오래전부터 만난 것처럼 매우 유쾌한 사람들인 것이다.

콜팀은 사실 서울 유권자가 없다. 경기, 충남, 경남 유권자들이다. 하지만 한마음 한뜻으로 모인 이들은 충남에서 오는 사람은 매일 KTX를 타고 출근한다. 경남에서 오는 사람은 집을 얻었다. 경기에 사는 사람은 상사 집에 얹혀 산다. 처음에 서로를 보고 진짜 이상하다고 생각했는데 마지막까지 이상한 사람들이다.

3선 서울시장을 위해 3선 시의원 출마를 접다

박양숙 편
대변인실

앞날이 창창한 2선의 서울시의원이 출마하지 않겠다고 했을 때 모든 사람이 의아해했다. 대부분의 서울시의원처럼 구청장에 출마하겠다는 것도 아니고 사적인 결함을 가진 사람도 아닌 현역의원이 출마를 포기하겠다는 것이다. 게다가 8대, 9대 시의회 활동에서도 독보적인 모습을 보여준 시의원이다. 그녀의 발자취가 궁금했다.

2018 박원순 캠프의 박양숙 대변인은 1985년 삼민투위 활동으로 구속 기소됐다. 같은 당에 있는 김경협 의원, 신동근 의원, 강기정 전 의원 등과 함께였다. 박 대변인은 이 사건과 관련해 민주화운동 관련자 증서를 받았다. 2003년 열린우리당 창당 국면에 정치권에 입성해 국회정책연구위원, 민주당 원내의사국장 등을 거쳐 2010년 서울시의원이 됐다. 천안여고와 성균관대 역사교육과, 고려대 노동대학원(석사)을 졸업했다.

서울시장에 세 번째 도전하는 박시장의 첫 여성 대변인

서울시의원으로는 2012년 '서울시 작은도서관 지원 조례안'을 발의하고, '서울 마을공동체위원회'에 참여하는 등 박시장의 핵심공약을 뒷받침하는 일들을 해왔고, 서울시의회 현 보건복지위원장이다. 임종석 청와대 비서실장과 친분이 두터운 편이고, 박시장의 핵심측근인 기동민 의원의 성균관대학교 선배이기도 하다.

지난해 박시장이 3선을 준비할 때부터 서울시의회에서 '시의원지지그룹'의 좌장 역할을 해오다 박시장의 3선을 돕기 위해 시의원 출마를 접었다. 그리고 서울시장 선거에 세 번째 도전하는 박시장이 그녀를 첫 여성 대변인으로 발탁했다. 2011년에는 송호창 변호사가, 2014년에는 진성준 청와대 정무비서관이 박원순 후보의 대변인이었다. 물론 단독으로 대변인에 오른 것은 아니었다.

박양숙 대변인이 박원순 시장과 함께하게 된 결정적 계기는 한양도성과 주변의 성곽마을을 둘러보고 너무 마음에 들었기 때문이다. 천년고도 서울을 문화의 향기가 가득한 도시로 만들어가는 것이 너무 마음에 들었고, 시민들을 위해서 그동안 추진된 여러 가지 혁신적인 사업들이 제대로 뿌리내리고 꽃을 피우기 위해서는 박원순 시장이 한 번 더 시장을 하는 것이 시민의 관점에서 좋겠다는 생각 끝에 결심을 굳혔다.

박양숙 대변인이 바라본 박원순 서울시장

대변인으로서 선거운동 전 과정에서 후보의 모습을 지켜본 소감은 박

시장의 강건한 체력, 사람을 소중하게 여기는 진정성이 매우 인상적이라는 것이다. 공식 선거운동 첫날은 전날의 KBS 서울시장후보 토론회가 밤 12시를 넘기는 바람에, 토론회가 끝나자마자 일정이 시작되었다. 비정규직에서 정규직으로 전환된 지하철 청소노동자들과의 만남, 지하철 방재센터, 청계천 평화시장 사람들, 119소방 방재센터 등 시민과 쾌적한 하루의 시작을 위해 모두가 잠든 밤을 지키는 사람들을 만나는 철야일정이었다. 공식 선거운동 첫날을 새벽 4시 이후까지 진행하고, 잠시 눈을 붙이고, 다시 이른 아침 출근인사를 시작하는 후보를 보고 강건한 체력에 놀랐다. 그녀는 철야일정을 진행하고 넉다운되었고, 오전 10시가 되어서 일어나 하루를 시작하면서 박원순 후보가 이런 강행군을 무리 없이 소화해내는 것은 '후보여서 가능하다'면서 스스로를 위로했다. 후보의 강철체력은 그 이후 선거운동 과정에서도 수차례 확인했다.

후보의 대중친화력에 의외로 놀라기도

선거운동을 하면서 때로는 얼굴을 찌푸릴 만도 했지만, 박원순 후보는 각 지역의 후보들, 시민들, 함께 일하는 사람들을 대할 때 단 한 번도 짜증을 내거나 얼굴을 찌푸리지 않았다. 특히 시민들을 만날 때는 한 사람 한 사람 정성껏 만났고, 같이 사진 찍자는 시민들의 요구를 뿌리치거나 모른 체하지 않고, 끝까지 친절하게 받아주었다. 그래서 다음 일정이 종종 늦어지는 경우도 있었다.

선거운동 중에 조문을 하는 경우가 몇 번 있었는데, 조문 장소에서도 청소하는 분이나 건물 관리하는 분을 보면 늘 먼저 다가가 인사를 했다. 조문객들을 일일이 찾아가 인사하는 것을 보면서 후보의 대중친화력에 의외로 놀라기도 했다. 대변인은 후보와 동행하면서 각종 언론 인터뷰에 배석하게 된다. 박시장은 실무진들이 미리 준비한 답변서에 의존하지 않고 언론인들의 다양한 질문에 막힘없이 답변했다. 서울시정은 물론 남북문제를 비롯한 각종 정치 현안에 대해서 정리되어 있는 식견과 내공, 든든한 후보의 면모에 늘 흐뭇했던 동행이었다. 특히 인터뷰 과정에서 시장이 되기 이전 후보의 삶을 자세히 알게 되었다. 박원순의 재발견이었다. 어린 시절, 친구들과 언덕에서 놀다가 멀리 들녘에서 힘겹게 일하시는 부모님을 보고 크게 깨우친 적이 있었고, 그 마음을 잃지 않고 훗날 사회를 바꾸는 사람으로 살아 왔다는, 고백 아닌 고백을 듣게 되었다.

오마이뉴스 인터뷰 중 알게 된 또 다른 이야기 한 편

1975년에 있었던 서울대 5.22 학내 시위 사건에 연루되어 구속 과정에서 겪게 된 일들을 계기로 줄을 제대로 섰다. 소위 말하는 우리 사회 잘나가는 사람들 쪽 줄이 아니라 힘없고 빽 없는 사람들 줄에 서서 인생이 180도 달라졌다. 우리 사회 변화와 혁신을 위해 헌신해 온 삶을 확인하면서 박원순이라는 사람이 더 좋아졌다고 한다.

선거운동 과정에서 각 자치구를 돌며 서울 전역을 다닐 때, 시민들이 주시는 말씀을 허투루 듣지 않고 여기저기 해야 할 일들을 체크하며 서울의 변화를 끊임없이 구상하는 후보의 열정에 감탄을 금할 수 없었다.

선거기간 중 목디스크가 악화돼 고생을 했던 박대변인. 100여 일간 쉼 없이 달려온 박양숙 대변인을 지켜보면서 그녀의 진정성과 용기, 박시장에 대한 헌신에 뜨거운 박수를 보낸다. 선거과정에서 함께했던 좋은 사람들이 박원순 시장과 함께한다면 '서울의 10년 혁명'을 반드시 이루어낼 수 있다는 믿음을 가지고 고고씽~~이란다.

경직된 노동현장 간담회도 '분위기 메이커' 역할

2018년 5월 30일 자정, 박후보는 첫 일정으로 서울시 지하철 공사의 청소 일을 담당하고 있는 그린환경의 동대문구 답십리역 현장을 찾았다. 청소근로자들과 진솔한 대담을 나누는 장면은 '시민과 나란히'라는 캠프 핵심 슬로건을 그대로 대변하는 자리가 되었다.

답십리 청소근로자 휴게실에 들어가면서 처음 만난 사람들은 50대 전후의 야간팀 근무자들이었다. 팀장 1명과 4명의 현장 청소근로자들이 자리를 함께했다. 박후보는 30㎡ 남짓한 휴게실 바닥에 앉으면서 말했다.

"먼저, 어렵고 힘든 일에 종사하시는 서울시 근로자들의 수고에 위로의 말씀을 드립니다. 아울러 처우개선을 위한 여러분의 의견을 들으러 왔습니다."

인사말이 끝나자 근로자분들이 감사의 인사와 함께 작업 환경을 개선해달라는 요청을 쏟아냈다.

"우리를 하청계약사 근로자 신분에서 지하철공사 직영근로자로 신분을 전환시켜 주셔서 대단히 고맙다는 말씀을 먼저 드리고 싶었습니다. 그렇지만 시장님께서 휴게실의 면적과 방 수를 좀 더 늘려주셨으면 합니다."

"청소근로자의 특수성을 감안하셔서 샤워장 수를 좀 더 늘려주세요."

"청소과정에 동력청소기계를 옮겨 다니면서 사용해야 하는데요. 기계가 무거워 다들 근육통을 앓고 있어요."

박후보는 "제가 다시 서울시장에 당선되면 여러분의 건의를 잊지 않겠습니다. 먼저 관련 근로자분들의 건강검진을 챙겨서 고질병으로 발전하지 않도록 대책을 마련하겠습니다. 그리고 자주 방문드리지는 못해도 언제나 저와 대화할 수 있는 채널은 열려 있으니, 지금처럼 필요하신 부분들은 언제든지 저에게 말씀해 주십시오."라고 당부의 말씀을 끝으로 첫 선거운동의 자리를 떠났다.

대담장의 분위기는 선거운동이 아닌 친근한 이웃끼리 서로의 사정을 털어놓으며 수다를 떠는 모습이 연상되는 분위기였다. 현장노동의 실상과 개인적 생활에 대해서 묻고 답하는 시간이 15분여 흘렀다.

박후보는 누구에게나 편한 상대로 다가오게 하는 매력을 지니고 있음이 확실하다. 소외계층들이 스스럼없이 다가올 수 있는 온화한 표정과 다소 어눌한 목소리와 투박한 말투가 박후보의 매력이 아닌가 생각이 드는 순간이었다.

선거기간에 공동유세단장 중의 한 분이신 정세환 단장이 심장마비로 유명을 달리했다. 이에 많은 동료들과 후보가 함께 슬퍼하고 유가족을 위로했다. 다음 글은 박양숙 대변인의 추도 논평이다.

"정세환 전 서울시의원을 추모합니다."

오늘 새벽, 박원순캠프 유세본부 유세지원단장으로 함께 일하던 정세환 전 서울시의원이 갑작스레 소천하셨습니다. 애통한 마음 금할 수 없습니다. 황망한 슬픔에 잠겨있을 유가족께 위로의 마음을 전합니다.

고인은 1966년생으로 제8대 서울시의원을 역임했습니다. 임기 내내 서울시 문화관광정책에 남다른 애정과 관심을 가지고 정책대안을 제시했습니다. 특히 한양도성 유네스코 등재 추진을 위해 자비로 해외 유적 조사활동을 하는 등 역사와 문화의 향기가 흐르는 품격 있는 서울을 위해서 헌신적으로 노력해 왔습니다. 앞으로 해야 할 일이 많은데 안타까운 마음을 금할 수 없습니다.

박원순 후보는 황망한 소식을 접하고 "비통한 마음을 금할 수 없다"면서 "고인을 잘 모실 수 있도록 캠프 차원에서 할 수 있는 모든 지원을 아끼지 말라"고 지시했습니다. 그리고 오늘 오후 빈소를 찾아 고인에게 예를 표할 예정입니다.

꼼꼼하고 늘 표나지 않게 주변을 챙기는 따뜻한 품성으로 캠프사람들을 사랑과 신뢰로 감싸 온 고인의 모습을 결코 잊지 않겠습니다. 삼가 고인의 명복을 빕니다.

2018년 6월 11일

박원순캠프 대변인 박 양 숙

언론과 방송은 내가 책임진다

김동현 편
대변인실

대변인실 김동현 실장은 2018년 박원순 캠프의 핵심 멤버 중 한 명이다. 박시장이 당선된 2011년부터 5년간 서울시에서 정무직으로 근무했고, 지난 2014년 선거 캠프에선 공보팀장을 맡았다. 3선 도전인 이번 선거에서는 기동민 국회의원의 보좌관 신분으로 대변인실 실장으로 파견근무를 했다.

예상을 뛰어넘는 경선 압승

김 실장은 이번 2018 더불어민주당 내 서울시장 후보 경선은 이미 정해져 있던 거나 마찬가지라고 생각했던 사람이다. 박시장이 두 번의 시장을 지내면서 전반적으로 당과의 협조도 잘 유지해왔고, 시정을 잘 이끌어 지지율이 높게 나왔기 때문이다.

당내 경선결과가 나오기 전 캠프에서 경선 득표율이 얼마나 나올지 캠프 관계자들끼리 내기를 한 적이 있다. 김 실장은 50프로를 예상했다. 상대후보(박영선, 우상호) 기사도 열심히 읽었고, 4선인 박영선 의원, 3선인 우상호 원내대표와 붙었기 때문에 50% 정도를 예상했었다. 최종 득표율이 66.26%가 나오자 김실장은 내기에 지고도 감사한 마음을 감출 수 없었다.

김실장은 이번 후보 경선이 결선을 가지 않은 것 자체로도 압승이라고 생각하며, 경선 성적표는 당원과 시민들의 열광적인 지지덕분이라고 말한다.

경선 때만 해도 대변인실은 공보팀이었다. 공보팀은 김실장이 직접 구성했다. 팀은 7명으로 모양을 갖췄는데, 중간에 한 명이 국회에 취직을 했고, 다른 한 명은 메시지 팀으로 옮겨갔고, 또 다른 한 명은 개인적 사정에 의해 그만뒀다.

팀원 대부분은 국회 의원실에서 파견 나온 사람들이다. 이 책을 만드는 책임을 맡은 백서기획팀장도 공보팀과 대변인실 소속에서 백서기획팀으로 자리를 옮겼다.

후보의 일거수일투족을 기사로 만들어

김실장은 공보팀을 맡자마자 본선까지 함께 할 팀원을 확충하는 데 공을 들였다. 공보팀은 3월 중순부터 업무를 시작했고, 경선을 치르고 잠시 해산했다가 본선을 앞두고 후보등록 며칠 전에 다시 모였다.

대변인실을 맡고 제일 먼저 해야만 했던 일은 일부의 주장처럼 박후보가 민주당 사람이 아니라는 평가를 바로잡는 일이었다. 하다못해 백드롭까지 고민했다. 백드롭이란 기자회견을 할 때 카메라에 잡히는 회견장소 뒷 배경을 말한다. 박후보의 많은 메시지에 민주당 당원임을 강조하게 했고, 원팀임을 부각시켰다.

캠프의 대변인실은 무슨 일을 할까? 팀원들은 박후보 기사 관련 신문과 방송에 보도되는 모든 일을 한다. 후보의 일거수일투족을 기사로 만들어 언론사에 배포하고, 언론사와 관련된 일정(신문, 라디오, 티비, 인터뷰 등)을 계획하는 일도 한다. 취재가 원활하도록 돕고 언론 보도 시 소위 그림을 잘나오게 하는 일도 대변인실이 했던 일이다.

후보자의 토론에 마이크라고 불리는 팀원은 녹음, 워딩이라 불리는 팀원은 속기사 역할을 한다. 상대 캠프의 네거티브성 공격에 논평으로 대응하는 일도 했다. 후보의 입장을 대변하는 곳으로, 후보 서포팅이 대변인실의 주된 역할이다.

기사화되지 않는 일은 없었던 일이나 마찬가지

대변인실 업무는 뉴스가 끝나야 일이 끝나는 것이다. 새벽 네 시에 일어나서 미리 편성해 둔 역할분담조가 조간신문을 정리해 캠프 전체 인원이 이해할 수 있도록 간추린 자료를 만들고 캠프회의에 보고한다. 밤 9시에 열리는 실무점검회의에 새로운 보고서를 올려놓는 것도 빼놓을 수 없는 일이다.

점심과 저녁 식사도 한꺼번에 못하고 조를 짜서 먹었다. 기자가 한 명이라도 남아 있으면 퇴근을 하지 못했다.

김실장은 "참 저희들 일 중에서 일정 사진을 촬영해 기자들에게 제공해주는 역할도 있었네요. 박경미 의원실에서 파견 나온 양원선 씨가 매 현장을 다니면서 좋은 사진을 언론에 제공하기 위해 고군분투했습니다."라며 팀원들을 챙겼다.

대변인실이 없다면 언론에 박후보 이야기가 거의 나가지 않는다. 언론에 기사화되지 않는 일은 없었던 일이나 마찬가지다. 그래서 대변인실 김실장은 말한다.

"모든 선거 운동의 핵심은 언론이고, 당연하게 언론에 어떻게 비춰지는가 하는 것이 승패의 관건입니다."

그러면서 김실장은 이렇게 덧붙였다.

"캠프에 있으면서 참 쉬운 싸움(선거)이라는 이야기를 많이 듣습니다. 오리가 물 위에 그냥 떠 있는 듯 보이지만 물속에서는 쉼 없이 발길질을 하지 않습니까. 지금 우리가 그런 상황입니다. 밖에서는 쉬워 보일지 몰라도 안에서는 치열하게 싸우고 있습니다."

박원순 후보와 관련된 언론의 오보, 그리고 네거티브 선거에서 무대응이 얼마나 힘든 일인지 일반 유권자들은 잘 모르지만 김실장은 그게 더 힘들었다.

상대 후보측에서 말도 안 되는 이야기를 해 오지만 싸움을 넓힐 필요가 없는 선거였다. 박후보에 관한 비방성 이야기에 대해 팩트 체크는 할 수 있지만, 정치공세에 일일이 해명할 필요는 없다고 생각했다. 네거티브성 공세의 대부분이 예전에 해명된 것들이고, 답습하는 것일 뿐이다. 그런 부분을 박후보가 참고 있다는 것을 누구보다 잘 알았다. 대변인실은 언론에서 틀린 기사들을 바로 잡았다. 선거는 싸우려고 만들어진 것이 아니라 지지를 받기 위한 것이라는 확고한 신념을 가지고 있었기에 가능했다.

박원순은 무엇보다 거짓말을 못하는 사람

대변인으로서 김실장이 바라보는 박원순은 누구일까? 박원순은 무엇보다 거짓말을 못하는 사람이다. 그리고 정치인으로서 총론도 각론도 모두 강한 사람으로는 우리나라에서 유일하다고 생각하고 있다. 지도자로서 굉장히 큰 성품을 가진 인물이라는 것이다.

박원순 시장이 행정가로서의 인상이 강하고 큰 정치를 할 사람이 아니라는 평가에 대해서는 단호히 반대했다. 큰 정치는 시대가 판단할 것이라고 생각한다. 행정가로서의 이미지를 벗어날 수 있도록 자주 조언을 드린단다.

너무 큰 꿈을 가진 무게감 때문일까. 박시장에게 가장 부족한 것은 유머감각이다. 매사 너무 진지하고 완벽한 것이 흠이라면 흠이다. 박시장 자신은 농담을 한다고 하지만 전혀 웃기지 않는 농담을 하는 적이 많다. 또 회의를 하다보면 박시장 때문에 분위기가 점점 딱딱해지는 경우도 많이 보았다.

김실장은 "어떤 때는 밤까지 술도 마시고 때론 오전에 졸기도 해야 사람답지 않은가요? 박시장님은 술을 안 드시고, 흥이 없으셔요. 아침부터 저녁까지 일만 하는 일벌레 박원순입니다."

투표일엔 한복 입고

선거가 시작된 첫째 날, 대변인실 팀원인 김현철(38세) 씨의 어머니가 돌아가셨다. 김영춘 국회의원의 보좌관 출신으로 우상호 캠프에서 일하다가 경선이 끝나고 박원순 캠프에 합류한 사람이다.

바쁜 일정이지만 박 시장은 이 소식을 듣고 직접 전화를 걸어 김현철 씨와 가족들을 위로했다. 가족들 모두가 감동한 것은 물론이다. 그는 평생 박원순 팬이 되기로 다짐했다. 이야기를 전해들은 대변인실 팀원들도 무척 감동했다.

대변인실 팀원들은 사전투표 이튿날 모두가 한복을 입고 투표장에 갔다. 대변인실 사무실이 인사동 북촌과 가까운 가회동에 있는 만큼 투표 열기도 북돋우고 사전투표를 홍보할 겸 한복을 입고 투표장에 가기로 한 것이다.

김동현 어록 하나.

"시민들은 시장이 누구인지 구청장이 누구인지, 자기 지역 국회의원이 누구인지 모르고 사는 사람들이 더러 있다. 자기가 행복한 사회가 가장 이상적이라고 생각하기도 한다. 특별히 정치에 관심을 가지지 않아도 잘 굴러가는 사회를 꿈꾼다. 하지만 지난 10년을 돌아보면 아직은 아니다. 플라톤의 말처럼 정치를 외면한 가장 큰 대가는 가장 저질스러운 인간에게 지배당하는 것이다. 그래서 투표를 해야 한다."

웃음 끊이지 않은 대변인실 현장팀의 비결은?

정주영 편
대변인실

때 이른 더위가 심통 부린 이번 지방선거, '박원순 캠프'에는 실무자만 수백 명이 모여들었다. 캠프 실무진은 크게 세 부류로 나뉘었다. 첫째는 후보와 직접 인연이 있는 사람들(정치적 동지, 시청 출신 등), 둘째는 파견자들(국회 보좌진 등), 셋째는 후보와 개인적 인연은 없지만 그의 정치철학이 좋아서 그의 선거를 돕기 위해 찾아온 이들이다.

세 번째 부류는 보통 젊고, 과거 정치권에 근무 경험(특히 의원실)이 있는 사람들이 많았다. 그들은 비교적 소속이 없다보니 3 · 4월부터 합류했다. 정주영 씨도 세 번째 케이스였다.

'녹음기 요정' 정주영

사실 그는 경기도 고양시민이다. 그런데도 박원순 캠프에 온 이유는 크게 세 가지였다. 첫째, 뭐니 뭐니 해도 지방선거의 꽃은 서울시장 선거이기 때문이다. 아직 경험을 많이 먹고 자라야 한다고 생각했기에 큰 판에서 이루어지는 경험을 꼭 하고 싶었다. 둘째, 이런 큰 판에는 전·현직 국회 보좌진 출신이 많기 때문이다. 이곳에서 정치권 선배들을 많이 사귀고 함께 일하며 많이 배우고 싶었다. 마지막으로 역시 '박원순'이 좋았기 때문이다.

"솔직히, 부끄럽게도 경기도·고양시 민주당 출마자들에 대해서는 아는 게 많지 않았지만 박원순이 꿈꾸는 지역 공동체의 이상형에는 공감했습니다. 그분은 '사회적 우정'이라고 표현하시더라고요."라고 정주영 씨는 말한다.

본선 때 나온 그의 캠프 명함에는 '대변인실'로 찍혀 있었지만, 안에서는 '공보팀'이라고 불렀다. 공보라고 하면 '홍보'와 헷갈려하는 사람도 더러 있는데, 그가 이해하는 공보는 한마디로 대(對)언론 업무다.

후보가 현장에서 선거운동을 잘하든 못하든, 시민이 많이 모이든 아니든, 행사 의미가 좋았든 별로였든, 대부분의 시민과 국민은 그 내용을 기사를 통해 접한다. 그렇기에 공보팀은 언론 보도가 선거운동의 반이라는 책임감을 가지고 보이지 않는 곳에서 1분 1초를 다투며 수많은 업무를 땀으로 수행했다. 공보팀 안에서도 그는 '대변인실 현장팀'이었다. 대변인실 현장팀의 임무는 크게 두 가지다.

첫째는 현장에 직접 나온 기자들이 좋은 기사를 생산하도록 만들어주는 것이다. 현장에 도착해 먼저 그곳에 나온 기자들을 파악하고 좋은 그림이 나오도록 현장 세팅을 조정한다. 현장기자들이 후보의 메시지를 잘 담을 수 있도록 발언 시점과 장소를 정해 유도하고, 사진 기자들이 선호할 배경과 위치를 잡고, 영상 기자들에게 편한 포토라인을 잡는다.

둘째는 현장에 나오지 않은 기자들도 기사를 쓸 수 있도록 지원한다. 후보의 발언을 그때그때 녹음과 속기를 따고 공보 사진을 찍어 기자들에게 실시간으로 제공한다.

후보보다 늦게 떠나고 도착은 빨라야

멋쟁이 총각인 정주영 씨는 주로 운전과 녹취를 담당했다. 국회 이인영의원실에 잠깐 근무했던 이력을 가지고 있다.

현장공보팀은 후보가 떠나는 걸 확인하고 다음 장소로 이동해야 하면서도 도착은 후보보다 빨라야 했다. 늦게 출발해야 하는 것은 기자가 후보에게 붙어 인터뷰를 시도할 수 있기 때문이고, 먼저 도착해야 하는 것은 미리 현장 정리를 해야 하기 때문이다. 그는 '선거 기간 동안 자연스레 운전과 주차 위치 탐지 능력이 가장 는 거 같다'고 했다.

현장에 도착해 차에서 내릴 때면 버릇처럼 한 손에 녹음기를 쥐고 긴장했다. 속기는 어쩌다 놓쳐도 녹음을 듣고 다시 정리할 수 있지만 녹음은 놓치면 그걸로 끝이기 때문이다. 그가 하도 녹음기에 집착하다보니 이슬기 씨는 그에게 '녹음기 요정'이란 별명을 붙여줬다. 스피커가 없는 곳에서는 카메라에 잡히지 않기 위에 바닥에 무릎을 꿇고 후보 입 쪽으로 팔을 올려 녹음을 했는데, 양원선 씨가 프로포즈 같다며 도촬을 하기도 했다.

그 자세도 선거 초반엔 30초만 지나도 팔다리가 부들부들 떨리더니 며칠 지나자 차츰 안정적인 자세를 취했다.

"현장 일이 몸이 고된 건 사실이지만 우리는 '케미'가 워낙 좋았던 지라 숨가쁜 와중에도 참 즐거웠습니다. 다들 웃음이 많아서 별 거 아닌 일에도 차 안에서 낄낄대며 다

녔어요. 차 안에서 원선씨는 주크박스를 자처해서 자기 폰을 연결해 신청곡을 받아 틀어줬고, 마지막 며칠 동안은 내가 신청한 디즈니 애니메이션 삽입곡 모음을 들으며 다녔습니다. 하루는 내가 정릉 근처에서 길을 잃어 연거푸 '경로 이탈'을 외치는 'ㅌ'맵 아줌마의 음성을 들으며 같은 장소에서 계속 유턴을 하며 헤매고 있는데, 하필이면 그때 〈백설공주와 일곱 난쟁이〉에서 난쟁이들이 부르던 'The Silly Song(멍청한 노래)'이란 요들송이 나와서 다들 아랫배를 부여잡고 숨도 못 쉬며 낄낄대기도 했습니다. 이런저런 이유로 우리 차 안에는 웃음소리가 끊이지 않았습니다. 다들 곯아떨어졌을 때만 빼고 말입니다."라며 미소지었다.

현장공보팀은 4인조 드림팀

현장공보팀은 그야말로 4인조 드림팀이었다. 대장은 박도은 부대변인이다. 훤칠한 키에 준수한 외모로 현장에서 항상 후보 근처에서 포착됐기에 일반인들은 후보의 수행비서 정도로 봤을 수도 있다.

후보가 이번 지방선거의 민주당 야전사령관이었다면, 박부대변인은 공보팀은 물론이고 수행·선행·일정·홍보·현장대응팀 등을 모두 아우르는 현장팀 전체의 야전사령관이었다.

현장에서 '좋은 그림'이 나오기 힘들 상황이면 기존 계획을 상황에 맞게 변경하고, 그래도 안되겠다 싶으면 현장 기자들과 협의해 인터뷰나 백브리핑을 바로 잡아서 기삿거리를 벌어가게 했다. 항상 '내 사전에 땜빵은 있어도 빵꾸는 없다'를 외치며 다른 팀들의 실수도 모두 커버했다. 다음 현장으로 이동하는 차 안에서는 쉴 새 없이 울려대는 전화기를 붙잡고 기자들의 문의에 응대했고, 부정적인 기사를 내려고 하는 기자들을 설득하느라 진땀을 빼기도 했다.

현장에서 가장 고된 역할, 사진기자

두 번째 선수는 공보 사진을 담당한 양원선 씨다. 넷 중 유일한 의원실 파견자였던 그는 원래 사진 전공자였던 터라 사진 기자들까지도 혀를 내두를 고퀄리티 사진들을 뽑아냈다. 사진담당이라고 하면 별 거 아니게 들릴지 모르지만, 사실 현장에서 가장 고된 역할이다.

이번 일정에는 유독 재래시장 방문이 많았는데, 좁은 시장 골목 안에서 수많은 캠프원과 기자들, 후보를 보기 위해 몰려든 시민들과 치열한 몸싸움을 하며 그림을 따내야 했다. 그것도 맨몸으로가 아니라 무거운 카메라와 렌즈를 두어 개씩 어깨에 둘러메고 얼굴이 벌겋게 달아오르도록 뛰어다녔다. 아마도 사진의 종류나 피사체와의 거리 등에 따라 장비를 계속 갈아야 하는 모양이다. 어쨌든 이런 프로 정신으로, 그 거친 환경을 전혀 눈치 챌 수 없는, 그런 그림 같은 사진들을 찍었다.

'말하는족족다쳐상'의 이슬기 씨

세 번째 선수는 해단식 때 후보에게 직접 '말하는족족다쳐상'을 수여받은 이슬기 씨다. 띄어쓰기를 하면 '다쳐'가 아니라 '다 쳐'다. 슬기 씨는 속기 담당이었다. 상장에는 그가 신의 손놀림으로 후보의 워딩을 실시간으로 쳐서 기자들에게 제공했다는 내용이 담겼다. 하지만 이런 설명은 슬기씨 활약의 절반도 설명하지 못한 것이다.

책상과 의자, 마이크와 스피커가 제대로 갖춰진 실내 행사에서는 속기가 좀 수월하지만 야외에서는 상황이 완전히 달라졌다. 맨땅에 주저앉아서 타자를 치는 건 기본이었고 때로는 편의점 아이스크림 냉장고 위에, 때로는 길거리 쓰레기통 위에 노트북을 올려놓고 속기를 따야 했다. 그리고 놓치거나 오타가 난 부분을 다듬는 건 항상 다음 장소로 급히 달리는 덜컹거리는 차 안에서였다. 슬기씨 속기와 사무실 공보팀 요원들의 풀링이 얼마나 빠른지, 현장에 나왔던 한 펜 기자가 "이러면 굳이 현장에 나올 필요가 없겠다"는 농담을 할 정도였다.

현장팀의 또 다른 좋은 점은 후보의 숨소리와 시민들의 목소리를 가까이서 들을 수 있다는 것이다. 솔직히 그가 가졌던 박원순이란 정치인에 대한 인상은 '철학은 좋지만 말은 잘 못하는 사람'이었다. 그런데 그 짧은 선거 기간 동안 후보의 언변, 특히 유세 실력의 발전은 대단했다. 아마 본인 철학에 대한 확신과 시민들의 열성적인 반응에서 얻은 자신감 덕이었을 것이다.

현장에서 본 박원순은 '스타'였다. 거리에서 박원순과 함께 셀카를 찍은 사람만 수백 명, 하이파이브로 마주친 손바닥은 수천일 것이다.

후보는 피곤한 일정 속에서도 간절한 민원을 전하러 다가오는 시민을 단 한 명도 뿌리치지 않았고, 유모차 탄 아이나 휠체어 탄 노약자를 만나면 쪼그려 앉아 눈높이를 맞췄다. '시대와 나란히, 시민과 나란히'라는 슬로건은 박원순에게는 시민과 함께 만들고 싶은 '미래'였을지 모르겠으나, 대변인실 현장팀 눈에는 이미 박원순의 '오늘'이었다.

기자 달래기의 명수, 박도은 부대변인

현장팀이 보기에 물론 아찔한 순간들도 있었다. 후보의 몇 안 되는 단점 가운데 하나는 기분이 좋아지면 가끔씩 위험한 발언을 하는 것이다. 현장에서 앞뒤 문맥과 함께 들으면 아무 문제 없을 농담들이었지만 기사 제목에 악의적으로 인용하면 매우 선정적일 수 있는 그런 발언 말이다.

그런 현장에 영상이나 펜 기자 한 명이라도 있으면 같은 공간의 다른 사람들은 아무것도 모른 채 평온하게 행사를 계속하고 있는 와중에 공보팀만 안팎으로 비상이 걸리곤 했다. 그럴 때면 박도은 부대변인이 기자에게 충분히 설명하고 설득하며 부정적인 기사가 나가지 않게 하려 최선을 다했고, 그것으로도 여의치 않을 때는 행사가 끝난 뒤 후보와의 단독 인터뷰를 잡아주며 기자들을 달래곤 했다.

사무실 공보 멤버들도 안에서 각종 보도자료와 논평, 언론 모니터링과 기자회견 준비 등으로 숨도 제대로 못 쉬며 일했다. 마찬가지로 캠프 내 다른 모든 팀들이 각자의 자리에서 주어진 역할을 충실히 수행하며 이번 선거 승리에 기여했다.

이런 선거는 없었다

오성규 편
비서실

정치인 박원순 서울시장의 이야기에 빠져서는 안 될 이름이 있다면, 그가 바로 오성규다. 환경정의 사무처장, 지속가능발전위원회 전문위원, 시민사회단체연대회의 운영위원장, 서울시설공단 이사장을 지냈다. 그의 직업을 사회운동가라고 부르는 게 옳을 것 같다. 현재는 희망새물결 집행위원장이다. 그와 박원순의 이야기는 시민운동을 하면서 시작된다.

시민운동하며 박시장과 인연 맺어

2001년 총선 직후 전국시민사회단체연대회의를 만든 사람은 박원순 현 서울시장이다. 1~3대 운영위원장 박원순, 4대 남인순, 5대 하승창, 7대 오성규로 이어지는 계보가 특별해 보인다. 시민사회단체연대회의 운영위원장 자리는 사실 시민운동의 은퇴수순을 밟는 자리다. 운영위원장을 하다가 안식년 중일 때, 2011년 보궐선거에 희망캠프에 참여했다. 안국빌딩 구관 2층, 느티나무 카페는 구 참여연대 사무실 자리였다. 2011년 야권단일화 룰 미팅에 참여한 3인 중 일인이다.

2018 선거를 위해 박원순 시장이 3선 도전을 하겠다고 절반 정도 결

심한 2017년 11월경, 기동민 국회의원, 김원이 전 서울시 정무수석 등 7명이 모였다. 이들이 모태가 되어 점차 확대됐다. 경선단계에서는 홍보물보다 전략, 조직, 온라인 중심으로 선거운동을 했다. 선거전략은 Y씨가 해주고 있다. A씨는 2011년 잠깐 회계책임을 담당했지만, 현재는 참여하지 않고 있다(영업보호를 위해 영문 이니셜로 대체한다).

글쓴이가 '내 삶을 바꾸는 변화의 시작'이란 주제를 꺼내자 박원순 시장의 선거백서에 관한 이야기로 이어졌다. 백서는 아니지만, 유창주 씨가 2011년 선거 직후에 썼던 『박원순과 시민혁명』을 언급했다. 그리고 내 삶을 바꾸는 10년혁명의 이야기로 이어졌다.

박원순 시장의 선거에는 아직까지 선거백서 형태를 갖춘 책은 제작되지 않았다. 본래 선거백서는 정당차원에서 제작해 배포하도록 되어 있다. 선거법상 개인이 정치자금이나 선거 외 비용으로 제작은 가능하나 무료배포, 판매가 금지되어 있다. 그래서 캠프 체험수기 행태로 세상에 나와 있는 책들이 있긴하다.

오성규 비서실장, 민병덕 총무본부장, 기동민 상황본부장 등은 박원순 시장의 살아 있는 선거백서 그 자체인 사람들이다. 이들 외에도 K, M, P, N, L 등 영문이니셜로 대체해야 하는 사람들이 있다. 그들의 한마디 한 마디가 글쓴이에게는 매우 좋은 소재가 되었다.

낮에는 후보와 가장 먼 거리에서, 밤에는 가장 가까운 거리에서

캠프에서 오성규 비서실장은 주로 박원순 서울시장 후보의 메시지, 일정기획, 대외협력단을 총괄하는 업무를 했다. 후보수행은 고 김상현 국회의원의 아들인 김영호 국회의원이 비서실장 업무를 담당했고, 오실장은 낮에는 후보와 가장 먼 거리에서, 밤에는 가장 가까운 거리에서 후보에게 하루 일과를 보고하는 역할을 했다.

이번 선거에 후보를 대신해 좋은 사람들을 캠프에 잘 모신 것도 그가 당선에 기여한 점이다.

오성규 실장은 당내 경선이 곧 당선인 상황에서 가장 크게 신경 썼던 일로 3선 피로감이 문제였다고 회고했다. 시민들은 그렇게 느끼지 않는데, 정치권에서 3선 피로감을 이야기를 할 때, 후보가 위축되지 않을까 걱정했다.

선거는 후보의 멘탈 관리가 중요하다. 어떤 상황에서든 위기가 닥칠 수 있기 때문이다. 선거 후반, 김문수 후보가 제기하는 재산세 관련한 네거티브 공격은 사실 큰 문제는 아니라고 봤다. 자동차세 납부를 재산세 납부로 신고했다고 해서 그게 크게 잘못한 것은 아니라는 입장이다.

오실장은 박원순 시장의 소탈하고 친근한 점, 잘난 체와 있는 체를

하지 않는 점을 좋아한다. 또 박원순 시장을 선진사회에 맞는 진정한 지도자로 평가했다. 정치인으로서 스탠다드는 아니다. 과거 정치인처럼 선이 굵고, 힘이 느껴지고, 연설도 잘하는, 그런 지도자는 아니다.

강한 이미지로 위기를 돌파하는 사람이 통상적인 리더인데, 세계의 모든 나라 지도자가 꼭 그렇진 않다. 오히려 오래된 민주주의 국가일수록 미래에 대한 비전을 잘 갖추고, 내용이 있는 사람을 선호한다. 통일 독일을 보라. 메르켈 총리가 소통형 리더십으로 15년째 집권하고 있다. 우리 사회도 앞으로는 정치적으로 한쪽으로 치우치지 않은 지도자가 필요하다. 구시대엔 급속한 경제개발 시대에 적합한 앞으로 나아가는 정치인이 필요했지만, 지금은 박원순 시장같이 여야를 초월하고 이념을 초월할 수 있는 포용의 지도자가 필요한 시대가 다가오고 있다고 했다.

서울시, 부시장 10여 명 정도는 있어야 해

서울시 최초의 여성정무부시장이나 여성비서실장 필요성이 제기되고 있는 시점에서 박원순 시장을 대신해 캠프의 비서실장 입장이 어떤지 궁금했다.

그는 서울시 정도면 부시장이 10여 명 정도는 있어야 한다고 했다. 박근혜 정부 때부터 주장했는데, 정권이 바뀌었는데도 변화가 없다. 여성 부시장, 관광 부시장, 행정 사무를 확실하게 위임할 수 있는 분업화된 체계가 필요하다. 부시장이 분화된다면 전세계 메트로폴리탄 중에서도 탁월한 경쟁력을 가질 수 있고, 행정 분야별로 집중이 가능할 텐데 아쉽다. 지금은 한 명뿐이므로 시정 중심을 정무적 발란스냐 젠더적이냐로 결정해야 되지 않을까 하고 매우 조심스럽게 답을 피해갔다.

정치가로서의 박원순과 행정가로서의 박원순에 대한 평가에 대해, 그는 사람은 잘 바뀌지 않아서 후자가 현실적인 선택이 아닌가 싶다고 했다. 정치가냐 행정가냐 하는 것은 사실 상징조작 개념이다.

정치가나 행정가는 어떤 측면에서 구분지어지는 것이 아니다. 그의 말처럼 여의도 정가에서 만들어낸 상징조작 개념일 수 있다. 정치가는 우월하고, 행정가는 불편하고 까다롭다는 또 다른 상징성을 내포하고 있다고 본다. 그래서 동의할 수 없는 용어라고 했다.

대한민국은 소셜디자이너가 필요한 시대에 접어들었다. 국가적 차원의 정책이 크다면 지방정부는 실행을 해야 되고, 실제 시민들의 삶을 챙기는 사람이 필요하다. "삶의 정치냐, 여의도 정치냐" 라고 묻고 싶다고 했다. 시민들이 느끼는 여의도 프레임은 잘못된 방식의 사회화라고도 했다. 고건시장은 훨씬 더 행정가 느낌이었다. 정확한 이름표를 달지 못한 건 참모의 책임이 크다고도 했다. 그는 박원순 캠프의 비서실장으로서 시대가 요구하는 부분을 채울 필요성을 느끼고 있었다.

박시장, 한양도읍 600년간 최장기 서울시장

오성규 비서실장이 이번 선거에서 칭찬하고 싶은 팀은 경선 때는 총무본부다. 늘 궂은 일을 도맡아 했다. 손병권 실장, 김한규 변호사 같은 자기희생이 몸에 밴 사람들이 있었기에 캠프 전체가 잘 돌아갔다.

본선에서는 메시지 팀이다. 선거의 절반 이상을 차지하는 중요한 부서다. 캠프 안정화에 기여한 곽현 메시지 실장은 우원식 원내대표의 비서실장 출신으로 유권자들에게 나가는 글과 말의 중요한 부분을 책임지고 무리없이 잘 해내주었다고 했다.

2018 선거를 되돌아 보면, 오실장으로서는 아직 하고 싶은 말이 많았다. 이런 선거는 없었다. 급변하는 세상의 한가운데서 치러지는 선거라 편안해 보이기도 하지만, 어렵기도 했다.

누가 뭐래도 지방선거의 꽃은 서울시장 선거인데 박원순 시장이 조명받지 못해 아쉬워했다. 파도를 잘 타고 간 것이 아닌가라고 세상이 기억해 줬으면 좋겠다고 했다.

박원순 서울시장은 한양도읍 600년간 최장기 서울시장이다. 앞으로도 쉽게 나오지 않을 전무후무한 기록이 될 수도 있다.

오성규 실장은 위대한 레코드! 숫자의 형식을 떠나서 영광스럽지만, 책임감을 느끼고 준비하고 있다. 박원순이 가진 능력이면 충분하다. 이번 선거에 캠프 실무 인원만 470여 명이다. 2018 박원순 캠프 원팀은 태양계처럼 수많은 별들 중에 태양을 중심으로 질서와 조화를 이루고 서로를 비추며 확장되고 더욱 빛을 발할 수 있도록 맞물려 돌아간, 각기 다른 별이었다. 이들과 소중한 인연으로 함께 할 수 있는 긴 정치적 상황이 계속되길 희망했다.

지난 두 번의 선거에서는 이명박 박근혜 정부와 민주당 눈치보느라 캠프참가자들과 등산도 갔다오지 못했다. 그들에게 아무 보답도 해주지 못해서 참 미안하다고 했다. 두 번의 아쉬움이 있었는데, 이번에는 어떤 핑계를 만들어서라도, 짧더라도 그들과 함께 시간을 가지고 싶다고도 했다.

캠프 공공의 적(?), 일정기획팀

민경국 편
비서실 일정기획팀

일정기획팀은 선거 기간 내내 박시장의 모든 일정을 기획하고 조율하는 팀이다. 또 동선에 맞춰 선행 점검하고 밀착 수행하는 역할을 한다. 선거 기간 동안 내외부에서 상상을 초월하는 양의 일정을 요구했다. 하지만 후보의 시간은 한정되어 있어 각 부서에서 준비한 기획이 반영되지 못하는 경우가 있었고, 직전에 일정이 추가되는 경우가 있어 일정 확정이 늦어지는 경우도 많았다. 그래서 일정기획팀은 캠프에서 '공공의 적'으로 불린다.

일정기획팀은 권상훈 실장을 필두로 4개의 팀이 움직였다. 정무행정팀은 후보의 정무 업무를 총괄하고 후보의 지시사항 이행, 선대위 업무와 회의결과 등을 보고한다.

일정1팀은 후보의 일정과 일정별 이미지전략을 수립하고 김은경 팀장, 박승민 씨, 황라현 씨, 김형준 씨가 함께 했다. 일정2팀은 강현선 팀장, 홍석인 씨,

강규나 씨가 후보배우자의 일정을, 일정3팀은 장현명 팀장, 민경국 씨가 정책분야와 당과의 일정협의를 담당했다.

선행팀은 후보의 일정 장소를 사전에 점검하고, 현장의 문제를 사전 조율하는 등 현장 동선을 선행한다. 김동규 팀장, 배재현 씨, 안요섭 씨, 이창우 씨, 김제식 씨, 홍성주 씨가 함께 했다. 수행팀은 자칭, '블루칼라'라고 한다. 권오재 팀장, 윤재훈 씨가 후보와 가장 가까운 곳에서 함께 했다. 변화무쌍한 현장상황에 대응하기 위해 일정-선행-수행은 '합'이 맞아야 한다.

일정팀의 막내이자 신스틸러인 민경국 씨는 과도한 업무에도 불구하고 일정팀의 일원으로서 큰 자부심을 느낀다고 했다. 각 부서에서 결정된 선거의 기조에 맞추어 일정을 조율하는 과정은 때론 촌각을 다투며, 일상적으로 야근을 해야 했다. 그러나 캠프의 각 부서와 협력해서 일정이 성공적으로 이루어질 때의 짜릿함은 무엇과도 비교할 수 없다.

민경국 씨는 '모든 것이 협력해서 선을 이룬다'는 성경 구절을 인용해 일정팀에 비유했다. 캠프의 모든 부서는 후보의 당선을 위하여 일정을 기획하고, 일정팀은 효과적인 스케줄을 짠다. 물론 모든 부서의 요구가 충족될 수는 없기 때문에, 된소리를 듣기도 한다.

일정팀은 눈에 띄는 결과물을 만드는 팀은 아니기에 기여한 바를 손꼽아 이야기하기도 어렵다. 다만, 후보의 일거수일투족을 기획하고, 후보와 한 마음으로 모든 일정을 동행하는 숨겨진 조력자라고 생각한다고 했다.

메시지팀이 보내는 메시지

권재철 편
비서실 메시지팀

메시지팀의 권재철 씨는 박홍근 의원의 수석 보좌관이다. 박원순 서울시장이 펼쳐 온 시정에 대해, 서울시민으로서 높게 평가해 왔다. 사람 중심의 서울이 이제 한반도 평화와 번영의 관문이 돼야 한다는 생각으로 합류하게 되었다. 대외 메시지와 유세문 작성을 통해 후보의 철학을 언론과 지역 유세에서 활용한 점을 보람으로 꼽는다. 팀이 만든 메시지에 후보의 정책이 있었고, 홍보가 있었고, 일정이 있었고, 후보의 모든 것이 들어 있다고 했다.

재철씨는 박원순 후보의 소탈하고 매사에 열정적인 점이 좋았다. 선거 기간 중 비오는 늦은 저녁에 원고를 들고 찾아 갔을 때, 따뜻한 차를 직접 끓여주시기도 했다.

"다음에 시장실로 찾아뵈면, 한 번 더 부탁드려도 될까요?"

고등학생 이후 이렇게 장시간 의자에 오랫동안 앉아 있어 본 적이 없었다. 하루에 쏟아지는 수많은 언론 인터뷰와 서면질의 답변 작성, 행사 인사말, 유세문 작성 요청에 '메시지 생산 공장', '메시지 자판기' 역할을 했다. 에피소드가 만들어질 여유가 없었다고 말하면서 재철씨는 박후보 이름으로 지은 3행시를 불쑥 내밀었다.

박 애와 평등의 정신이 살아 있습니다. 우리가,

원 하는 세상을 만들어주세요.

순 수한 마음, 한결 같은 자세로 응원하겠습니다.

메시지팀의 신혜림 씨는 서울시장 후보와 시민 자원봉사자의 관계임을 무척 강조한다. 박원순 시장의 3선을 돕고 싶어서 캠프에 왔다고 했다. 각 언론사 별 서면 인터뷰 요청에 적극 대응했고, 박 후보가 시민 한 분이라도 더 만날 수 있도록 대면 인터뷰, 참고자료를 작성하는 일을 했다.

후보의 각 자치구별 유세문을 작성하고, 각종 행사 참석 일정 시에 필요한 인사말과 모두발언 등을 미리 작성하여 참고하도록 했다.

혜림씨도 박원순 후보의 소탈함, 부지런함, 따뜻함 그리고 더 큰 비전 같은 것들이 좋았다. 경선이 끝나던 날(4월 20일), 박 시장의 캘리그라피 싸인을 받았던 것이 가장 기억에 남는단다. 그전부터 너무 바라던 일이었다.

메시지팀의 박기영(41세) 씨는 메시지팀이 박원순 시장 당선의 전부라고 생각했다. 시민들과 직접 호흡하려는 박원순 후보의 모습이 늘 보기 좋았다.

메시지팀의 송동민(35세) 씨는 각종 서면·대면 인터뷰, 연설문, 유세문, 페이스북, 각종 행사 인사말, 모두발언 등을 작성했고, 메시지에 박원순 후보의 과거와 현재와 미래를 담았다. 유순해 보이는 외모 속에 감춰진 단호함과 할 일은 어떻게든 할 사람이라는 믿음이 있었다.

뭘 해야 에피소드가 생길 텐데 하루 종일 키보드 두드린 기억밖에 없다고 했다. 후보가 선거기간 동안 했던 말, 공약, 철학을 한 달 내내 봐왔기 때문에 서울시장에 복귀하면 얼마나 잘 지키는지 서울시민으로서 두 눈 부릅뜨고 지켜보겠단다.

장기적 시각이 필요하다

최동민 편
비서실 대외협력기획단

동대문구청장 예비후보, 추미애 당대표 수석보좌관, 더불어민주당 중앙당 정책위 부의장, 문재인후보선대위 유세팀장, 국토해양부(건교부) 과장, 국토개발연구원 연구원, 서울시립대학교 총학생회장, 민주화운동유공자. 화려한 경력의 소유자는 전북부안 출신의 최동민(69년생) 대외협력기획단 단장이다. 나이에 비해 앳된 얼굴에 준수한 외모의 소유자다.

설명하기 어려운 역할을 하는 곳, 대외협력기획단

"캠프에서 어떤 일을 하시나요?"라는 물음에 "대외협력업무를 하고 있습니다."라고 대답한다. "대외협력업무중 한 가지만 소개해 줄 수 있나요?"라는 두 번째 질문에 "……" 대답 대신 머리를 살짝 왼쪽으로 기울였다. 금세 미소를 띠며 "글쎄요."라는 짧은 말로 대화가 멈췄다.

오랜만에 만난 친구가 "넌 뭐하냐?"라고 물으면 곧바로 대답을 못하는 경우가 있다. 친구가 비슷한 일을 하면 즉각 대답이 나오지만 '어떻게 말해줘야 내가 하는 일을 친구가 알 수 있을까?'라고 생각하게 된다. 더구나 선거 캠프란 각양각색의 사람들이 잠시 모이는 곳이다. 또 최근

까지 각자 다른 일을 하다가 캠프에 합류한 경우가 대부분이라 때론 머쓱할 때도 있다.

그는 구청장 예비후보로 자기 선거를 준비하다가 경선이 끝나자마자 마음을 추스르기도 전에 서울시장 선거를 도우러 왔다. 짧은 시간 합류한 케이스다.

선거캠프에는 즉각 설명하기 어려운 역할을 하는 팀들이 있다. 그중의 하나가 바로 대외협력기획단이다. 주로 박원순 후보의 대외협력업무를 기획하고 관리하는 일을 한다. 일정팀, 상황팀, 홍보팀, 유세팀 등은 수시로 업무협의가 필요한 조직이지만 대외협력기획단은 업무 특성상 후보자의 동선에 영향을 미치지 않기 때문에 캠프회의에서 얼굴을 마주할 일이 거의 없다.

대외협력기획단은 정당 및 시민사회 등 대외 협조체계를 마련한다. 이번 서울시장 선거의 특징 중 하나가 전·현직 국회의원들이 대거 선거대책위원회에 참여했고, 후보자 선거활동도 서울 25개 구청장 후보와 함께하는 일정이 대부분이었다. 지난 선거에서는 주로 시민단체와 함께한 선대위였다면 이번에는 중앙당과 서울시당 중심의 선거협력으로 선대위가 꾸려졌다.

시민단체 및 직능단체와 협력을 강화하는 역할은 선거기간 표밭을 위한 것이기도 하지만, 장기적으로는 후보자의 공약과 서울시의 정책을 함께 구현해 나가기 위한 포석이 깔려 있다.

최동민 단장은 고유기 씨, 이승학 씨, 최정환 씨와 팀을 꾸렸다. 캠프와 외부단체와의 유기적인 협업체제를 구축했다. 중요하고 짧은 선거기간, 선거운동의 극대화를 위해 대외협력활동의 공유 및 내부협업이 긍정적으로 유지되도록 하는 중요한 역할들이었다.

사진으로 보는 2018 지방선거

서울특별시장 편

사진으로 보는 2018지방선거

서울특별시장 편

● 4월 12일

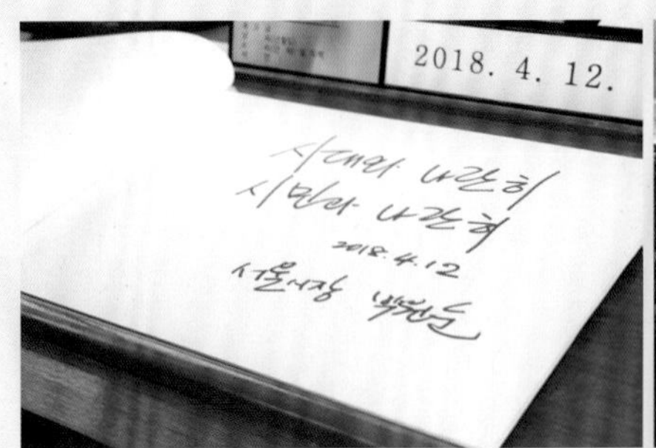

현충원 참배 – 시대와 나란히 시민과 나란히

더불어민주당 중앙당 – 출마선언

● 4월 14일

세월호 4주기 문화제

● 4월 16일

세월호 비석앞에서

세월호 4주기 영결추도식

● 4월 19일

4.19혁명 국민문화제 2018

● 5월 1일

민주노총 노동자대회

한국노총 2018 노동절 마라톤대회

● 5월 9일

50+캠퍼스 인생학교 수료생 정책간담회

● 5월 13일

노무현재단 남산둘레길 걷기대회

노무현재단 남산둘레길 걷기대회

● 5월 15일

[더불어 승리] 잠실새내역 출근인사

김성환 노원병 국회의원 후보자 및 당원간담회

● 5월 16일

청년 격전지를 가다

한국노총 예방

더불어민주당 중앙선대위원회 출정식

● 5월 17일

송갑석 광주서구갑 국회의원후보자 간담회

이용섭 광주시장 후보 정책협약

광주 5.18 민주평화대행진 및 전야제

● 5월 18일

제38주년 5.18 민주화운동 기념식

김영록 전라남도지사 후보 도농상생 정책협약

● 5월 18일

소통하는 공유식탁

● 5월 19일

그린플러그드 음악 페스티벌

● 5월 21일

후보와 함께하는 성희롱·성폭력 예방교육

[더불어 승리] 유동균 마포구청장 후보와 함께

[더불어 승리] 김미경 은평구청장 후보와 함께

● 5월 22일

불기 2562년 부처님 오신날 봉축 법요식

● 5월 23일

노무현 대통령 9주기 추도식 봉하마을

노무현 대통령 9주기 추도식 봉하마을

● 5월 24일

서울 경남 상생혁신 정책협약

● 5월 25일

한국방송기자클럽 초청토론회

[더불어 승리] 이성 구로구청장 후보와 함께

● 5월 26일

노동공약 발표 기자회견

● 5월 27일

[더불어 승리] 이동진 도봉구청장 후보와 함께

[더불어 승리] 박겸수 강북구청장 후보와 함께

● 5월 28일

[원순씨와 하이파이브] 6070 어르신과 차밍댄스

● 5월 29일

염수정 추기경 예방

● 5월 30일

제1차 선거대책위원회 회의

● 5월 31일

2018 지방선거 첫 공식일정 서울 지하철 근로자와의 대화

[더불어 승리] 강남역 집중유세

[더불어 승리] 노원 출정식

[더불어 승리] 중구 출정식

[더불어 승리] 엄마따라 시장에 온 아이

● 6월 1일

서울특별시장 후보자 초청 사회복지정책 토론회

[원순씨와 하이파이브] 워라밸토크@여의도

문익환 목사 통일의 집 개관식

● 6월 2일

[원순씨와 하이파이브] 소확행 버스킹

[더불어 승리] 신촌 차 없는 거리 합동유세

사전투표 독려 캠페인 투나잇, 궁나잇

[시민과 나란히] 어린이 시민의 날

● 6월 3일

[시민과 나란히] 사회경제인과 공감토크

시민공감대변인단 발족식

늦봄 문익환 탄생 100주년 기념에 부쳐 '평양가는 기차표를 다오'

● 6월 4일

서울 평화를 품고 대륙을 꿈꾸다 토크콘서트

서울 평화를 품고 대륙을 꿈꾸다 토크콘서트

[더불어 승리] 김선갑 광진구청장 후보와 함께

● 6월 5일

[시민과 나란히] 문화예술인과 ING 토크쇼

[더불어 승리] 김수영 양천구청장 후보와 함께

● 6월 6일

현충일 추념식장 가는 길

6.25참전유공자회 방문

나라를 지킨 여성영웅들을 만나다

나라를 지킨 여성영웅들을 만나다

안보테마공원 서울함 방문

● 6월 7일

사전투표 독려 캠페인(잘보고 잘찍고)

사전투표 슛! 여성축구단과 함께

● 6월 8일

사전투표 (강남구 세곡동)

[더불어 승리] 강남구 세곡동 학부모간담회

강남3구 1만인 지지선언문 발표 및 전달식

● 6월 9일

[원순씨와 하이파이브] 모델 아이란과 함께하는 소확행 버스킹

특강 : 특성화고 졸업생을 만나다

[더불어 승리] 이정훈 강동구청장 후보와 함께

투표독려캠페인 (투표를 마구마구)

● 6월 10일

제31주년 6.10민주항쟁 기념식 민주에서 평화로

청년 길거리토크 그대들은 어떤 기분이신가요?

광화문 광장과 함성 전시관 방문

[더불어 승리] 성장현 용산구청장 후보와 함께

[더불어 승리] 김미경 은평구청장 후보와 함께

● 6월 11일

[평화를 말하다] 박원순이 묻고 세계 시민이 답하다

[시민과 나란히] 5060의 새로운 도전을 응원합니다

[더불어 승리] 서양호 중구청장 후보와 함께

● 6월 12일

[더불어 승리] 박성수 송파구청장 후보와 함께

[더불어 승리] 정순균 강남구청장 후보와 함께

명동 집중유세

2018 지방선거 마지막 공식 일정 홍대앞 거리인사

● 6월 13일

당선확정의 순간

당선확정 후 선거대책위원회 주요 인사들과 함께

● 6월 14일

박원순 캠프 해단식

박원순 캠프 해단식에서 자원봉사자들에게 큰절 올리는 박원순 시장

글쓴이가 바라본 박원순

밀착취재

에필로그

글쓴이가 바라본 박원순

'내 삶을 바꾸는 정치'의 후속편을 써내려가길

박
원
순

이제 막 서울시장 3선 고지에 오른 박원순. 그의 이름을 모르는 대한민국 국민은 거의 없을 테지만 그의 삶과 그의 철학을 정확하게 아는 사람은 그렇게 많지 않다. 더구나 한 정치인으로서는.

그는 분명 정치인이다. 행정가로서, 시민단체 운동가로서가 아닌 정치인 박원순이다. 단지 우리가 일찍이 경험해 보지 못한 정치인일 뿐이다.

실제로 서울의 오늘을 만들고 내일을 설계하는 사람의 이름 석 자 '박원순'을 제대로 이해하는 사람 또한 드물다. 누구나 그 이름을 알고 있으나 정작 그가 누구인지는 잘 모르는 박원순은 대체 누구인가?

사람이 우선인 박원순의 원칙

어떤 한 사람을 알기 위해 가장 좋은 방법은 그 사람이 걸어온 길을 되짚어보는 일이 될 것이다. 누군가는 삶의 궤적이라고 했다. 그 사람이 걸어온 길은 그 사람의 과거만이 아니라 그 사람의 현재이자, 또 미래를 보여주는 나침반 같은 것이 된다.

경남 창녕 태생의 박원순이 시골에서 중학교까지 마치고 서울 경기고등학교를 거쳐 1975년 서울대학교 사회계열에 입학했다가 불과 3개월 만에 제적되고 단국대학교 사학과로 옮겨 사법시험에 합격한 이야기는 지난 두 번의 선거를 치르면서 널리 알려졌다.

박원순이 사법연수원에서 운명처럼 만난 조영래 변호사와 함께 인권변호사의 길을 걷기 시작한 것도 잘 알려진 이야기다. 1986년에는 '역사문제연구소'를 창립하고 기관지 『역사 비평』을 통해 현대사 연구에도 나선다. 이후 참여연대(1994-2002), 아름다운 재단과 아름다운 가게(2002-2006), 희망제작소(2006-2011)를 차례차례 개척했다.

그는 희망제작소를 끝으로 그를 아끼는 수많은 사람들의 만류에도 불구하고 정치와 권력의 세계로 뚜벅뚜벅 걸어서 들어갔다. 바로 2011년 11월 서울시장 보궐선거에 도전장을 내민 것이다. 그리고 이제 재선을 거쳐 세 번째 서울시장이 됐다. 조선시대 한성판윤 이석형보다, 고건 전 서울시장의 재임기록보다 더 긴 기록을 수립한 지 오래되었지만 날이면 날마다 그 기록을 또 다시 늘려가고 있다.

이렇듯 검사에서 변호사로, 다시 시민운동가에서 서울시장으로 변신을 거듭해온 박원순의 길은 일견 다른 것처럼 보인다. 그러나 박원순이 그 많은 길을 걸어오면서 결코 잃지 않은 하나의 원칙이 있었다.

그것은 어디까지나 사람이 우선이라는 것, 사람이 중심인 세상을 만드는 것이었다. 박원순의 모든 선택의 처음이자 끝은 사람이었다. 이제 세 번째 서울시장으로 새로운 길을 떠나는 박원순의 시정을 펼쳐나갈 원칙도 사람 중심이 될 것이다.

어느 한 시민이 말했다.

"문제를 해결하는 것보다 더 중요한 것은 문제의 본질을 이해하는 것이다. 박원순은 난마처럼 얽혀 있던 서울시의 행정을 근본적으로 바꾸어놓았다. 이제 그가 서울시정 마지막 4년 임기를 통해 그동안 제대로 손을 대지 못했던 서울의 발전에 대한 웅대한 꿈을 실천할 때가 되었다. 지금 우리는 박원순 없는 서울을 상상하기조차 어렵다."

'차별 없는 세상, 개인의 행복이 보장되는 삶'

사실 지난 6년간 박시장은 보수 정권의 갖은 음모와 방해 공작으로 웅대한 시정을 제대로 펼칠 수 없었다. 그러나 촛불 시민의 힘으로 이제 문재인 정부와 함께 하는 앞으로의 4년은 분명 지난 6년간 기대하지 못했던 완전히 새로운 서울을 박원순의 이름으로 시민하게 선사할 기회다.

박원순은 이제야말로 비로소 시장다운 시장의 임기를 시작하게 되었다. 문재인 대통령의 국정철학이 '사람이 먼저다'인 것처럼, 박 시장의 시정 철학은 '차별 없는 세상, 개인의 행복이 보장되는 삶'이다. 서울 10년의 혁명, 내 삶이 바뀌는 10년 혁명의 완결은 이제 막 시작이다.

지금 박원순은 메가시티 서울의 시정을, 사람을 중심에 놓고 하나하나 제대로 세워나가기 위한 원대한 꿈을 시작하고 있다.

우리는 박원순의 꿈이 여기서 멈춰서는 안 된다고 생각한다. 지금 당장 박원순의 꿈이 서울 시정을 변화시키는 것이라면 그것이 제대로 이뤄지고 난 뒤 그 꿈의 실현이 서울을 넘어 나라 전체로 확산되어 가기

를 간절히 바란다. 이런 바람의 종착지가 바로 박원순이 평생의 길을 걸어온 일관된 발걸음이 멈추는 곳이 되어야 한다고 믿는다. 그의 꿈은 우리 모두가 오랫동안 기대해온 꿈과 닿아 있기 때문이다.

우리는 더 이상 무능하거나 혹독한 위정자의 폭압에 우리의 삶과 미래를 맡길 순 없다.

그래서 우리는 이렇게 묻지 않을 수 없다.

"서울의 박원순은 대한민국의 박원순으로 성장할 수 있을 것인가?"

절집에 전해오는 말에 "조사를 만나면 조사를 죽이고, 부처를 만나면 부처를 죽이라"는 말이 있다. 철저한 자기부정의 정신 위에 새로운 깨달음이 가능하다는 정도의 말일 것이다. 지금까지의 자신과 자신이 걸어온 그 길과 자신의 철학과 자신의 지향을 모두 버려야(죽여야) 새로운 생명이 자라날 것이다.

검사, 변호사, 시민운동가, 서울시장으로서 보여준 인간 박원순의 모습 그대로, 박원순을 버리고 국민들이 원하는 정치인 박원순으로 거듭나야 한다.

결코 쉽지 않을 길이겠지만 담백하게, 꿋꿋하게, 그의 사상에서 가장 중심인 사람을 향해 뚜벅뚜벅 걸어서 가자. 지켜보면서 함께 나란히 걸어가는 국민만을 믿고서.

박원순식 정치란?

박원순을 좋아하고 지지하는 사람들을 만나다보면 박원순을 좋아하는 공통분모가 존재한다. 결코 이념의 문제로만 접근할 수 없는 인간답게 살 권리를 실생활에서 풀어주는 정치인, 문제를 해결해주는 정치인이라는 평가다.

굳이 말하지 않아도 그가 펼친 정책, 그가 행한 일들이 내 삶을 바꾸고 우리의 사회를 바꿔왔다. 그것은 우리 국민이 일찌기 경험하지 못한 '내 삶을 바꾸는 정치'의 후속편을 써 내려갈 것이라는 믿음을 주는 새로운 정치모델이다.

밀착취재

진정성의 진수를 보다

이인수·김다솜
백서기획팀

선거에 관한 이야기에 후보 동행취재가 빠져선 안 된다는 일종의 책임감으로 24시간 동행을 계획했다. 이 이야기는 25년차 선거베테랑의 눈에 비친 후보의 하루와, 정치라는 생소한 곳에 첫발을 디딘 20대 청년의 눈에 비친 후보의 일상을 서로 다른 시각에서 조명하는 이야기다. 전반부는 후보자의 오전 시간대별 스케치로, 후반부는 오후 김다솜 씨의 인터뷰로 주 내용을 이룬다.

2018년 6월 12일 아침 6시 반. 글쓴이가 헌법재판소 근처 가회동 공관에 도착했다. 가회동은 서울 시내 한복판인데도 비교적 조용하게 하루가 시작되고 있었다.

이날은 후보의 일정이 다른 날에 비해 조금 늦게 시작됐다. 기다려도 문이 열리지 않아 10여 분을 기다린 후, 권오재 비서실 수행실장에게 전화를 걸었더니 첫 일정이 7시 반부터 시작된단다. 너무 일찍 나왔으니 잠시 기다리란다.

가회동 시장 공관

시간도 보낼 겸, 마을 이곳저곳을 살피는 것도 또 다른 재밋거리다.

조용한 마을공관 맞은편엔 옛 진단학회 터에 게스트하우스로 변신한 낙고재라는 유명한 고택이 있다. 문 앞에서 외국인 여행객 모녀와 할머니, 모두 4명이 차를 기다리고 있다.

공관 근처엔 잘 정돈된 벽돌과 대리석 위에 기와를 얹어 놓은 담장들이 시선을 끈다. 이리저리 골목길을 따라 풍경을 즐기는데 까치소리가 들려온다. 귀한 분을 만난다는 길조다.

7시 10분. 후보 차량 카니발이 먼저 도착했다. 운전사는 일전에 인사를 나눴던 전환주 뉴서울고속관광 대표다. 그의 밝은 미소가 나를 반겨준다. 선거 때마다 박 후보를 모신 전담기사이다.

7시 12분. 수행팀의 권오재 실장과 윤재훈 씨가 도착했다. 이들은 늘 지근거리에서 모셔왔던 분들이다. 7시 15분. 관사 문이 열렸다. 안으로 들어가는 길은 정확하게 헤아려 보지는 않았지만 가로 1.5m 세로 1m 정도의 좁은 계단이 12개가 있고 작은 문을 지나서 또 12개의 계단이 있다. 아마 12달과 24절기를 염두한 구조가 아닐까 짐작했다.

계단 양쪽에는 초롱꽃이 방문자에게 인사를 하듯 고개를 숙이고 있다. 계단을 오르는데 집안에서 굵은 톤의 개 짖는 소리가 두세 번 들려온다. 진돗개 대박이인가 보다.

집안에 들어가지 않고 넓은 마당을 둘러본다. 마당은 잔디로 덮여 있다. 계단을 오르면 오른쪽에 금붕어 몇 마리가 두어 평 아주 작은 연못 속에 한가롭다. 연못 위에는 그물망이 쳐져 있다. 얼마 전 신문에 소개된 그 작은 연못이다. 새들이 고기를 물어가 그물망을 쳐놓았다고 했다.

왼쪽엔 소나무가 드리운다. 소나무엔 어느새 날아들었는지 비둘기 한 마리가 나를 내려다보고 있다. 공관은 2층 구조인데 생각보다 화려하진 않다. 정면에 하얀색 안채가 있다. 안채엔 서울시 정책의 하나인 '작은 발전소'라는 태양광 패널이 설치되어 있다.

안채를 기준으로 정남향에는 태극기와 서울시기, 종로구기가 펄럭인다. 왼쪽엔 하얀 철제 벤치가 하나 있고, 장독대가 눈길을 끈다. 오른쪽엔 모과나무와 살구나무 등이 있고 나무들 사이로 멀지않은 곳에 인수봉이 눈에 들어온다. 참새들이 이른 아침부터 분주하다. 집과 마당은 온갖 토종 정원수와 꽃들이 세상과 경계를 이룬다.

드디어 시작된 밀착 취재

7시 17분엔 메시지팀 조성주 씨가, 7시 24분엔 PI팀 허윤미 씨가 차례로 도착했다. 허윤미 씨는 선거기간 내내 퉁퉁 부은 발로 후보의 주요일정을 따라 다니며 코디를 해주고 있었다. 허윤미 씨가 후보의 메이크업을 돕는 사이 나는 마당을 둘러보며 박시장의 소탈함과 근면함을 떠올렸다.

또 그가 이끄는 서울시장이라는 자리의 무게감에 대해서도 생각을 해보니 괜스레 내 어깨만 무거워졌다.

7시 36분. 안채 문이 열리는데 백구 대박이가 큰 몸짓으로 훌훌 털며 나오더니 내가 올라온 그 계단으로 내려간다. 몸도 무거워 보이고 나이도 들어 보인다. 관절이 좋지 않은 듯 걸음걸이도 약간 부자연스럽다.

이어서 윤재훈 씨가 한 손에 작은 가방을 들고 나온다. 나는 이전에 후보가 도시락으로 점심을 때우는 것을 몇 번 보았던 터라 후보의 도시락이 아닐까 생각했다.

7시 40분. 후보가 나왔다. 인사를 드렸다. 에세이식 칼럼 형태라고 백서에 대해서 간단히 얘기를 했다. 대문을 나서기 전, 시청 소속으로 경비를 서는 분들께 일일이 수고한다며 손을 잡아준다.

7시 47분. 후보가 차에 올라탔다. 운전기사와 권오재 실장이 앞자리에, 가운데 자리에 조성주 씨와 후보가 앉고, 나와 윤재훈 씨가 뒷자리에 자리했다.

메시지팀 조성주 씨가 오늘 하루 주요 일정에 대해서 보고를 했다. 일정별 메시지가 보고서에 담겨 있다.

보고서를 보기도 전에 무거운 이야기가 먼저 나왔다. 어젯밤에 유세단장 정세환 씨가 돌아가셨다고 한다. 아직 할 일이 많은데 젊은 사람이 소천했다며 안타까워하신다. 박후보는 먼저 캠프에 전달해서 일정을 조절하고, 대변인 추도논평을 지시했다. 유족들에게 모든 지원을 하고 직접 챙기라며 권오재 실장에게 지시를 한다. 오후 조문일정부터 짜라신다. 이후 조성주 씨와 두 사람의 대화가 계속된다. 첫 일정인 '사회적 타협'과 두 번째 일정인 '박원순이 묻고 세계시민이 답하다', 세 번째, 네 번째, 다섯 번째… 하루 모든 일정의 메시지를 점검한다.

도심엔 어느새 출근 차량들로 도로가 밀리기 시작했다. 남산 터널을 지나 올림픽대로를 타고 강동구 버스공영차고지까지 가는 도중 내내 권오재 실장과 다른 현안들을 점검했다.

일할 때는 혁명가 심정으로

박후보는 권오재 실장을 권보좌관이라고 불렀다. 최근까지 서울시에서 근무했기 때문에 자연스런 호칭처럼 다가왔다. 나도 한때는 이보좌관이라 불리던 때가 있었다. 그래서인지 무척 친근하게 들렸다.

첫 일정인 '사회적 타협'과 관련해서 박후보는 일자리 늘리는 것도 중요한 일이라고 하면서, 600개의 청년 일자리를 만드는 일이므로 빠르게 해야 함을 강조했다. 이번 '사회적 타협'은 박원순 후보의 '상생경제를 말하다'와 일맥상통한다. 먼저 시내버스 노조가 제안했다. 박후보의 말을 인용하면 이렇다.

"고용시간과 임금을 낮추고 600명의 기사를 더 채용하는 것이다. 7월 안에 마무리되도록 해야 한다. 일을 할 때는 혁명가의 심정으로 일해야 한다. 일을 저질러야 한다. 공무원 입장은 상반되겠지만, 혁명은 법을 모두 다 지키면서 하는 게 아니다."

박원순 행정의 방식이다. 이 이야기는 솔직히 해석하기에 따라 상당히 위험한 발언이다. 그럼에도 불구하고 이 책에 그대로 옮기는 것은 박원순의 저돌적인 행정스타일이 얼마나 듬직한지를 보여주는 일면으로 받아들여 달라는 글쓴이의 애정이 담겨 있다.

그 이야기를 듣는 순간 유투브에서 봤던 강제철거 현장에서 강제이주를 반대하던 지역 주민들 편에 서서 철거를 중단하라며 고함을 치던 박시장의 모습이 오버랩됐다. '저게 바로 박원순이구나.' 감탄사가 절로 나왔다. 평소 내가 그리던 정치인이다. 내가 그려왔던 행정인이다. 사람을 행정의 중심에 놓고 있는 서울시정의 목표가 괜히 토건 중심에서 사람 중심으로 변했다고 한 것이 아니었음을 실감했다.

쉴 틈 없는 일정 속 아침식사는 단 20분

약 한 시간 가량 이동하는 차량 안에서 약 20여 분은 보고를 받았고 나머지 20여 분은 서울시의 각종 정책과 현안에 대한 이야기가 오갔다. 또 20여 분은 대구 남구청장에 출마한 김현철 후보를 포함해 전국 험지에서 출마한 더불어민주당 출마자들에게 영상통화를 하며 격려와 파이팅을 외쳤다.

권보좌관과의 대화에는 일반인이 듣기에는 실로 엄청난 정책들이 담겨 있었다. 보안상, 지면 관계상 일일이 소개하지는 못한다.

어느샌가 후보 차량 바로 뒤에 반짝이 불빛 차량이 따라 왔다. 윤재훈 씨에게 물어보니 경찰특공대에서 공식일정에 함께 한단다. 안심이 들었다.

8시 40분 도착. 강동차고지에는 출마자와 선거운동원, 그리고 서울 시내버스 노사대표들이 박 후보를 기다리고 있었다. 먼저 백여 명과 함께 아침식사를 했다.

20여 분간의 식사자리엔 노사대표와 두 명의 여자기사가 함께 자리했다. 12명이 긴 식사테이블에서 각자 떠온 음식으로 식사를 했다. 이날 메뉴는 밥과 미역국, 오징어무침, 돼지고기볶음, 김치, 감자무침이 반찬으로 나왔다. 후식으로는 사과 반쪽이다. 박 후보는 절의 스님들이 식사를 하듯 정말 깨끗이 음식을 남김없이 맛있게 먹었다. 또 한 번 감동이다.

회의실로 옮겨서 본격적인 '사회적 타협' 행사가 진행되었다. 자리배치도 먼저 입장한 박후보는 한쪽 모퉁이에 스스로 자리를 했다. 참석자들이 가운데 자리를 권하자 망설이다가 끝내 못이긴 척 옮겨 앉았다.

사회자가 모두발언을 부탁하자 회의 참관만 하고 결과가 나오면 마무리에 하겠다고 한다. 모든 행동 하나하나에 상대방을 존중하는 습관이 몸에 베인 사람이다.

'정말 박원순답다는 얘기가 저런 것이구나.' 사람들이 왜 박원순을 만나면 박원순에 대한 생각이 달라지는지 내 눈으로 직접 목격하는 현장이었다. 기존의 정치인들과 격을 달리했다. 고 노무현 대통령과 문재인 대통령의 낮은 자세와 사람 냄새가 그에게서 풀풀 쏟아졌다. 내 코끝이 찡해졌다.

병원과 토막잠

회의는 순조롭게 진행이 되었고, 결과도 계획대로 도출되었다. 다음 일정까지는 시간이 많이 남았다.

10시. 다시 차에 올라탔다. 이번에는 메시지팀 조성주 씨가 동승하지 않아 글쓴이가 후보 바로 옆에 앉았다. 후보가 오늘 날씨 참 좋다며 올림픽도로에서 달리는 차 안에서 스마트폰을 꺼내 서울 하늘을 찍었다. 그리고 혼잣말로 '참 아까운 사람인데 그렇게 가다니.' 하며 또 한 번 유세단장 정세환 씨를 애도한다. 권보좌관을 통해 오후 첫 일정으로 조문 일정을 확인한다.

또 선거에서 이재명 후보가 선전하는 얘기며, 타당 후보들의 네거티브는 네거티브로 망한다는 얘기며, 서울 현안에 관한 이야기 등으로 권오재 실장과 대화를 했다.

그런데 갑자기 다음 일정지인 김대중도서관이 아닌 송파의 작은 병원 앞에 차량이 멈췄다. 나중에 알고 보니 박후보가 얼마 전 여자축구단 행사장에서 허리를 삐끗해서 많이 안 좋다고 한다. 병원에서 검진을 하기로 예약되어 있단다. 비공식 일정이다.

작은 병원은 주차할 곳도 마땅치 않았다. 병원에는 사모님이 미리 와서 기다리고 있었다. 약 30~40분이 흘렀다. 허리를 잡고 병원문을 나선다. 다시 차량에 오른 후 이번에는 강철체력의 소유자인 박원순 후보가 깊은 잠에 빠졌다. 자는 모습이 너무 애처롭다. 아마 병원에서 주사를 맞았나보다.

차 안은 적막감이 감돈다. 권실장과 전환주 수행기사가 소곤대며 대화를 나눴다. 다음 일정지까지는 약간의 시간이 남았다. 차량이 서강대교 밑에 잠시 정차했다. 후보가 휴식할 수 있도록 시간을 확보해주는 수행팀의 배려다.

약 10여 분이 흐른 후 수행기사와 권실장이 이동해야 한다고 소곤댄다. 신촌로터리를 지나자 후보가 잠에서 깼다. 다음 일정에 관한 보고서를 들여다보며 참석자들의 이름을 모두 거론했다. 모두 4명이다. 중국인 쩌우 위보는 보고서에 이름이 잘못됐다고 했다. 독일인 안톤 숄츠는 '김어준의 블랙하우스'에 나오는 사람이라고 한다. 오늘 참석자 모두 한국말을 잘한다고 권오재 실장이 일러준다.

일벌레 박원순, 디테일 박원순

11시. 동교동 김대중도서관 맞은 편 평화다방에는 미리 온 취재기자와 시민들이 북새통을 이루고 있다. 대담장에 들어가기 전에 카페 입구에서 차를 마시는 어르신들에게 먼저 다가가 일일이 인사를 나누고 인증샷도 함께 찍었다.

박원순의 매력은 이제 새삼스럽지 않다. 사실 나는 오랫동안 민주당 생활을 해왔지만 이번 선거에서 처음 박원순 시장을 만났다. 많은 민주당 출신 정치인들에게 실망감을 느꼈던 터라 그런저런 정치인 중 한 명일 뿐이라 생각했다.

그런데 곁에서 박원순을 지켜보면서 나의 선입관은 180도 헛다리를 짚고 있었음을 깨달았다. 나도 어느덧 박원순 팬이 되어 있었다. 저런 장면들이 인위적이지 않게 느껴진다. 이미 익숙해진 탓이다.

12시. 화기애애하게 '박원순이 묻고 세계시민이 대답하다'라는 대담이 끝나고 김대중도서관으로 이동해 고 김대중 대통령 역사를 함께 둘러본다.

여기서도 박원순의 가치는 또 한 번 빛을 발휘했다. 30여 분 동안 선생의 일대기를 외국인에게 상세하게 설명했다. 여느 정치인과 다르게 건성건성 대충대충 형식적이질 않다. 진정성이 묻어난다. 오히려 글쓴이가 먼저 피곤이 몰려 왔다. 일벌레 박원순, 디테일 박원순, 많은 사람들의 증언이 공허한 소리가 아니었음을 새삼 깨닫는 계기였다.

12시 30분. 김대중도서관을 출발해 안국동 캠프까지 오는 시간은 그리 오래 걸리지 않았다. 오는 도중에 또 한 번 오후 조문 일정을 확인했다. 또 종로구 구의원에 출마한 최인숙 씨에 대해서 언급했다. 그런 좋은 사람들이 정치를 많이 해야 한다고 했다. 노무현의 깨어 있는 시민의 조직된 힘은 바로 단체가 세상을 바꾸는 힘을 말하는 것이란다.

어느새 안국동 캠프에 도착했다. 오후 일정엔 김다솜 씨가 동행하기로 계획되어 있었기 때문에 점심식사를 같이 하자는 요청에도 극구 사양하고 나의 박원순 동행취재는 끝을 맺었다.

돌아보니 아침에 인사를 나누고 헤어질 때 인사를 한 게 전부였다. 단 한 마디도 후보에게 말을 건네지 않은 동행이었다. 난들 왜 말하고 싶지 않았을까마는. 오후 김다솜 씨에게 '왜 이인수 선생님은 한마디도 하지 않았냐'고 물었다고 했다. 당선 후 식사자리에서 나는 해명해야 했다. 시장님 쉬시라고, 방해될까 봐서 그랬다고…….

"제가 질문이 너무 많죠?"

시장님과 동행취재가 결정됐다는 이야기를 듣는 순간부터 가슴에 묵직한 돌 한 덩어리가 올라가 있는 것 같았다. 소시민인 내가 3선 서울 시장이 될지도 모르는 분과 독대라니! 그것도 달리는 차안에서의 인터뷰라니…….

낯설고 생소하기만 했다. '차안의 한 구석을 차지함으로써 박원순 시장을 비롯한 수행 보좌관이 불편해하지 않을까. 이상한 질문을 해서 정적이 흐르면 어쩌지.'라는 걱정이 앞섰다.

솔직한 심정으로 이인수 팀장이 참여하기를 간절하게 바랬다. 이인수 팀장은 아버지뻘의 정치인이다. 정치판에서 30년을 넘게 있었던 베테랑이 가는 것이 맞지, 나같은 조무래기가 박시장과 독대를 한다는 것은 아무리 생각해도 이치에 맞지 않는 일인 것 같았다. 부모님께 이 사실을 말씀드리니 "남들은 못 봬서 안달인 분을 만나러 가는데 왜 그러느냐, 담대한 마음을 가지고 시장님과의 동행 취재를 즐겨라."라고 하셨다.

하지만 글쓴이는 간장 종지만한 심장을 가진 20대 청춘이다. 난생처음 온에어(on air)에 빨간불을 봤을 때처럼(첫 방송) 설레고 막중한 책임감이 느껴졌다. 동행취재 하루 전에는 도저히 잠이 오지 않아서 밤을 지새우고 오전에는 이인수 팀장이 시간을 채워준 덕분으로 오후에 캠프로 출근했다. 그리고 인터뷰에 지각했다.

시장님과 만나기로 한 시간은 1시 50분. 내가 도착한 시간은 1시 52분. 헐레벌떡 뛰어갔지만 연속적으로 이어진 핵심인물 인터뷰 일정 때문에 시간이 매우 촉박했다. 시장님은 약속시간보다 5분 정도 일찍 도착해서 기다리고 계셨다. 캠프 내의 핵심 인물 수십 명을 인터뷰하면서 가장 많이 들었던 말은 '일벌레 박원순, 근면성실의 왕'이었음에도 불구하고! 높

은 분들이 으레 그러시듯이 정시간에 맞춰 도착하거나 늦을 것이라고 생각했던 것이다. 정말 안일한 생각이었다. 등에 흐르는 식은땀을 뒤로 하고, 차에 엉덩이를 붙였다. 연신 고개를 꾸벅거리며 죄송하다고 외쳤다. 시장님이 "괜찮아요."라며 온화하게 웃어 보이셨다.

그렇다. 인터뷰는 온화한 미소 그대로 6시간 동안 이어졌다. 이 글은 6월 12일 박원순 시장의 유세일정을 따라다니며 진행되었던 인터뷰다. 여건에 맞게 틈틈이 진행되었던 인터뷰이기 때문에 양이 많지는 않다. 분위기를 최대한 살리기 위해 각색하거나 꾸미지 않았음을 밝힌다. 박 시장은 인터뷰 내내 존댓말을 사용했다. 꾸밈없는 '원순씨'의 모습 그대로를 보여드리고 싶다.

"방금 캠프를 두고 '잘 한다'라고 평가하셨는데요?"

캠프는 제 컨트롤이 아닙니다. 이번 선거는 당과 굉장히 긴밀한 관계이기 때문에 굉장한 베테랑인 국회의원들이 도와주고 있습니다.
안규백 시당 위원장님은 대통령선거부터 본인 선거까지 수십 번을 선거에 참여하신 분이시죠.
민주당에게 맡겨놓으면 최곱니다. 다만, 서울시의 특징과 이벤트는 보완이 필요한 부분이 있습니다. 그렇기 때문에 정치판과 각계 시민사회 전문가들이 만나 시너지 효과를 이루고 있습니다.

"진돗개 '대박이'의 반려인으로서, 동물 복지와 관련된 좋은 정책을 많이 만드셨습니다."

꼭 대박이의 영향을 받아서 만든 정책은 아닙니다. 반려라는 말은 보통 부인 혹은 남편에게 쓰는 말인데, 이제는 강아지에게 쓸 만큼 개가 우리 삶에 중요한 존재가 되었습니다. 대박이는 우리 집에 온지 5년~6년, 가족 같은 친구지요. 하하.

"좋아하시는 음식 많으시죠?"

모든 음식을 좋아합니다. 세상에 모든 것이 다 자기 개성이 있거든요. 김 아나운서는 아직 모르겠지요? 나이가 들면 세상이 다르게 보입니다. 풀도 식물도 다 예쁩니다. 음식도 마찬가지에요. 다 고유의 맛이 있거든요.

"잘하시는 요리는요?"

된장찌개, 김치찌개 잘합니다. 근데 제대로 요리해본 지는 오래됐어요. 젊은 시절에 미국에 혼자 살았던 경험 덕분에 요리 실력이 조금 늘었습니다.

"그럼 집안일도 도와주시나요?"

자주는 못 도와주지만 설거지는 기본입니다. 요즘 같은 때에 안하면 안 되잖아요.

후보님과 오랜 세월을 함께한 분들을 인터뷰했습니다. 다들 정치가 박원순을 신뢰하고 인간 박원순도 진심으로 존경하는 눈치였습니다.

신용을 쌓는 것이 중요합니다. 열심히 살아야지요. 행운으로는 어떤 일이든 오래 가기 힘듭니다.

"'일벌레, 디테일끝판왕'이라는 이야기도 있었습니다."

저는 추진력이 있는 이상주의자입니다. 그래서 청년하고 이야기하면 제일 잘 통한답니다. 하지만 꿈만 꾸면 몽상가가 되지요. 그래서 제일 잘 하는 말이 '안 되는 법이 어딨어!'입니다. 이런 직장 상사가 피곤하다는 사실, 알고 있습니다. 골치 아프지만, 나는 그런 사람입니다.

"코디는 누가해주세요? 저희 어머니는 TV 토론에 나온 박 시장님을 보고 '코디가 좋다.' 라고 하시던걸요?"

전문가들이 해줍니다. 미용실 원장님 한 분이 머리 만져주시고요. 제가 봐도 요즘 10년은 젊어 보여요. 사실 저는 외모에 관심이 많지는 않지만 시민들이 호응해 주시면 할 수 있습니다. 시민들을 위해 무엇이든 할 수 있는데, 이 정도는 아무것도 아니지요.

"조금은 민감할 수 있는 질문을 드리겠습니다. 2018년도 공약인 '서울 페이', 상용화가 가능하다고 보십니까. 가맹 업주에게만 좋고, 일반 시민들에게 돌아가는 혜택은 없다는 이야기도 들리는데요? (여기서부터는 권 보좌관의 따가운 시선이 느껴졌다) **"**

일반 시민이라는 분들이 누구죠? 시민에 대한 정의부터 필요할 것 같습니다. 시민은 세대별, 직업별로 다르게 정의할 수 있을 것 같습니다. 서울에는 자영업자가 100만 명, 그들의 가족들까지 합치면 300만 명이 넘게 살고 있습니다. 그분들도 일반 시민입니다.

서울 페이를 사용하면 자영업자분들은 작게는 수십에서 크게는 수백만 원을 매달 절감할 수 있습니다. 서울 페이는 삶을 바꾸는 10년 혁명의 중심입니다. 가맹점주가 아닌, 서울 페이 사용자들에게도 손해가 없는 일이죠. 우리의 이웃과 함께 잘 살 수 있다는데 누가 거절하겠습니까? 하하.

서울 페이의 대중화를 위해 세금감면까지도 고민하고 있습니다. 중앙정부에서도 서울 페이를 인정을 하셨고, 카카오페이에서도 협력의사를 밝혔습니다.

"네, 제가 질문이 너무 많죠, 시장님?"

It's my pleasure~~!

"그럼 또 여쭙겠습니다. 이번에 3선 시장이 되시면 여성 부시장을 기용하실 수 있겠다 싶어요."

그 부분에 대해서 스트레스를 받고 있습니다. 꼭 부시장을 여성으로 기용한다고 해서 여성평등이 이루어진다고 생각하지는 않습니다. 현재 서울시에 각종위원회 백 개가 넘는데, 여성위원의 숫자가 40퍼센트 이상입니다.

제가 처음 서울시 왔을 때, 실국장급 이상인 여성은 한 분이었습니다. 지금은 열 명입니다. 실국장급이 되려면 여성 과장이 많이 있어야 하는데, 현재 서울시에는 여성 과장이 많지 않아서 토대가 취약합니다.
저는 페미니스트입니다. 여성 정책에 관심이 많은 사람이죠. 내가 여성과 다름없는 페미니스트이기 때문에 꼭 여성이 부시장일 필요는 없다고 생각합니다.
제가 어디선가 이런 말을 한 적도 있죠. '솔직히 나는 여성이라는 사실을 고백하고자 한다.' 어버이연합도 저 부를 때 '이년 나와라. 박원순' 이렇게 외칩니다. 다른 일화도 있습니다. 모 걸그룹에게 존경하는 여성 정치인이 누구냐고 물었는데, 서울시장 박원순이라고 대답했다고 하지요. 하하.

"박후보는 여성스러워서 좋다. 부드러운 카리스마를 가진 정치인이어서 좋다는 이야기도 있습니다."

부드러운 카리스마라는 단어가 성에 대한 규정을 내포하고 있다고 생각합니다. 편견이지요. 카리스마 있는 여성도 많습니다. 반대로 국가지도자가 무조건 카리스마 있어야 하는 것도 편견입니다. 여성도 카리스마가 있고, 끈질길 수 있습니다. 이제는 여성에 대한 정의를 바꿔야합니다.
편견에서 벗어나기 위해서는 무엇보다 성 인지 감수성이 중요하지요. 사물을 이해하고 판단하는 데 있어서 성 인지 감수성이 중요합니다. 이것을 내포하고 있느냐 않느냐에 따라 세상을 대하는 말과 태도가 다릅니다.
성 인지 감수성은 사회의 어려가지 사안과 유기적으로 연결되어 있습니다. 문화 감수성, 예술 감수성이 있어야 도시를 바라보는 관점이 달라집니다. 상대후보들은 서울이라는 도시를 문화적 시선에서 바라보지 못합니다. 혁신의 방안에는 사고의 변화와 예술의 개입이 필요합니다.

"지난 대선 때 왜 경선에서 포기하셨는지 여쭙고 싶습니다. 당시 대선을 포기하셨던 부분이 보완되신 건지 궁금합니다. 다음 대선에 나가실 의향 있으신가요? (이 때부터는 공기의 흐름이 달라졌음을 감지했다.)**"**

(멋쩍은 웃음과 함께) 당시 준비가 되지 않았다는 걸 스스로 느꼈습니다. 어

떤 일이든 내가 만족스러워야지, 성공을 하든지 실패를 하든지 의미가 있습니다. 굳은 마음의 준비가 필요한 부분이라고 느꼈습니다.
당시 서울시민들이 저를 많이 좋아해 주셨습니다. 아직은 서울시장을 좀 더 해야 된다는 메시지로 받아들였고요. 대선은 하늘의 뜻입니다. 누구도 알 수 없는 일이지요. 사람은 한치 앞을 내다보지 못합니다. 현재에 최선을 다하는 것이 중요합니다. 지금은 제가 유세현장에서 최선을 다해 시민들에게 지지받는 일이 중요합니다.

"네, 알겠습니다. 그럼 경선 단계에서 가장 신경 쓰신 점들이 궁금하네요."

우리 후보들, 더불어민주당의 후보들입니다. 서로 마음을 다치지 않게 경선이 진행되는 일이었지요. 앞으로도 쭉 함께 해야 될 사람들이니까요. 주의를 기울이지 않으면 안 되는 면들이 있었고, 솔직히 어려웠습니다. 박영선, 우상호 의원은 굉장한 엘리트이십니다. 원내 대표를 지낸 분들이었고요. 그런 점이 마음에 부담이 됐습니다.

"그렇다면 본선에서 가장 신경 쓰신 점들은요."

나는 현역 시장이자 과거에도 여러 차례 시장을 했던 사람입니다. 수성하는 사람이어서 다른 후보들이 굉장히 날카롭게 공격을 했습니다. 수비자로서 쉽지 않았지요. 사람들의 날카로운 공격을 받아내는 유연함도 필요합니다. 무대응도 어려운 일이지요.

"핵심 관계자 인터뷰에서 박 후보님을 두고 '굉장한 사색가'라는 평도 있었습니다."

사색가라는 말은 굉장히 오랜만에 들어봅니다. 사색할 시간, 솔직히 별로 없습니다. 혼자 있는 시간이 필요합니다. 언제나 누군가와 같이 있거든요.

"박 후보님을 두고 장관이나 청소부나 똑같이 대하는 사람이라는 이야기도 있었습니다."

모든 사람은 평등합니다. 그 누구도 무시당할 사람은 없기 때문에 평등한 자세가 필요합니다.

"시장님은 현재에 최선을 다하는 사람이라는 이야기가 있습니다."

사람은 미래를 예측하고, 과거를 전망합니다. 그러나 가장 중요한 것은 땅 위에 발을 딛고 서 있다는 사실입니다. 현재 없이 과거도 없고, 미래도 있을 수 없습니다. 매 순간 최선을 다하는 것이 중요합니다.

"캠프에서 기억에 남는 에피소드가 있는지 궁금합니다."

모든 분들이 다 열심히 해주고 계셔서 한 팀만 꼽기는 어려울 것 같습니다. 굳이 꼽자면 TV 토론팀이 기억에 남습니다. 경선 때 두 번, 본선 때 네 번을 치뤘는데, 열심히 준비해주셨지요.

"네, TV토론 준비 당시 쉬지 않고 리딩을 4시간이나 해서 놀랐다는 이야기를 들었습니다. (리딩- 배우들이 모여서 하는 대본 읽기와 비슷하다. 토론의 전체적인 내용을 숙지하는 과정이다.)"

제가 원래 철인입니다. 그런데 저 역시 오늘처럼 고장이 날 때도 있습니다. (박 시장은 그날 하루 종일 허리통증으로 앉아 있는 것도 힘들어했다.)

"힘들지 않으세요?"

괜찮아요. 입은 괜찮으니까! 하하.

"유세하시면서 기억에 남는 유권자도 있으시죠?"

많습니다. 정말 많습니다. 진심으로 저를 위하는 사람들이 기억에 남습니다. 동네 아줌마들, 아저씨들이 저를 정말 사랑한다는 눈빛으로 다가와 주실 때 감사한 마음이 듭니다. '내가 뭔데, 뭐라고 저런 눈빛으로 바라봐 주시나. 정말 잘 해야겠구나.'라는 채무감이 듭니다.

"캠프에서는 진심으로 후보님을 사랑하는 분들이 많습니다. 사실 저는 이번이 선거캠프 참여가 처음인지라, 정치판은 이해관계로만 얽혀있을 것이라는 편견을 가지고 시작했습니다. 후원회 실장님은 인터뷰하다가 눈물을 보이시기도 했는데, 저도 눈물이 나던 걸요."

서울이라는 도시를 바꾸고 싶어서 많은 분들이 캠프에 참여해주셨습니다. 신세를 진 일이지요. 후원금을 내주신다는 게 쉬운 일이 아닙니다. 유세하시는 분들도 얼마나 발이 아프실까요.

"마지막으로 독자 분들에게 하고 싶은 말씀이 있으시면 부탁드릴 게요."

이번 선거의 기록을 보존하는 의미도 있지만, 선거를 하시는 많은 분들에게 도움이 되고자 만드는 책이기도 합니다. 하지만 이 책이 정답은 아니지요. 잘못한 것들로부터도 배울 수 있으니까요. 우리가 함께 했던 노력의 순간들을 솔직하게 정리해주셨으면 좋겠습니다. 민주주의의 축제로서의 이번 선거가 잘 이루어지면 좋을 것 같습니다. 네, 고맙습니다.

에필로그

박원순의 향기, 그 사람 냄새를 전하며

3선 서울시장이 된 정치인 박원순, 박원순을 만든 사람들, 그들이 들려주는 이야기를 통해 당신은 무엇을 느꼈는가?

당신이 여전히 정리되지 않는 박원순의 그 무엇을 찾아야 한다면 나는 공유의 가치와 배려의 아이콘, 정치인 박원순을 기억해 줄 수 있는지 되물어야 한다.

비록 14일의 짧은 기간에 일어난 선거에 관한 이야기지만, 캠프 관계자 백여 명의 증언을 통해 박원순이 살아온 날과 그의 정치철학의 단면이나마 들여다 볼 수 있는 계기가 되었다고 자부한다.

우리가 만난 사람들의 공통된 이야기에는 정치인 박원순에겐 분명히 자기만의 색깔이 있었다. 빨주노초파남보가 아닌 사람의 색깔이었다. 결코 진부하거나 오래된 색깔이 아닌, 시대를 관통하는, 시민과 나란히 걸어가는 그 색깔이다.

2018 서울을 파랗게 물들인 사람들, 자기의 생업마저 잠시 접어두고 열광하는 시민들! 사회 초년생의 눈에 비친 광기에 가까운 열정적인 지지, 그들에겐 분명히 황토색인 살색을 드러내고 있었다. 박원순만이 가진 사람냄새가 나는 그 색깔이다. 우리 사회를 가장 힘들게 살아가는

사람에서부터 삶이 넉넉한 사람들까지, 박원순을 좋아한다는 시민들의 마음 속 저변에 흐르는 박원순이 보여준 색깔이다.

선거캠프의 시스템 작동방식과 실무자와 자원봉사자들의 역할과 업무도 재미있게 표현해보려 했다. 그러나 이 책 전편에 흐르는 박원순의 향기, 바로 사람냄새에 글쓴이 또한 대취하고 말았다.

박원순 선거펀드 15억이 14분 57초만에 (역사상 최단시간에) 모금된 이야기며, 후보를 만나는 사람들의 그윽한 눈길 이야기며, 캠프업무에 몰입하느라 정장은커녕 잠옷을 입고 출근한 사람의 이야기며, 선거를 돕기 위해 부산에서 서울로 출퇴근 하는 사람의 이야기며, 윗사람에게만 상냥하고 별 볼일 없는 사람에겐 눈길도 피해가는 싸가지 없는 젊은 해바라기 이야기며… 못다한 이야기가 어디 한둘이랴!

이 책이 나오기까지 캠프 관계자의 인터뷰와 서면 인터뷰 원고를 주신 모든 분들, 특히 캠프에서 아무런 대가를 바라지도 않고 묵묵히 자원봉사를 해주신 많은 분들에게 진심으로 고마움을 표하고 싶다.

저절로 붉어질 리 없는 대추처럼

책을 만드는 일이란 늘 힘든 일이다. 이번 일은 특히 더 힘들었다. 물론 정말 좋은 사람이 함께 해주었기에 이번 책 만드는 일이 성공했지만, 솔직히 일이 힘들었다기보다 함께 하는 사람들과 호흡을 맞추는 일이 더 힘들었다. 소개를 통해 알게 된 사람은 오랫동안 알고 지내온 사이가 아닌지라 짧은 기간내 끝내야 하는 프로젝트에는 적합하지 않다는 사실을 간과했다. 게다가 작가라면 적어도 우리 사회 엘리트계층이 아닌가. 자원봉사를 같이 하자며 불렀으나 그들에게 돌아갈 인센티브

등이 없기에 만족을 주지 못했다. 어찌보면 처음부터 갈등이 예견된 상황이었다.

이전 선거 캠프에서는 같은 뜻을 지향하는 사람들끼리 모여서 선거를 끝내고 헤어졌던 좋은 추억만 남아 있어선지 시작할 땐 자신만만했다. 적합한 사람을 모으면서 원고 쓰는 작업을 병행하면 충분해 보였다. 비록 대부분이 파트타임 자원봉사자였지만 8~9명으로 불어났다.

일에 대한 욕심으로 밀어부치다보니 탈이 났다. 하루가 멀다하고 문제가 일어났다. 절대적인 시간이 부족해 품고 갈 형편이 못 되다보니 떠나는 사람을 잡지 못했다. 새로운 사람이 오면 하루나 이틀이면 문제가 발생했다. 15일 중 그렇게 5일을 낭비했다. 나를 포함해 5명이 남았다. 막바지 초고완성단계에서 또 한 명이 이탈했다. 그들이 떠났다고 멈출 수도 없는 노릇이었다.

매일 매일 분초 단위를 아껴가며 원고 작성을 구상했지만, 뚜렷한 해결책이 없었다. 초고완성까지 원고 쓰는 속도를 감안해, 시간 역산을 해 보니 내가 생각해도 답이 없었다. 남은 시간 10일, 150시간, 미션은 하루 10꼭지면 100꼭지다. 책의 분량은 300페이지.

설상가상 캠프 내의 자료 취합 협조도 원만하지 않았다. 본부장께 직접 협조를 부탁하니 부정적이라는 답변이 돌아왔다. '햐~ 후보가 원하는데 캠프 최고책임자가 반대를 하는 상황을 어떻게 받아들여야 하나…….'

죽이 되든 밥이 되든 한 번 해보자는 오기가 생겨났다. 정약용을 떠올렸다. 조선시대 18년의 유배생활 동안 500여 권을 남긴 사람이다. 그 시절에 그도 했는데 난들 못하랴! 제대로 된 2명의 작가만 있어도 5꼭

지씩 완결하면 가능하다. 만일 서면인터뷰를 받기만 한다면 하루 20꼭지도 가능하다는 판단에 도달했다.

일단 숙소를 캠프 근처로 옮겼다. 이동시간이 확 줄어드니 하루 서너 시간을 공짜로 버는 기분이 들었다. 잠자는 시간을 4시간으로 줄이면 20시간을 매달릴 수 있다.

캠프의 각종 회의체계가 5단계이니 임재영 간사와 나누어 들어가고 식사시간도 줄이면 15시간 정도는 원고를 쓸 수 있다고 계산했다. 전쟁터의 병사마냥 죽기살기로 달려갔다.

6월 13일 오후 5시 50분, 안국동 캠프사무실 7층 개표상황실에는 카메라와 기자들, 당원, 지지자, 캠프관계자로 발 디딜 틈이 없었다.

6시 정각, 출구조사가 발표되자마자 환호성이 터져 나왔다. 자정이 지나도록 캠프는 오랫동안 시끄러웠다. 축제다. 그러나 백서팀은 이날이 가장 바쁜, 원고 초고 마감일을 앞둔 날이다.

캠프는 선거당일이면 대부분 정리가 된다. 출구조사와 당선유력, 당선확정이 예측되면 대부분 귀가한다. 그러나 우리팀은 자동차의 엑셀레이터를 힘껏 밟듯이 알피엠(rpm)을 최대한 끌어 올려야 했다.

6월 14일 새벽, 새벽 인적이 없는 사무실에는 '타닥타닥' 키보드 소리만 들리고 토기눈처럼 충혈된 눈동자 몇 개가 원고와 모니터를 왔다갔다 했다.

끝났다고 끝난 것이 아니란 말이 있다. 백서팀은 며칠 전부터 날새기가 일상이 되었다. 사우나 한번 가보는 것이 작은 소원이 돼버린 팀원들, 얼큰한 김치찌개가 먹고 싶어 일요일 인사동 식당가를 배회했던 일, 빨간 토끼눈을 가리기 위해 한동안 선글라스를 끼고 다녀야 했던 일…. 어떤 날은 세수도, 식사도, 잠도 걸렀다. 6월 15일이 되니 초고 원고가 완성되어 있었다. 초고가 완성되었으니 남아 있는 일은 식은 죽먹기보다 더 쉬운 일만 남은 것이다. 우리팀이 해냈다. 우리가 해냈다.

자원봉사자인 이준형 씨는 IT업계 CEO다. 선거 중반까진 후보의 현장을 따라다니며 스케치를 하고 사진을 찍어 함께 보내왔다. 선거 막바지엔 아예 회사일도 돌보지 않고 내 곁에서 사소한 일까지 도와주었다. 이른 아침이면 항상 손에는 내가 좋아하는 커피를 들고 '굿모닝!' 하며 쓰러져서 잠자는 나를 깨웠다. 초고 완성단계에는 기가 막힐 정도로 내가 생각하는 목차대로 분류작업을 도와주었다. 일사천리였다. 텍스트 원고에 넘버링을 붙이고 이미 확보된 사진을 찾아 준다. 덕분에 나의 초고원고는 점차 완성형으로 바뀌었다.

정병하 씨는 현장스케치와 자료취합, 잔심부름, 일일이 열거할 수 없을 정도의 많은 도움을 주었다. 갓 제대해서 해외유학을 미루고서 캠프 자원봉사를 지원해온, 내 아들과 비슷한 나이대의 청년이다.

김다솜 씨는 아나운서 출신답게 TV토론 모니터와 대면 · 서면 인터뷰를 깔끔하게 정리해서 글쓴이가 글을 잘 쓸 수 있도록 많은 도움을 주었다. 공동저자에 이름을 올렸어도 이상한 게 없을 정도로 서면 인터뷰 원고와 대면 인터뷰를 정리해서 갖다 주었다. 이 책의 초고가 빨리 완성될 수 있었던 것은 그녀의 덕분이다.

임재영 간사는 자료 취합에 걸린 시간보다 각 층에 흩어진 본부와 팀들을 찾아다니며 보낸 시간이 더 많았다. 그는 캠프에서 이뤄지는 지지선언이나 행사 사진을 촬영해주고, 원고를 부탁했다. 일종의 '딜(Deal)'을 하는 방법으로 서면 인터뷰를 수집하는 꾀를 부렸다. 회의자료는 총무본부 팀원들에게 도움을 받았고, 나머지 자료는 온라인 대화방을 통해 긁어 모았다. 실시간 자료 제공이 가능했던 것은 그의 숨은 공이 컸다.

무엇보다 원고와 서면인터뷰를 보내준 캠프 참가자들과 자원봉사자들에게 고마움을 전한다. 한 편의 시로 이상의 후기를 대신한다.

장석주의 '대추 한 알'은 이렇게 시작된다.

저게 저절로 붉어질 리는 없다
저 안에 태풍 몇 개 천둥 몇 개
저 안에 벼락 몇 개
저 안에 번개 몇 개

강대성 강규나 강민구 강민수
강민숙 강병욱 강병원 강복순 강석현
강성호 강수곤 강수연 강신표 강용주 강정욱 강종만
강주미 강창일 강태복 강현동 강현선 강희용 고성희 고영학
고용진 고유기 고은경 고정은 고지훈 고혜영 곽수신 곽 현
곽혜림 구수민 구슬기 구용본 구자열 구현정 권도경 권미경 권상훈
권예린 권오재 권재철 권태훈 금중혁 금태섭 기동민 김 빈 김강열
김경서 김경자 김경후 김계옥 김광렬 김국희 김근태 김기만 김기우 김기태
김남연 김남익 김다솜 김다예 김대호 김도형 김동규 김동석 김동완 김동진
김동현 김문경 김민서 김민수 김민정 김병기 김상우 김상훈 김석태 김선영
김선윤 김선화 김설화 김성범 김성수 김성욱 김성은 김성조 김성화 김성환
김성희 김수진 김숙진 김승범 김아란 김연수 김영경 김영대 김영지 김영채
김영호 김영훈 김영희 김용창 김용태 김원이 김유리 김유진 김윤정 김은경
김응교 김의겸 김인제 김재희 김정겸 김정룡 김정식 김정애 김정현 김제식
김종석 김종옥 김종욱 김종택 김종필 김종호 김종휘 김주명 김주영 김준성
김지은 김진희 김창대 김창덕 김창화 김태균 김태우 김학규 김한규 김한신 김현권
김현철 김형균 김형보 김형준 김형탁 김혜미 김혜원 김호성 김홍길 김효진 김희성
나미라 나현식 나효우 남보미 남인순 남일호 남희용 노무종 노양호 노육선 노웅래
노정선 도민호 류벼리 류태림 문미란 문병일 문병훈 문지연 문치웅 문호권
민경국 민병덕 민병두 박 무 박경미 박경원 박권재 박근형 박기영 박도은
박미애 박민규 박민제 박상원 박선이 박소영 박승민 박양숙 박영민 박영선
박용신 박용진 박윤정 박은숙 박재준 박정숙 박정순 박정환 박주민 박준모
박준수 박준영 박진우 박찬선 박찬중 박철민 박해철 박 혁 박현서
박형민 박홍근 배기찬 배민경 배영배 배장원 배재현 배지택
백경열 백경진 백선민 백소윤 백운산 백재욱 백찬홍 백혜숙
변아영 변현석 서동호 서민순 서병관 서승현 서쌍원
서영교 서정태 서정화 서종수 서주원 서진아 서춘기
선학수 성수빈 성주호 소현정 손병권 손병익 손보경
손서연 손혜원 송기호 송동민 송옥주 송용봉 송윤욱
송재봉 송찬식 송현관 신경민 신근정 신동만 신선경
신성자 신수현 신영웅 신윤정 신은재 신종범 신진욱 신현식
신혜림 신희진 심규성 심수현 심재권 심재섭 심준규 안규백 안병수
안상훈 안연환 안요섭 안진걸 양동우 양민호 양예희 양원선 양재준 양재춘 양준욱
양지혜 양호경 엄소영 오가인 오기형 오덕만 오민재 오보람 오성규 오세준오수미 오윤석 오윤영
오충열 오현석 옥진주 온드라 우상호 우원식 우창윤 원창수 원현우 유경배 유광상 유기홍 유성수 유송근 유승희
유은재 유준호 유지인 유창복 유희경 윤다혜 윤영홈 윤병성 윤선희 윤영석 윤영진 윤우근 윤재훈 윤종술 윤창원 이석기
이강렬 이경태 이경화 이대호 이말다 이명진 이미영 이민주 이병헌 이상건 이상규 이상근 이상빈 이상현 이선화 이선희
이성일 이세걸 이수민 이수정 이수호 이순자 이슬기 이승우 이승학 이승헌 이예송 이용득 이용로 이용선 이용태 이우건 이원환
이유경 이인섭 이인수 이인영 이인창 이재한 이재효 이정미 이정민 이정인 이정훈 이종우 이종태 이종현 이준영 이준형 이준희
이지백 이지영 이지윤 이지환 이찬연 이창식 이창우 이창준 이창현 이철희 이태규 이태수 이태열 이해숙 이현정 이호재 이 훈 이훈경
재근 임경지 임세은 임영진 임장수 임재영 임종천 임지광 임지윤 임형균 장경태 장사덕 장성원 장영승 장오형 장용철 장윤경 장윤미
재근 장재열 장재호 장종화 장진영 장현명 장호식 전상제 전순옥 전원근 전은희 전태준 전행준 전현희 전혜숙 정경숙 정광식 정남희 정동주
희 정병하 정석윤 정성재 정세환 정수빈 정순경 정순영 정애경 정영훈 정용운 정용형 정우윤 정웅채 정윤남 정은상 정인천 정재수 정주영
정진립 정진영 정찬우 정현숙 정혜아 정혜진 조금득 조다혜 조덕섭 조상호 조성주 조세현 조소영 조연환 조영재 조원영 조윤숙 조은정
조주연 조태익 조하인 조현욱 조혜림 조혜진 주선국 주준형 지혜연 진생재 진선미 진 영 채예일 천준호 천지용 최광섭 최기석 최동민
최봉문 최선길 최소영 최수빈 최영균 최영희 최용문 최윤현 최재혁 최재현 최정기 최정환 최지혜 최창락 최택용 최형근 최형재 최희순
표국룡 하병철 하상준 하석태 하원선 한명희 한상민 한상석 한승주 한승현 한아영 한 영 한영수 한정애 한정열 한종관 허 권 허윤미 허윤정
홍명이 홍서유 홍석이 홍석주 홍영흥 홍용기 홍익표 홍지오 홍태길 홍혜은 황라현 황병관 황세영 황옥경 황유경 황의철 황 희 황희두

화보 사진 제공
박원순 캠프 대변인실 양원선